JE DOIS
M'AIMER
POUR T'AIMER

Brenda Schaeffer

JE DOIS M'AIMER POUR T'AIMER

Comment équilibrer **AMOUR** et **POUVOIR**

Traduit par Claude Herdhuin

BÉLIVEAU
★
éditeur

L'édition originale de cet ouvrage a été publiée sous le titre
LOVING ME, LOVING YOU
Balancing Love and Power in a Codependent World
© 1991 Hazelden Foundation
ISBN 0-89486-747-4

Conception de la couverture : Fanny Therrien
Réalisation de la couverture : Jean-François Szakacs

Tous droits réservés pour l'édition française
© 2002, Éditions Sciences et Culture Inc. / Béliveau Éditeur

Dépôt légal : 3e trimestre 2011
Bibliothèque et Archives nationales du Québec
Bibliothèque et Archives Canada

ISBN 978-2-89092-492-5

 **BÉLIVEAU** 920, rue Trans-Canada
Longueuil (Québec) Canada J4G 2M1
450 679-1933   Téléc. : 450 679-6648

www.beliveauediteur.com
admin@beliveauediteur.com

Gouvernement du Québec — Programme de crédit d'impôt pour l'édition de livres — Gestion SODEC — www.sodec.gouv.qc.ca

Nous reconnaissons l'aide financière du gouvernement du Canada par l'entremise du Fonds du livre du Canada pour nos activités d'édition.

IMPRIMÉ AU CANADA

Note de Béliveau Éditeur

La recouvrance

Nous avons traduit par «recouvrance» le mot américain *recovery*. Il nous est apparu nécessaire de le définir pour ceux qui ne sont pas familiers avec les divers programmes Douze Étapes dans les groupes de soutien.

Dans les livres américains, on rencontre fréquemment l'expression «la recouvrance est un processus» (*recovery is a process*). Des ouvrages sur ce sujet nous ont permis de préciser tout le champ notionnel du mot «recouvrance».

La recouvrance est un lent et graduel processus de prise de conscience, d'acceptation et de changement qui amène une personne à rétablir sa santé physique, à équilibrer sa vie émotionnelle, à réhabiliter son état mental et à reconnaître l'existence d'un pouvoir spirituel.

L'individu, en se joignant à un groupe de soutien, adopte progressivement les principes d'un Programme Douze Étapes pour restaurer sa dignité humaine et redevenir un être humain entier.

Note de Hazelden

Hazelden Educational Materials publie divers documents sur la dépendance chimique et autres domaines connexes. Nos publications ne représentent pas nécessairement l'opinion officielle de Hazelden ou de ses programmes, ni ne prétendent parler officiellement au nom d'aucune des organisations qui utilisent les Douze Étapes.

À propos de l'auteure

ଓ ଓ ଔ ଔ

BRENDA SCHAEFFER est l'auteure du célèbre livre *Is It Love or Is It Addiction?* et des quatre brochures de la collection «Healthy Relationship» publiée par Hazelden. Licenciée en psychologie et diplômée en analyse transactionnelle, elle donne des conférences partout aux États-Unis et dans le monde. Elle a une grande compétence comme psychothérapeute, formatrice de thérapeutes, conférencière et consultante en communications. Brenda Schaeffer a été formée avec des experts en hypnose, Gestalt, bioénergie, visualisation, et en psychologies existentielle, transpersonnelle, de régression et de croissance.

Clinicienne et chargée de cours de l'International Transactional Analysis Association, elle est directrice de Brenda M. Schaeffer and Associates à Minneapolis, où elle dirige des formations, des ateliers et des groupes de thérapie.

Sommaire

෬ ෬ ෯ ෯

Remerciements

CS CR EO EO

La rédaction de ce livre a été une expérience de transformation spirituelle. Je suis différente puisque j'ai eu l'honneur de faire ce travail. Je ne pouvais pas savoir à l'avance que chaque jour m'apporterait quelque chose en rapport avec le thème même que j'aborde ici : l'équilibre entre l'amour et le pouvoir.

Je suis très reconnaissante aux nombreuses relations qui m'ont nourrie, qui m'ont fait part de leurs réactions sur ce que j'écrivais et qui m'ont appuyée tout au long de ce processus. Ces relations m'ont rappelé que nous ne vivons pas sur une île. Nous avons plutôt des liens profonds avec le monde qui nous entoure, et c'est justement dans ces rapports aux autres que les miracles se produisent et que les idées deviennent des créations.

Je désire remercier Doug Toft, qui m'a fait des commentaires judicieux sur mon texte et qui a pris le temps de vraiment me connaître. Sally Graham, pour son merveilleux entrain et pour avoir accepté de travailler à des heures impossibles afin de respecter les délais. Je remercie aussi Rebecca Post, directrice d'édition chez Hazelden, qui a su respecter le sens professionnel derrière les mots que j'ai utilisés et qui m'a merveilleusement représentée auprès de ses collègues. Enfin, je tiens à remercier Jeff Petersen et Don Freeman, directeurs des publications chez Hazelden, pour leur travail.

J'apprécie les personnes qui ont pris le temps de lire et réviser objectivement le manuscrit. Leurs commentaires m'ont été d'une aide inestimable : mes frères, Michael et Gregory Furtman; mes collègues et amis, Jan Gagne, Laura Gauger, le Dr Barton Knapp, Mary Klake, Pam Benson, le Dr Russell DesMarais et Ted Harrison. Un grand merci à Diana Pauling, pour avoir su m'éclairer et me guider avec spiritualité quand c'était nécessaire.

Je suis profondément redevable aux personnes qui ont écrit leur histoire et à celles qui n'ont pas écrit leur histoire mais qui m'ont néanmoins inspirée. Je suis honorée de connaître chacune d'elles et d'être le témoin de leur voyage intime.

Je ne dois pas oublier tous ces clients, étudiants et employés qui, même s'ils n'aimaient pas toujours le temps que je prenais pour écrire, m'ont encouragée et applaudie jusqu'à la fin. *Merci !*

Merci à Ted et à mes enfants, Heidi et Gordy, pour leur amour qui vient du fond du cœur et pour leur patience. Vous avez partagé avec moi votre amour spirituel quand j'en avais le plus besoin. À mon père, Ralph Furtman, merci de m'avoir rappelé avec gentillesse à plusieurs reprises de veiller à garder l'équilibre dans ma vie.

Introduction

 C3 C3 80 80

*Voici un test pour savoir si votre mission sur terre
est terminée. Si vous êtes vivant, elle ne l'est pas.*

– RICHARD BACH

Une relation amoureuse est le cadeau le plus précieux que la vie
puisse nous faire. Pourtant, le combat physique, émotif, mental et
spirituel qui accompagne une relation est stupéfiant. Il suffit de
regarder les gens se débattre, hurler, se ridiculiser, s'insulter et
déclarer en même temps qu'ils s'aiment. L'omniprésence de ce
combat est telle que l'on finit par se demander si l'amour existe
réellement. Ce livre affirme en effet aux cyniques que l'amour
sain est possible. Mais il veut aussi vous montrer qu'une relation
amoureuse n'est pas un petit paquet bien emballé. Une relation
amoureuse est un processus vivant qui commence et se termine
avec vous.

Des relations amoureuses saines — une quête permanente

Ce livre n'invente rien. Tout ce qui s'y trouve a déjà été dit ou
pensé. La connaissance est simplement là, comme un courant
électrique, prête à être captée et exprimée. Pourquoi, alors, en
lire encore plus ?

Parce que, comme moi, vous répondez à une quête intérieure, vous voulez affirmer ce qu'en réalité vous savez et n'avez peut-être pas les mots pour le dire. Parce que, comme moi, quelque chose vous pousse à vivre à un niveau plus profond, où l'action vient de l'endroit paisible à l'intérieur de vous. Parce que, comme moi, vous avez découvert que les relations amoureuses imposées par le désir, la crainte et les obligations sociales meurent ou tuent l'authenticité en vous. Parce que, comme moi, vous rêvez de vivre en harmonie avec le divin dans la vie et en vous. Comme moi, vous êtes prêt à reprendre le contrôle de votre psyché, que vous aviez laissé jusqu'à aujourd'hui entre les mains des autorités humiliantes appartenant au passé et au présent. Comme moi, vous êtes prêt à renouer avec la tradition de la bravoure qui caractérise l'être humain, à cesser de blâmer les autres pour ce que vous êtes et à affronter vos peurs avec la conviction d'un guerrier. Enfin, parce que, comme moi, alors que vous invoquiez et suiviez votre sagesse intérieure, vous avez été critiqué et abandonné par ceux qui ne comprenaient pas.

Quand on quitte l'ancien et le familier, on est confronté à la peur. Les personnes qui cherchent ardemment à découvrir la vérité qui les libérera sont souvent considérées comme une menace. Elles sentiront des pressions pour résister au changement. Les cultures primitives avaient instauré des rites de passage afin d'aider leurs membres à faire face à cette peur et donner de la dignité à la transition. Cependant, aujourd'hui, il ne semble pas exister de rituels significatifs pour nous soutenir dans le cheminement périlleux vers les profondeurs du Moi. En outre, souvent, nous ne voyons pas le sens profond de nos rituels les plus courants — les rituels du baptême, du mariage, des cérémonies de remise de diplômes et des funérailles. Peut-être, un jour, retournerons-nous vers le sens profond des rituels. En attendant, les histoires des autres peuvent nous apporter l'espoir et le soutien qui nous manquent dans la vie de tous les jours.

En l'absence de tels modèles qui appuieraient notre transformation, nous cédons souvent à l'attrait de l'ancien et du familier. Il peut s'avérer difficile de mettre un idéal en pratique, même quand nous sommes certains de cet idéal : «Même si l'esprit est fort, la chair est faible.» Ultimement, nous devrons finir par cheminer seuls. Et même alors, qui parmi nous ne se sentira pas encouragé et appuyé par les récits héroïques de ceux et celles qui entreprennent aussi un cheminement personnel qui les transformera et leur permettra de grandir ? Ce livre répond, en partie, à ce besoin.

Réunir les cent éléments du casse-tête

Pour connaître l'amour, nous devons d'abord réaliser que nous ne sommes pas qui nous croyons être et accepter que nous n'avons pas toutes les réponses. La vie ressemble à un casse-tête de cent morceaux et nous avons de la chance si, à la fin de l'adolescence, nous en avons trouvé dix, vingt ou trente. Nous entrons dans l'âge adulte avec l'illusion d'avoir tout ce dont nous avons besoin pour réussir notre vie et pour nouer des relations amoureuses saines. Remplis de bonnes intentions, nous nous jetons dans la vie, croyant savoir qui nous sommes. Nous sommes confiants d'être armés pour occuper notre place dans le monde et accomplir ce pour quoi nous sommes sur terre.

Souvent, il ne faut pas longtemps pour que nous comprenions notre ignorance. Des éléments importants du casse-tête de la vie sont manquants et d'autres en notre possession ne sont pas les bons. Cela apparaît souvent très évident dans nos relations amoureuses. Mais nous avons peur de dire à quiconque que nous nous sentons abattus, brisés ou inquiets, car si les autres ont trouvé les cent morceaux du casse-tête de la vie, ils pourraient en déduire que quelque chose ne va pas avec nous.

C'est ainsi que nous entrons dans le monde des grands simulateurs. Nous devenons prisonniers d'une vie où tout n'est qu'illusion : une vie où dominent l'avidité, les possessions, la prétention, les contraintes, les dépendances et les rôles. Nous faisons tout ce que nous pouvons pour survivre dans ce monde, nous nous hissons à la force du poignet et nous tentons de ressembler à quelque chose que l'on qualifie de «normal».

Dans notre désespoir, nous essayons de faire en sorte que ce qui est vide semble réel. Nous contrôlons nos vies en recourant au déni, à la rationalisation, aux comparaisons et aux jeux de pouvoir. Nous nous enracinons dans nos illusions, nous exigeons d'être reconnus et jugeons les gens en fonction de ce qu'ils peuvent nous apporter. Nous agissons pour «être quelqu'un» ou pour appartenir à quelqu'un. L'égoïsme et l'ignorance dominent. Mal informés, nous pourrions ne jamais savoir que notre noblesse réside dans ce que nous pouvons devenir et comment nous pouvons aimer. Petit à petit, nous perdons contact avec notre âme authentique, notre état de grâce. L'essence, le noyau de notre individualité, attend patiemment d'être reconnue.

Si nous ne prenons pas conscience de la perte de notre Moi (ou de l'aspect illusoire de notre nature), la vie nous donnera inévitablement ce dont nous avons besoin : un grand choc. Il pourra s'agir d'un divorce, d'une séparation, de la mort d'un être cher, d'une longue maladie ou simplement d'une sensation de vide. De tels événements nous pousseront à reconnaître que presque tout ce que nous savons est sans signification, que la vie est déséquilibrée.

Il peut être terrifiant de découvrir que notre vie n'a été qu'une illusion, car cela exige que nous abandonnions nos vieilles certitudes et ce qui nous est familier, que nous cessions de recourir au déni et assumions personnellement la responsabilité de notre vie. Nous nous posons des questions sur le but et le sens de la vie qui n'avaient jamais obtenu de réponses auparavant. Notre anxiété peut nous pousser à nous accrocher à de vieilles dépendances et à des relations destructrices pour continuer de satisfaire notre soif de prévisibilité. Paradoxalement, lors de tels moments, il arrive parfois que nous entrions dans un état de conscience inconnu de nous jusqu'alors qui, si nous le lui permettons, peut nous aider à découvrir ce qui est réellement important. Lorsque nous restons en contact avec notre désir ardent de demeurer conscient et d'être tout ce que nous pouvons être, nous pouvons aller chercher de l'aide, des conseils — les pièces manquantes du casse-tête.

En tant que psychothérapeute, je considère un tel changement comme un signe de guérison et non de maladie. Une personne qui est suffisamment honnête pour dire «Je n'ai pas toutes les pièces du casse-tête et je veux m'approprier davantage ma vie, je veux davantage d'amour dans mes relations» est sage et non malade.

Les relations amoureuses sont un miroir

Dans de tels moments de véritable lucidité, nous découvrons une vérité fondamentale. Les relations amoureuses sont une matrice à l'intérieur de laquelle nous grandissons ou, au contraire, nous nous atrophions. Nulle part ailleurs que dans une relation amoureuse sommes-nous confrontés directement à nous-mêmes, de façon aussi claire et directe, à ce que nous avons de meilleur ou de pire. Nulle part ailleurs expérimentons-nous ou nous infligeons-nous autant de souffrance, de douleur et d'abus. Et nulle part ailleurs que dans une relation amoureuse éprouvons-nous une joie aussi profonde, une telle extase et une intimité qui nous mettent en contact avec le merveilleux, avec la félicité.

Nous rêvons d'un amour mature — un amour qui nous lie aux autres tout en nous permettant d'être libres. Mais, souvent, nous manquons notre cible. Pourquoi? Parce que, dans bien des cas, nos rapports nourrissent les éléments d'une dépendance malsaine qui envahissent peu à peu le meilleur des relations amoureuses. Une telle dépendance signifie que nous nous tournons vers une personne à l'extérieur de nous — parfois par besoin — pour satisfaire notre profond désir de sécurité, de sensations, de pouvoir, d'identité, d'appartenance et d'intention. Cette forme d'amour s'appelle *la dépendance amoureuse*.

Le paradoxe réside dans le fait que la dépendance amoureuse est notre tentative de maintenir le contrôle. Pourtant, en agissant de la sorte, nous perdons le contrôle en renonçant à notre pouvoir personnel. Et le cycle revient, sans cesse, comme un disque usé.

L'amour nous appelle à la transformation

Tout est lié à l'amour et à l'absence d'amour.

– ROBERT BLY

Le voyage pour aller au-delà de la dépendance amoureuse ou de l'amour malsain en est un de transformation personnelle, un cheminement d'une profonde magnitude. Nous devons reconnaître que quelque chose dans notre conditionnement a refoulé l'âme en nous, bien que cet âme existe encore. Nos expériences passées avec l'amour et le pouvoir ont réussi à nous plonger dans la confusion et à nous écarter de notre Moi authentique. Le Moi qui connaît la vraie signification de l'amour et du pouvoir : l'amour sans pouvoir est vain, et pourtant, le pouvoir sans amour est intolérable. En fait, l'amour et le pouvoir ont perdu leur équilibre. Il est impératif de retrouver cet équilibre, car l'amour et le pouvoir doivent ensemble être les coauteurs de la vie, en commençant à l'intérieur de vous.

On a beaucoup écrit sur l'amour, le pouvoir et la transformation personnelle, une transformation à l'intérieur et à l'extérieur de nous-mêmes. Dans les pages qui suivent, je vais partager avec vous des idées sur l'interdépendance entre ces trois éléments qui, je l'espère, vous fourniront une structure efficace pour votre cheminement personnel. Je pars du principe que les événements que nous vivons, y compris la souffrance dans notre vie amoureuse, peuvent être une occasion de nous transformer spirituellement afin de connaître un niveau plus profond d'amour et de pouvoir. Ce livre est une synthèse de nombreuses théories et écoles, d'idées et d'expériences personnelles. J'ai été influencée par le Dr Eric Berne, en particulier par sa théorie sur le scénario de la vie et sur l'analyse des jeux. J'ai également été influencée par le célèbre poète Robert Bly et par Joseph Campbell, aujourd'hui décédé, qui s'est penché sur les rites et les mythes.

J'ai inclus de nombreuses références à des écoles de spiritualité, occidentales et orientales. Les développements de la physique moderne et la manière dont nous pouvons examiner les relations dans le contexte des lois fondamentales suscitent un vif intérêt chez moi.

Je suis convaincue que l'amour nous conduit à un état d'éveil, dans lequel nous expérimentons une fraîcheur de l'esprit, et nous libère de tout ce qui a pu polluer notre esprit. Ceci devient la fondation de notre propre bonté. Si nous voulons connaître l'amour, si nous voulons aider le monde, nous devons entreprendre ce voyage personnel. Il incombe à chacun de nous de trouver notre sens propre et d'intégrer ce sens dans toutes nos relations.

La première étape consiste à briser le personnage créé par notre développement psychologique et à découvrir le Moi que nous avons appris à cacher. Les possibilités que renferme cette connaissance du Moi dépassent ce que nous pouvons imaginer de plus fou. Mais pour découvrir cette dimension, nous devons commencer par reconnaître que nous sommes endormis et que rarement nous nous échappons de nos images de soi limitées. Personne, moi incluse, n'aime entendre cela. Et pourtant, c'est ici que nous pouvons commencer à apprendre les plus importantes leçons sur l'amour.

L'objectif consiste à devenir une personne plus aimante, avec un plus grand pouvoir de conscience. Ce n'est pas facile. Nous devons commencer par apprendre sur nous-mêmes — ce que nous sommes devenus, ce que nous pouvons devenir et comment cette dualité affecte notre esprit.

Un livre est un professeur — celui qui vous rappelle ce que vous saviez déjà. Mon défi est d'intégrer ces nouvelles connaissances dans un paradigme qui vous aidera à vous connecter avec ce qui existe déjà et qui attend d'être réveillé, allumé, approprié, mis en évidence. J'espère que les idées que je me prépare à partager avec vous secoueront quelque chose en vous.

Pourquoi j'ai écrit ce livre

Plusieurs événements m'ont poussée à écrire ce livre. L'un d'eux a été une question que m'a posée mon fils au cours de son adolescence : «Quelle est la raison qui pousse la plupart des gens à venir chercher ton aide?» J'ai commencé à réfléchir sur les histoires de mes clients et sur les textes traitant de ma profession. Le problème numéro un peut être résumé en deux mots : *crise d'identité*. La plupart des gens traversent la vie sans savoir qui ils sont réellement, en ne connaissant d'eux que ce qu'ils ont appris à devenir.

Cela me fait penser à un taoïste qui disait : «Le réel est vide, le vide est réel.» Le Moi que nous avons appris à devenir est vide. Pour une bonne part, il consiste en des adaptations que nous avons faites au début de notre vie pour que nos besoins soient satisfaits, pour masquer le manque d'amour, le vide que nous ressentions en nous — le néant. Les dépendances, les comportements compulsifs et même les thérapies peuvent être une tentative désespérée de combler ce vide. Et pourtant, il est bien réel. Ce sentiment intérieur de vide et de désespoir est le Moi réel qui nous demande de revenir là où nous appartenons. Nous pouvons faire face à ce vide, voire le traiter en ami, et en ressortir transformés en un Moi entier.

Notre plus grand défi consiste à lâcher prise, à nous libérer de cette vie illusoire telle que nous la connaissons. Comme l'a écrit Joseph Campbell dans *Le héros aux mille et un visages*, tous les héros doivent affronter une mort psychologique. Ils doivent faire le deuil des impressions infantiles de leur *ego*, puis vivre une résurrection qui transcendera la conscience ordinaire. Grandir consiste à se réveiller et à reconnaître que notre conditionnement nous a mis en état de sommeil. La question de mon fils m'a rappelé clairement que le problème d'identité était le défi de croissance auquel, en tant qu'adolescent, il était confronté. Un développement normal suppose que, en entrant dans l'âge adulte, je me connaisse, je m'aime et j'aie confiance en moi, et que j'aie en moi le pouvoir de vivre ma vie de manière honorable avec les autres. Combien d'entre nous y sont vraiment parvenus? Est-il possible que nous soyons nombreux à subir un arrêt de développement à l'âge de l'adolescence? La première raison pour laquelle j'ai écrit ce livre est d'aider les gens à connaître qui ils sont réellement, à transcender ce qu'ils ont appris à devenir.

La deuxième raison est de fournir de l'information aux femmes et aux hommes de plus en plus nombreux à être à la recherche de relations amoureuses plus saines. Je suis profondément préoccupée par ce qui se passe dans notre culture entre les hommes et les femmes. Depuis plus de vingt ans, nous proclamons haut et fort la libération des hommes et des femmes. Et pourtant, ils continuent d'être en guerre et de s'affronter l'un l'autre. Ils se rejettent le blâme pour les malaises qui existent dans les relations entre les deux sexes et dans la société. Les histoires de la vie d'hommes et de femmes nous disent que la dépendance amoureuse, ou une dépendance malsaine aux autres, n'est pas réservée qu'aux hommes ou qu'aux femmes. Nombreux sont les hommes et les femmes qui manquent de compréhension et de tolérance les uns envers les autres. Comment se fait-il que les hommes soient élevés pour devenir exactement ce que les femmes haïssent? Comment et pourquoi les femmes sont-elles élevées pour devenir ce dont les hommes ont besoin, et pourtant craignent — une peur qu'ils n'osent pas admettre? Enfin, pourquoi, en chaque personne, les principes féminins et masculins perdent-ils si facilement leur équilibre? Ces questions ont besoin d'une réponse.

La troisième raison qui m'a poussée à écrire ce livre était de clarifier le lien délicat qui existe entre l'amour et le pouvoir. Je me souviens d'une scène de mon enfance alors que j'avais cinq ans. Je proposais à un couple de voisins âgés un billet pour une loterie organisée par l'église. Le mari en a acheté un. Alors qu'il commençait à écrire son nom, sa femme lui a arraché le crayon des mains et lui a reproché : «Tu ne sais pas comment écrire ton nom. Donne-moi ce crayon!»

Mon âme d'enfant a été si blessée d'assister à cet abus de pouvoir que je me suis excusée et me suis réfugiée dans un endroit tranquille pour pleurer. Je ne pouvais pas comprendre comment des personnes qui prétendaient s'aimer pouvaient s'infliger mutuellement des blessures aussi profondes. En regardant autour de moi, j'ai vu que d'autres adultes se blessaient mutuellement. J'étais confuse et je crois que la plupart des enfants vivent une partie de cette confusion face au concept de l'amour.

Déjà à cet âge, je comprenais que la manière dont les gens expriment leur amour a un rapport avec leurs croyances sur le pouvoir — leur capacité de produire un changement. Quand il n'y a pas de pouvoir dans l'amour, nous prenons soin des autres au prix de notre propre capital émotif. Quand il y a du pouvoir et pas d'amour, nous abusons, faisons souffrir et blessons les autres — ultimement à notre propre détriment. Notre tâche consiste donc à construire des relations qui nous permettent de nous affirmer — l'expérience culminante de toutes les expériences — dans lesquelles l'amour et le pouvoir sont en équilibre.

Ce que contient ce livre

La prémisse de ce livre est qu'une sagesse fondamentale, ou le moyen d'expérimenter le monde, est toujours à notre disposition et peut nous guider vers des relations plus aimantes. Nous pouvons appeler cette façon de voir : notre *amoureux spirituel*. Quand nous apprenons à vivre par notre amoureux spirituel, nous découvrons comment équilibrer amour et pouvoir dans nos relations. Nous établissons des rapports équilibrés, résolvons les conflits et les problèmes avec compassion, nous avons une vision intuitive, et une bienveillance qui transcende notre état ordinaire.

Lorsqu'on entre en contact avec notre amoureux spirituel, nous sommes appelés vers un cheminement susceptible de transformer notre vie. L'objet de ce livre est de décrire certains des points importants de ce cheminement.

En effet, même un amour malsain et d'autres formes de dépendance peuvent être considérés comme une fenêtre sur l'âme. Car même dans la dépendance, certains aspects de nous savent que nous ne sommes pas limités à notre expérience, que nous sommes plus que ce que nous pensons être. Nous sommes à la recherche d'un soulagement temporaire, d'une euphorie ou d'états de conscience altérés, souvent tenus à distance à cause du conditionnement qui a engourdi ou limité notre esprit, mettant de côté le véritable état de conscience. Nous désirons aller dans un endroit où nous trouvons la paix et l'amour. Il est vrai que l'«euphorie» que nous ressentons dans la dépendance n'est qu'un pâle reflet de cet endroit. Pourtant cet endroit est réel.

Un dicton affirme que l'ignorance est la félicité. L'ignorance n'est pas la félicité; l'ignorance est l'ignorance; la félicité est quelque chose d'autre. La félicité est la félicité. Il y a un monde de connaissances dans lesquelles nous pouvons puiser, mais une partie de ces connaissances nous a soigneusement été cachée de plusieurs manières très subtiles. Connaître davantage la félicité veut dire avoir acquis de nombreuses connaissances qui nous permettent d'obtenir une vision plus large des choses. En réalité, nos dépendances deviennent des tentatives malheureuses de trouver notre félicité. Les dépendances sont des impasses dans notre cheminement, même si le voyage est valable. Pour reprendre les mots du poète américain Robert Bly, l'alcoolique est à la recherche de l'esprit, et il ne trouve pas le bon[1].

Notre niveau de conscience exerce une influence considérable sur nos relations. L'expression «niveau de conscience» fait référence au Moi qui est en action dans une personne à tout moment donné. Penser que nous pourrions avoir plus d'un Moi défie le bon sens. Et pourtant, il suffit de considérer la multitude de Moi que nous utilisons dans toute relation. Il y a le Moi en colère, le Moi patient, le Moi fort et le Moi faible. Nous avons en nous un Moi qui demande à une autre personne de nous aider à cesser d'avoir mal, à remplir un vide dans notre vie. Il y a aussi le Moi qui ne demande rien à l'autre personne, le Moi qui fête simplement l'existence de l'autre.

Tous ces Moi — et beaucoup d'autres — existent en nous. Ce livre parle plus précisément de trois types de Moi et de trois types d'amoureux qui peuvent s'éveiller en nous. J'ai donné un

---

1. N.D.T. Jeu de mot : en anglais *spirit* signifie «esprit», mais aussi «alcool».

nom à chacun : le Moi appris, le Moi autonome et le Moi spirituel. Souvent, le Moi appris fonctionne à partir d'un scénario de vie et donne naissance à un type d'amoureux que j'appelle l'amoureux dépendant. Le Moi autonome, libre de toute dépendance, exprime naturellement un autre type d'amoureux, l'amoureux sain. Ces deux Moi sont transcendés en amour par un Moi spirituel, que j'appelle l'amoureux spirituel.

Nous pouvons visualiser la relation entre chacun de ces Moi et de ces trois amoureux comme suit :

Moi appris <——> Amoureux dépendant
Moi autonome <——> Amoureux sain
Moi spirituel <——> Amoureux spirituel

Dans son essence, ce livre explique comment ces aspects de nous-mêmes fonctionnent dans nos vies. Le chapitre 1 fait un tour d'horizon des principaux thèmes abordés dans ce livre, plus particulièrement les divers mécanismes de l'amour, du pouvoir et de la transformation. Dans le chapitre 2, nous examinons comment l'amour et le pouvoir, les principes féminins et masculins dans nos relations ont perdu leur équilibre. Les chapitres 3 et 4 étudient plus en détail les trois Moi, alors que le chapitre 5 développe le concept de l'amoureux spirituel. Le chapitre 6 se penche sur les principes, les lois et les étapes qui guident la transformation de nos relations amoureuses. Les chapitres 7 et 8 reviennent à une discussion sur l'amour et le pouvoir à la lumière de ce que nous avons appris sur l'amoureux spirituel. Le chapitre 9 examine comment l'amoureux spirituel nous amène au-delà de nous-mêmes et vers le monde.

Cependant, le creuset de l'expérience — les événements et les émotions qui tissent votre vie — est également très important. Les plus grands apprentissages se produisent quand les idées et l'expérience sont combinées. Dans ce livre, vous rencontrerez beaucoup d'idées. Certaines seront peut-être nouvelles, alors que d'autres vous seront familières. Dans les deux cas, je vous encourage à absorber ces idées, à y ajouter vos expériences et à utiliser cette connaissance d'une manière qui transformera réellement votre vie quotidienne. J'ai inclus tout au long de ce livre des activités facultatives pour vous aider à appliquer ces idées dans votre vie. Plusieurs des exercices dans les sections Activités ont été conçus pour être utilisés dans des ateliers ou en thérapie. Ils n'ont pas été conçus pour être terminés rapidement. Le temps et la réflexion que vous accordez à ces exercices peuvent vous aider à grandir vers un processus de conscience de soi. Ces exercices sont habituellement faits sous les conseils d'un professionnel. Si vous avez de la difficulté à les faire par vous-même ou si, en les faisant, vous sentez un inconfort, je vous conseille de chercher l'aide d'un professionnel. Bien que ces exercices aient un objectif sérieux, ils sont néanmoins conçus pour être agréables et perspicaces.

Mon histoire

Le creuset de l'expérience est un de nos plus importants professeurs, et cela inclut même les expériences les plus douloureuses. Car c'est par l'expérience que nous recevons certaines des leçons les plus importantes sur les relations amoureuses. Je vais vous raconter ma propre histoire afin de clarifier ces propos.

C'est une histoire qui a marqué le début de ma transformation personnelle — le décès de ma mère. Cette histoire est extrêmement personnelle et une partie de moi hésite à la partager. Il y a un risque, car je vais partager avec vous mon opinion sur la vie et la mort de ma mère qui est peut-être différente de celle qu'en ont les autres membres de ma famille.

Je connaissais bien ma mère. Je l'ai regardée vivre chaque jour de ma vie, beaucoup plus attentivement qu'elle pouvait l'imaginer et que je pouvais moi-même l'imaginer. Elle était gentille et affectueuse, parfois puérile et extrêmement sensible à la souffrance des autres. Elle n'a jamais fait de mal à personne.

Elle avait à mes yeux un défaut : elle souffrait d'insécurité. Elle ne ressentait pas pleinement sa valeur et sa force personnelle. Ou, peut-être n'y croyait-elle pas. Ma mère est devenue orpheline quand elle avait deux ans. Je veux dire que, bien qu'elle ait eu sa mère à ses côtés, elle n'a jamais connu son vrai père. Elle a vécu quelque temps dans un orphelinat avec sa sœur. Sa mère y a travaillé jusqu'à ce qu'elle rencontre et marie un homme plus âgé qu'elle, qui puisse prendre soin d'elle et de ses deux filles. Et ainsi, d'aussi loin que je me souvienne, je devins la gardienne de ma mère. Je voulais qu'elle soit heureuse, même à mes propres dépens. Une partie de mon plan de vie, de mon conditionnement, devint de m'occuper des autres et d'oublier mes besoins. En outre, je sais maintenant qu'une partie de ce que j'ai donné à ma mère était de l'amour spirituel.

Je me souviens que j'avais alors avec ma mère un lien spirituel profond, mais je savais que je ne pouvais pas lui donner ce que son père et sa mère n'avaient pas réussi à lui donner. Dans ma grandeur d'âme, je pensais que si je l'aimais autant qu'elle m'aimait, elle saurait peut-être combien elle était merveilleuse et trouverait peut-être sa félicité.

Ma mère approchait de la cinquantaine quand elle fut victime d'un anévrisme (une hémorragie cérébrale). La veille, je lui avais rendu visite et nous savions toutes les deux que quelque chose allait se passer. Elle voulait s'asseoir près de moi, me toucher, se promener avec moi dans la nature. Pendant que nous nous promenions, elle regardait les choses avec ce dernier regard d'intimité, absorbant tout en elle comme si elle disait adieu aux choses qui l'entouraient. Quand vint le moment de nous séparer, elle m'embrassa, me serra dans ses bras, me regarda dans les yeux et me dit son dernier au revoir.

Sur la route qui me menait chez moi, dans une autre ville, un oiseau vint s'écraser sur le pare-brise de ma voiture et mourut. J'ai pensé immédiatement à ma mère et j'ai regardé ma montre. Quand j'ai tourné la clé dans la serrure de la porte de ma maison, le téléphone sonnait. Ma mère avait été victime d'une grave hémorragie cérébrale et n'avait presque aucune chance de survivre. Elle était dans l'ambulance au moment où le messager, l'oiseau, était venu frapper mon pare-brise.

Ma mère resta dans le coma. Seules des machines la maintenaient en vie. Peu de temps après, elle fut déclarée en état de mort cérébrale. On s'apprêtait à débrancher le respirateur de maintien en vie. Mon père souhaitait qu'elle ne reste pas seule, mais il était trop bouleversé pour rester avec elle. Mes trois frères et ma sœur préféraient ne pas être là. Comme j'étais la gardienne de ma mère, alors j'ai accepté de rester auprès d'elle.

Je ne sais pas si vous avez déjà regardé un proche parent passer de la vie à la mort. C'était à la fois horrible et impressionnant. Je regardais le corps blanc de ma mère prendre une couleur cendrée, pour devenir gris puis noir violacé. J'ai su quand son esprit l'a quittée; il était dans la pièce avec moi.

Quelque chose de significatif m'est arrivé dans ce moment de chaos. J'ai été catapultée dans un état de conscience altéré. J'ai vu clairement la vie et j'ai su qu'il y avait un message important dans l'horreur de cette expérience. C'était une expérience ineffable qui me révélait quelque chose sur la nature de mes relations avec la vie. Pendant quelques instants, j'ai senti un lien profond avec toute chose. J'ai su ce qui importait vraiment et ce qui importait peu. Je me suis dit de ne jamais oublier l'importance de ce moment, la mort de ma mère.

Pendant ce moment, des images du passé me sont apparues subitement. Plus particulièrement les images de mon héritage maternel, les modèles de ma féminité. Mon arrière-grand-mère est morte vers la cinquantaine; ma grand-mère est morte spirituellement vers cinquante ans; l'unique sœur de ma mère l'a précédée dans l'au-delà vers la cinquantaine; et je venais d'assister à la mort de ma mère à la veille de ses cinquante ans.

Pendant ce moment, quelque chose s'est agité en moi. Quelque chose a changé. J'ai connu ce moment où l'immobilité et le mouvement se rencontrent. Je n'ai plus jamais été la même. C'est peut-être ce que l'on appelle une ouverture du cœur. De toute façon, j'ai connu une profonde expérience religieuse. Je n'avais pas besoin d'avoir la foi; je faisais l'expérience de la foi. La mort de ma mère m'avait rendue plus vivante que jamais. J'étais éveillée. Brutalement, une sensation d'amour se fusionna au pouvoir et à la connaissance. Je me suis fait une promesse et ma mère en était le témoin : cette façon d'aimer sans pouvoir ne m'arrivera pas.

Je ne comprenais pas entièrement ce que cette promesse signifiait ni où elle me mènerait, mais je savais que j'avais raison. Il y avait quelque chose dans le processus de la mort de ma mère qui m'autorisait à vivre pleinement ma vie. Je savais aussi que cette promesse n'avait rien à voir avec le fait de savoir si j'allais vivre au-delà de cinquante ans. Il s'agissait de la liberté d'être moi. La capacité de connaître le sens beaucoup plus profond de l'amour et du pouvoir ; la capacité de prendre la profondeur de l'amour, le pouvoir, en connaissant le moment pour ainsi le traduire en une expérience ordinaire au quotidien.

Alors que j'étais témoin de la vie de mes ancêtres féminines, j'ai remarqué qu'elles représentaient certains des meilleurs aspects des principes féminins : l'amour, l'éducation, l'ouverture, la réceptivité. Cependant, elles ne comprenaient pas totalement ce qu'était le pouvoir personnel. Elles donnaient le pouvoir aux autres, en particulier aux hommes. Elles s'occupaient aussi constamment de leurs enfants. J'ai vu comment, dans leurs vies, l'amour sans le pouvoir personnel n'avait pas réussi.

Je suis retournée à ma vie dans un état de choc. J'ai toutefois pu faire mon deuil, dire au revoir à ma mère et soutenir mon père dans cette épreuve. J'ai su à partir de ce moment-là que j'avais un besoin urgent d'expérimenter tous les aspects de ma personne. J'ai commencé à vivre les choses différemment. Si j'avais continué à vivre comme auparavant, l'âme en moi serait morte. Avec cette connaissance, j'ai commencé à faire davantage de choix à partir de ma vie intérieure, de mon vrai Moi, aussi terrifiant que cela pouvait être. J'ai mis de côté tout ce qui ne me semblait pas authentique ou réel. Je n'avais plus besoin de remporter un Oscar pour jouer.

Cette quête pour trouver ma véritable identité semait en moi la peur et le doute. Je n'avais pas la moindre idée où j'allais. Il était tellement plus facile de se faire dire quoi faire, où aller et comment s'y rendre. Je laissais tout ce qui était confortable, sécuritaire, prévisible. Certaines personnes ne m'aimaient plus. À travers tout cela, je pleurais, je désespérais, j'étais punie. Je me sentais attirée à la fois vers ce qui m'était familier depuis longtemps et vers l'inconnu, et j'allais et venais de l'un à l'autre. Souvent, je me raccrochais à ce que je connaissais, à ce qui m'était familier pour me sentir en sécurité. Je n'avais pas de modèles et je me sentais très seule. Malgré tout, je me disais : *Suis ton cœur, cette sagesse intérieure. Rappelle-toi que tu l'as fait quand tu étais une enfant. Tu sais le faire.* Cette sagesse intérieure devint mon salut.

J'ai donc lutté, je suis tombée et je me suis relevée. J'ai ri avec joie et j'ai pleuré. J'étais abandonnée, terrifiée à l'idée d'avoir fait le mauvais choix. Très souvent, les doutes m'envahissaient : *comment savoir si je peux avoir confiance en ce que j'expérimente? Comment savoir que Dieu existe? Comment savoir si je ne vais pas tomber et jamais me relever?* Je savais pourtant qu'il était important que j'expérimente entièrement chaque étape de mon cheminement : la terreur, la solitude, la souffrance, le chagrin, le doute, la rage, la remise en question de soi. Quelque chose en moi me disait : *Continue à suivre qui tu es.* C'était un véritable acte de foi.

J'avais trouvé la foi, l'espoir, presque perdu l'amour des autres et je commençais à sortir des ténèbres. Je lisais avidement et cherchais partout des encouragements. Je commençais à comprendre la signification de la phrase : «Vous devez mourir pour renaître.» Je devais mourir pour laisser l'ancien et le familier, les illusions pour lesquelles j'avais été conditionnée. Parfois, je souhaitais de tout mon cœur redevenir inconsciente, endormie. Le voyage que j'effectuais me paraissait trop difficile et je m'y sentais trop seule. J'ai appris que, lorsqu'une personne commence à voir la vie en technicolor, il est impossible de faire marche arrière pour la revoir en noir et blanc. Il n'y a aucun moyen de faire demi-tour, à moins de souhaiter vivre dans le mensonge.

Cela m'a amenée où j'en suis aujourd'hui. En vérité, je peux dire que ma vie a été un voyage des plus incroyables. La douleur, la souffrance et le désespoir m'ont fait don de la joie, de l'extase et de la félicité. Cela m'a aidée à comprendre à quel point j'étais devenue banale, ordinaire. Quand je repense aux choix que j'ai faits en suivant ma sagesse intuitive, ils semblaient alors complètement illogiques. Pourtant, ils étaient exactement les choix dont j'avais besoin pour passer à l'étape suivante. Tellement souvent, je me suis dit : *Dieu merci, j'ai eu le courage de m'écouter, même quand j'étais terrifiée et plongée dans l'incertitude.*

Au début, je me suis raccrochée à la foi, à des systèmes de soutien, pour me confirmer que j'avais raison. Aujourd'hui, je pense avoir trouvé mon équilibre, mon vrai Moi et, la plupart du temps, je vis en fonction de lui. Je suis plus en paix que je ne l'ai jamais été. Je m'émerveille davantage quand j'expérimente la vie. Je suis plus connectée avec tous les aspects de la vie, davantage concernée par la terre et ma relation avec elle. Peut-être le plus important, je suis prête à reconnaître quand je m'égare, quand je suis vraie et quand je ne le suis pas.

Les relations que j'entretiens avec les autres sont profondes et enrichissantes. Je vis dans l'abondance, dans ce qui a une signification pour moi. En toute franchise, je suis stupéfaite par tout ce que j'ai expérimenté et réalisé depuis la mort de ma mère. Cela dépasse de loin mon imagination la plus folle.

J'ai un fils et une fille que je respecte profondément et que je suis heureuse d'appeler mes amis. J'ai des amis qui entreprennent leur cheminement personnel et qui suivent leur propre voie spirituelle. Ils bénéficient aussi du travail que je fais sur moi-même, car ma démarche personnelle transforme toutes mes relations. J'imagine ma mère, ma tante, ma grand-mère et mon arrière-grand-mère qui m'applaudissent, non pas parce que j'ai besoin de leurs applaudissements, mais parce que je les y autorise.

Je considère aujourd'hui l'expérience de la mort prématurée de ma mère comme un cadeau qu'elle m'aurait fait. Même si ce n'était pas son intention de m'offrir un cadeau, je le considère comme tel. Je suis heureuse d'avoir accepté le cadeau de la liberté. Je me suis rapprochée du sens profond de l'amour, du pouvoir et de la transformation personnelle. Je comprends que

vivre en toute conscience est un processus. C'est vivre en intimité avec moi-même, en étant à la fois qui je suis tout en devenant qui je peux devenir.

En m'écoutant et en créant mon expérience, je ne cesse de
devenir un peu plus qui je suis déjà. Quand j'entre en contact
avec les autres et avec l'univers à ce niveau, j'expérimente une
profonde intimité qui me dit : *C'est ça. C'est la vie. C'est Dieu.*
Et quand j'y arrive, cela semble si simple. Mon Moi humain,
comme le vôtre, sait quelles douleurs, quelles souffrances et
quels conditionnements nous devons transcender pour vivre ces
moments. Et c'est au cœur même de notre douleur que, si nous le
voulons bien, nous pouvons parvenir à une compréhension transformée de l'amour et du pouvoir.

CHAPITRE 1

Amour, pouvoir et transformation

☙ ☙ ❧ ❧

Toute personne sur cette planète connaît son initiation dans l'amour.

– FLORENCE SCOVEL SHINN

Parfois, en ne plaisantant qu'à moitié, les gens disent : «Dieu, donnez-moi la patience — et faites-le tout de suite.» Nous pouvons probablement nous identifier *par* ce besoin que nous avons que les choses s'améliorent — maintenant. Ne plus souffrir — maintenant. Redécouvrir notre capacité d'aimer — tout de suite.

Même quand notre cerveau nous dit que le changement est un processus en cours, nous rageons souvent contre cet état de fait. Nous voulons connaître les réponses immédiatement, et nous voulons que ces réponses transforment, comme par magie, notre vie pour en faire l'entité complète et sensée qu'elle devait être — maintenant. Cette hâte à obtenir des résultats positifs se traduit souvent par une recherche frénétique dans les livres de croissance personnelle, les séminaires et la participation à des groupes.

Cette urgence apparaît clairement dans nos relations amoureuses. Nous sommes nombreux à être déçus quand nous découvrons que, malgré notre connaissance nouvellement acquise, notre vie amoureuse a changé très peu ou pas du tout. Cela s'explique par le fait que nous devenons tellement préoccupés par le processus et les résultats finaux que nous ne prenons pas la peine de vivre pleinement chaque moment d'une relation. Nous ne réussissons pas à voir comment ce moment est relié à un tout. Nous passons à côté de la nature évolutive du processus. Nous sommes dans ce processus, et probablement que nous n'en sommes pas conscients. La beauté et l'attrait du processus résident dans le fait qu'il peut offrir ce que nous voulons par-dessus tout : l'immédiateté, car elle se produit en ce moment même.

À la recherche du sens de l'amour

L'amour existe pour durer et, comme vous l'avez appris, parfois il est agréable, parfois il ne l'est pas. Les histoires d'amour existent depuis des siècles et le thème change rarement. L'amour est souffrance ou désir ardent. L'amour est source d'inspiration et de désir. L'amour est aussi fait de hauts et de bas.

Cette définition, prise dans un dictionnaire, le dit clairement. «Amour : une émotion ou un sentiment fort et complexe qui amène quelqu'un à apprécier, à se délecter et à souhaiter ardemment la présence ou la possession d'une autre personne ; satisfaire ou favoriser le bien-être de l'autre ; affection ou attachement profond ; désir ardent ou attirance de l'âme pour quelque chose qu'elle considère excellent, beau ou désirable.»

Dans cette définition, nous trouvons l'amour dépendant, l'amour sain et l'amour spirituel, d'où notre état de confusion face à l'amour. Nous avons été amenés à penser que ces trois formes d'amour sont les mêmes. Le besoin compulsif de posséder une autre personne est l'amour dépendant; favoriser le bien-être de quelqu'un est l'amour sain; et l'attirance de l'âme pour quelqu'un est l'amour spirituel. Si un dictionnaire ne fait pas la différence entre les diverses formes d'amour, soyez indulgent envers vous-même si vous vous sentez confus.

La dépendance amoureuse existe depuis longtemps et s'immisce dans les meilleures relations. Nos relations entretiennent des éléments de la dépendance affective quand nous cherchons ailleurs qu'en nous-mêmes la satisfaction de nos besoins, quand nous nous préoccupons davantage de la manière dont nous sommes aimés plutôt que de notre façon d'aimer. La dépendance amoureuse nuit à notre bien-être émotionnel, mental, spirituel et physique. L'élément primordial est, d'une certaine façon, en perte d'équilibre. Nous apprenons à prendre soin des autres et nions des parties de nous pour survivre.

Eh bien, nous avons effectivement survécu! Maintenant, nous pouvons lâcher prise face à notre passé et à nos peurs, soigner nos blessures et continuer à grandir dans une relation amoureuse saine. Le véritable amour est une énergie qui cherche à grandir. Le véritable amour, un état d'être naturel, nous nourrit et nous guérit par sa seule présence. Même si nous disons que l'amour doit s'apprendre, en fait l'amour se redécouvre. Nous apprenons beaucoup en le redécouvrant.

La dépendance est-elle toujours négative?

Avec tout ce qui a été dit et écrit sur la dépendance et la codépendance, le mot *amour* provoque souvent un sentiment de peur — si fort que nous nous croyons obligés d'ignorer ou de nier en bloc nos besoins d'une dépendance légitime. Un client me décrivait sa grande souffrance émotionnelle et je lui ai demandé d'aller vers les membres de son groupe pendant cette crise. Il a paniqué et s'est empressé de me répondre : «Je ne peux pas faire ça! Ça voudrait dire que je souffre de dépendance affective. Je dois m'occuper de ma souffrance par moi-même.» Je lui ai demandé ce qui se passerait s'il n'y arrivait pas. «J'ai peur d'y penser», a été sa réponse. «Ça fait des années que j'essaie de m'en sortir tout seul et je deviens épuisé mentalement et physiquement.»

Je pouvais comprendre son dilemme. En lâchant prise face à une relation dépendante de longue date, il avait peur de recréer une nouvelle dépendance malsaine. Il ne pouvait pas encore faire la différence entre un amour dépendant et un amour sain. Il n'est pas le seul. Pour la plupart, nous sommes confrontés au même dilemme.

La dépendance est-elle toujours négative? Non, pas du tout. Pour comprendre les relations comme un processus vivant, il est important d'identifier les trois types d'amoureux qui nous habitent : l'amoureux dépendant, l'amoureux sain et l'amoureux spirituel.

L'amoureux dépendant

L'amour dépendant signifie prendre soin des autres aux dépens de notre santé émotionnelle. C'est une façon manipulatrice de créer une dépendance même quand elle n'est pas nécessaire. Nous renions certains aspects de nous-mêmes pour garder près de nous les personnes qui répondent à nos besoins. L'amour dépendant est malsain parce qu'il est fondé sur la peur, le contrôle, les illusions et parce qu'il limite notre croissance. Nos demandes d'aide sont indirectes, manipulatrices ou évasives. Nous pouvons même prétendre que nous n'avons pas de besoins. Nous essayons de tenir bon et nous nous hissons à la force du poignet.

L'amour dépendant résulte d'un amour insuffisant ressenti dans le passé ou dans le présent. Nos besoins sont légitimes et notre vrai Moi l'a toujours su. Enfants, nous avons fait notre part : quand nous ressentions un malaise, nous identifiions notre besoin et allions chercher de l'aide. Si nous n'obtenions pas de réponse, une réponse inadéquate ou une réponse négative, notre seul choix était de trouver un autre moyen pour que quelqu'un s'occupe de nous.

Quand nous n'obtenons pas la réponse dont nous avons besoin dans notre quête d'amour, nous passons au deuxième choix qui s'offre à nous et créons des liens de dépendance. Toutefois, même l'amour dépendant est utile comme moyen temporaire d'établir des relations pendant que nous apprenons à nous aimer, à avoir confiance en nous, à nous débarrasser des peurs qui nous empêchent d'aller chercher directement ce dont nous avons besoin, et pendant que nous développons des outils pour un amour sain. L'amour dépendant doit toutefois rester temporaire. Plutôt que d'être salutaire pour les deux personnes concernées par la relation amoureuse, il devient comme n'importe quel parasite, il limite et épuise.

Une relation de dépendance n'est pas de la dépendance affective

Un point est crucial : la dépendance dans une relation amoureuse n'est pas la même chose que de l'amour dépendant. En fait, la dépendance peut être un élément sain dans toute relation. Il existe trois types de dépendance : la dépendance primaire, la dépendance qui devient accoutumance et l'interdépendance.

La dépendance primaire fait référence aux moments où nous «empruntons» des parties de l'*ego* d'une autre personne pour des besoins spécifiques et pour un temps limité. Quand nous étions enfants, nous avions besoin de nos parents et d'autres adultes pour nous éduquer, nous protéger et nous informer jusqu'à ce que nous puissions le faire nous-mêmes. C'est de la dépendance primaire. Cette forme de dépendance est également positive dans les relations adultes quand elle vient appuyer notre santé et notre croissance, quand nous la demandons directement et quand elle aide quelqu'un dans le besoin. Elle est négative quand nous nous l'attribuons ou la considérons comme un dû ; quand elle retarde la croissance ou régit une relation amoureuse.

La dépendance qui devient accoutumance fait référence à des situations dans lesquelles nous prenons soin des autres personnes aux dépens de notre propre santé émotionnelle. Nous nions des parties de nous pour garder les gens à nos côtés, dans l'espoir qu'ils resteront et répondront à nos besoins. Cette forme de dépendance est malsaine quand elle est fondée sur la peur et le contrôle, et qu'elle limite notre croissance. Elle peut cependant être utile temporairement pendant que nous apprenons à nous aimer, à nous débarrasser de nos peurs et à développer les outils émotionnels dont nous avons besoin pour aimer.

L'interdépendance implique deux adultes dans une atmosphère d'ouverture et de confiance. Ils exercent le même pouvoir dans le cadre de la relation amoureuse, ont leur propre identité en tant qu'individus et ont développé un amour d'eux-mêmes. Bien que l'interdépendance soit toujours saine, il est difficile de la maintenir pendant de longues périodes à cause de nos besoins

humains. Par conséquent, l'amour sain doit alterner entre la
dépendance primaire et l'interdépendance.

À *quoi ressemble le Moi appris*

Nos besoins insatisfaits et nos modèles les plus profonds nous
amènent au cœur même du Moi appris. Ce Moi n'est pas immua-
ble, il s'adapte. C'est la partie de vous qui se joint à la foule, à
tort ou à raison. L'adaptation est le processus par lequel toute
forme vivante s'ajuste au monde. Les changements physiques et
comportementaux sont le résultat de cette adaptation. Par exemple, quand nous commençons à courir pour nous entraîner, notre
corps ainsi que notre attitude devant la douleur changent.

Le Moi appris est la partie de vous que G. I. Gurdjieff, le maître spirituel moderne, qualifie d'«endormie», ou qu'il appelle la
«machine» qui croit être réveillée parce qu'elle parle, agit, pense
et ressent. Ce Moi vit dans l'illusion. Il est facilement influença-
ble, compulsif; il récidive et crée une dépendance. Comme l'a dit
P. D. Ouspensky, un des étudiants de Gurdjieff :

> «L'homme est une machine. Tous ses actes, ses agissements,
> ses paroles, ses pensées, ses sentiments, ses convictions, ses
> opinions et ses habitudes résultent d'influences extérieures,
> d'impressions extérieures. En dehors de lui-même, un homme
> ne peut produire une seule pensée, commettre une seule action.
> Tout ce qu'il dit, fait, pense, ressent — tout cela ne fait qu'arri-
> ver. L'homme ne peut découvrir quoi que ce soit, inventer quoi
> que ce soit. Tout cela arrive[2].»

Le Moi appris analyse, intellectualise, nie. Il peut être macho,
passif et dépendant. Il n'accepte que rarement les blessures profondes et il utilise des jeux de pouvoir pour continuer à nier. Ce
Moi peut être dépendant, tellement emmêlé dans la vie des autres
qu'il en a oublié qui il est. Il aime être aimé. Sa croissance est

---

2. P. D. Ouspensky. *In Search of the Miraculous : Fragments of an Unknown
    Teaching,* New York, Harcourt Brace Jovanovich, 1965.

retardée, il est incomplet, il résiste au changement, il ne pense qu'en termes d'absolu et de concret. Par exemple, les contes de fées sont compris dans leur sens le plus littéral : Cendrillon devient la victime qui cherche en dehors d'elle les réponses qui lui apporteront le bonheur. Jack, dans l'histoire du haricot géant, devient l'homme qui ne désobéit jamais à sa mère. Le Moi appris est souvent grandiose et contrôle par des jeux de pouvoir.

Quand nous fonctionnons avec notre Moi appris, nous considérons rarement quelqu'un comme notre égal. Nous nous comparons, nous nous inquiétons, nous doutons. Le Moi appris se définit à partir de ce qu'il est à l'extérieur. Il peut être vide, superficiel et égocentrique.

C'est le Moi qui peut se laisser prendre à penser de façon mécanique, à ignorer la matière et l'esprit, à contrôler la terre. Les structures sociales compétitives sont une extension du Moi appris. Mais plus que tout, le Moi appris est un produit de son scénario de vie — le plan qu'il conçoit sous l'influence des autres.

LE SCÉNARIO DE NOS VIES — LE DRAME QUE NOUS VIVONS

Toutes les expériences de vie que vous et moi avons eues sont enregistrées dans notre système neurologique. Malgré cela, nous ne connaissons qu'une petite partie de ce que nous sommes. On a déjà dit que nous avons de la chance si nous nous souvenons d'un millième de ces expériences. Pourtant, le composite formé par nos expériences de vie influence profondément

- qui nous pensons être ;
- les pensées que nous avons et celles que nous n'avons pas ;
- les sentiments que nous sommes libres d'exprimer ou de ne pas exprimer ;
- les actions que nous entreprenons et que nous n'entreprenons pas ; et
- les personnes que nous choisissons dans nos relations.

Ce composite, cet ensemble d'éléments disparates, dirige notre mise en scène, même quand nous n'en sommes pas conscients.

Notre nature humaine vit inconsciemment une pièce de théâtre qui a un début, un milieu et une fin prévisible. Dans l'analyse transactionnelle, on l'appelle le scénario de vie. Certaines écoles spirituelles l'appellent la vie d'illusion. Le scénario de vie vise à nous aider à survivre dans le monde limité que nous connaissons. Il a un objectif utile : nous fournir protection, sécurité et subsistance. Le paradoxe est le suivant : le scénario qui nous a protégés dans notre enfance se poursuit dans notre vie adulte et crée des contraintes qui nous empêchent de devenir matures.

Il existe une théorie, «le rapport d'intention à 100 %», selon laquelle nous obtenons exactement dans nos vies ce que nous voulons avoir. Ce que nous n'avons pas est ce que nous ne désirons pas, psychologiquement parlant. Chacun de nous a un cadre de référence, ce composite constitué de toutes nos expériences de vie, à travers lequel nous voyons le monde. Nous agissons souvent comme si ce cadre de référence était la seule réalité et nous prenons les décisions les plus importantes de notre vie à partir de cette vision souvent contaminée. C'est notre scénario de vie, l'essence du Moi appris.

L'amoureux sain

L'amour sain est le type de relation dans laquelle l'interdépendance et le soutien prédominent. Cela signifie que deux adultes ayant le même pouvoir, des identités individuelles et des *ego* sains, entretiennent une relation dans un climat d'ouverture et de confiance.

Idéalement, en devenant adultes, nous devrions pouvoir connaître un amour sain qui réponde à nos besoins et affirme notre droit d'être, de ressentir, de penser et d'agir. Nous devrions, à l'âge de dix-huit ans, avoir une identité saine. Nous devrions nous connaître, nous aimer et avoir confiance en nous-mêmes. Nous aurions alors une confiance qui nous permettrait d'aller chercher de notre plein gré, de prendre facilement et de lâcher prise aisément. Si notre expérience était ainsi, nous sortirions dans le monde et entretiendrions des relations avec d'autres humains complets. Ces relations autonomes permettraient des niveaux élevés de confiance, d'intimité et de spontanéité. Nous partagerions notre sagesse et résoudrions efficacement les problèmes. Nous nous traiterions les uns les autres avec respect, nous partagerions notre amour, notre affection et notre pouvoir. Chaque fois que deux personnes se rencontreraient, la relation serait davantage tournée vers le «nous», elle serait plus vaste qu'une relation dans laquelle le «moi» et le «tu» se côtoient comme des Moi séparés.

Pour parvenir à entretenir des relations amoureuses saines, nous devons comprendre que nous sommes prisonniers de notre conditionnement et de l'éducation fautive que nous avons reçue. Ensuite, nous devons être prêts à abandonner le passé. Une tâche difficile. Car il se peut que nous laissions physiquement une relation de dépendance, mais que nous y restions attachés émotivement comme en attestent nos peurs et nos ressentiments. Pour abandonner le passé, nous devons complètement nous l'approprier, voire le revivre. Dorothy exprime ce processus dans les termes suivants :

❖ HISTOIRE DE DOROTHY : *«J'ai investi trop d'efforts à laisser partir le vieux Moi avec ses ruses.»*

Je viens de mettre un terme à la relation avec mon petit ami, Rich. Ce fut difficile parce que je tenais à lui et j'étais vraiment mordue. Ce fut une des dépendances les plus fortes que j'ai connues dans une relation amoureuse. Pourtant, je ne recevais rien en retour, zéro. Je suis quand même restée avec lui jusqu'à tout récemment.

Un jour, Rich m'a téléphoné. Je n'avais pas eu de ses nouvelles depuis sept semaines. Il était allé chercher un portedocuments qui m'appartenait. Nous en avions parlé il y avait des mois et il voulait me l'apporter. Mon premier réflexe a été de me dire : *Oh! Peut-être qu'il m'aime vraiment. Peut-*

être que ça pourrait marcher entre nous deux. Il voulait venir chez moi dans une heure. J'ai paniqué et je me suis demandé : *Comment puis-je prendre une douche, ranger la maison, trouver les vêtements qui me mettraient en valeur, aller au salon de bronzage, me maquiller et me coiffer parfaitement, brosser le chien et être prête pour le recevoir dans une heure ?*

Une autre partie de moi disait : *Attends ! Tu n'as pas le temps. Tu n'es pas prête mentalement ni émotivement pour ça. On s'en moque que ta maison soit en désordre. Et pourquoi devrais-tu te précipiter pour te plier à son horaire ? Ça fait des mois que ce porte-documents attend !*

Je commençais à reconnaître que j'étais dépendante, à décrypter les invitations. L'amoureux dépendant qui était en moi tenait toujours à Rich et avait envie de le voir pour quelque raison. J'ai donc répondu à Rich : «Non, demain me conviendrait mieux. Merci d'être allé le chercher pour moi.» Je me suis sentie beaucoup mieux après cette décision. Je me suis permis du temps pour me préparer.

Je peux prendre le temps de voir tout cela pour la vraie raison et de ne pas faire marche arrière. Peut-être qu'en cours de route, je trouverai un ami en cet homme qui m'intéresse, mais avec lequel je ne peux pas vivre une relation intime pour le moment.

Je commence à changer et j'aime le vrai Moi. J'ai investi trop d'efforts à laisser partir le vieux Moi avec ses ruses. J'ai appris qu'on vit beaucoup plus seul dans la solitude d'une mauvaise relation amoureuse que seul avec soi-même !

L'amoureux spirituel

Vivre un amour sain est l'un des plus beaux cadeaux que nous puissions recevoir. Et cela nous ouvre d'autres voies. Nous pouvons faire entrer un autre amoureux — l'amoureux spirituel — dans notre vie. Les amoureux spirituels sont des voyageurs spirituels. Les amoureux spirituels sont toujours en cocréation avec la vie.

La vie et l'amour peuvent être considérés comme un cheminement de transformation personnelle. Le modèle de transformation propose que nous ayons deux natures : une nature humaine et une nature spirituelle.

La nature humaine est une entité biologique, un corps qui a des besoins de survie fondamentaux auxquels nous devons répondre, sinon il mourra. À l'instar des autres animaux, les humains s'adaptent à leur environnement pour que ces besoins soient satisfaits. Plusieurs de ces adaptations sont nécessaires et utiles, permettant ainsi une croissance continue. Nous nous arrêtons aux feux rouges. Nous arrivons à l'heure à nos rendez-vous. Nous mangeons les bons aliments.

D'autres adaptations sont cependant inutiles et peuvent créer des dommages psychologiques. Quand des enfants sont sévèrement réprimandés parce qu'ils sont en colère, il est possible qu'ils arrêtent d'exprimer leur colère. Les enfants qui sont repoussés quand ils demandent de l'affection peuvent apprendre à mettre une barrière entre eux et les autres. La nature humaine, répondant à son instinct de survie, perçoit intuitivement l'environnement et commence à limiter son autonomie, son expression créatrice et son intimité en échange de ce qui est prévisible et acceptable.

Ce conditionnement nous amène à perdre contact avec notre Moi autonome pendant que des conclusions, des décisions et des croyances négatives s'ancrent dans notre esprit et commencent à diriger nos vies : *Je n'ai pas ma place. C'est dangereux d'être trop proche. Je suis mauvais.* À dix-huit ans, nous avons deux Moi distincts. L'un est celui que nous devions devenir en naissant, le Moi autonome qui sait que *j'ai ma place,* qu'*il peut être sécurisant d'être proche* et que *je suis bon.* Ce Moi devient soumis à ce que nous sommes devenus, le Moi appris.

La nature spirituelle, au contraire, est cet aspect du Moi qui est sage, compatissant et qui cherche la vérité. Il peut appartenir ou non à une religion. Il n'est pas nécessaire de croire à une religion officielle pour être spirituel. Le Moi spirituel abrite l'essence de ce que nous sommes, là où se trouvent notre espoir, notre

sagesse intuitive, nos visions prophétiques, nos aspirations spirituelles. L'amoureux spirituel se soucie avec détachement. Il fait
des choix sans porter de jugement. Il répond au besoin d'être et
de devenir tout ce qu'il peut être et de donner son caractère unique à la vie. Il cherche l'unité avec un niveau de conscience plus
élevé. Il veut atteindre la perfection divine, la félicité, l'émerveillement et les expériences mystiques. Il est fervent des mystères de la vie. *Et, paradoxalement, l'amoureux spirituel exige
pour s'exprimer une personnalité humaine forte et intégrée.*

Une étape importante dans la plupart des écoles religieuses,
voire dans toutes, consiste à prendre conscience de notre nature
mécanique et des Moi conflictuels qui cohabitent en nous. Cela
nécessite que nous unifions nos amoureux : l'amoureux dépendant, l'amoureux sain et l'amoureux spirituel. Sans cette synthèse, nos énergies sont dispersées, bloquées. Cela engendre la
maladie en nous-mêmes et dans nos relations avec les autres.

Le principal message de ce livre est que tout problème,
incluant ceux reliés à l'amour et au pouvoir, peut être un moyen
de nous éveiller à notre nature spirituelle. Ce processus nous
donne le potentiel de transformer nos relations, de passer de la
dépendance à un amour sain puis au-delà — à notre amoureux
spirituel.

Pourquoi est-il si important de transformer nos relations?
Parce que nos relations sont le fondement de nos familles, nos
familles sont le fondement de nos communautés, nos communautés sont le fondement de notre culture et les cultures sont le fondement du monde dans lequel nous vivons. Si nous voulons
connaître l'harmonie dans le monde, nous devons d'abord la connaître dans notre vie amoureuse. Nous devons cocréer la vie avec
d'autres amoureux spirituels.

Il n'est pas toujours possible de résoudre les problèmes qui
existent dans une relation amoureuse. Nous devons les dépasser
ou les transcender. Un amoureux spirituel est capable de le faire.
Il est le seul à pouvoir guérir les blessures. Les amoureux spirituels ont un sens de l'humour qui permet d'alléger la tristesse.
Les amoureux spirituels montrent le même sens d'humour que

Yoda, dans *La guerre des étoiles,* qui dit : «Ma chère, ma chère, tu ne comprends pas. C'est faire ou ne pas faire, et tu ne le fais pas.»

Avoir un amoureux spirituel signifie que je connais le divin en toi. Ce n'est pas Dieu là-haut et moi ici. Ce n'est pas Dieu qui fait notre relation. L'amour spirituel nous permet plutôt de découvrir le Dieu qui est en nous ; l'amoureux spirituel désireux de résoudre et de mettre de l'ordre dans les difficultés. L'amoureux spirituel est cette partie de nous qui vit l'amour et la vie pleinement, passionnément. Il est actif, vivant, imaginatif, créatif et conscient.

Ces trois amoureux sont en nous

Une compréhension mature de l'amour sait comment nous sommes tour à tour un de ces trois amoureux. Par exemple, passer de l'amoureux dépendant à l'amoureux sain exige des efforts, des réseaux de soutien, ou une dépendance primaire comme je l'ai déjà décrit. Notre Moi appris a été tellement conditionné et blessé que nous ne pouvons pas grandir dans l'amour de nous-mêmes ou des autres ou changer des modèles de comportement et des croyances de longue date sans aide. C'est pourquoi les AA (Alcooliques Anonymes), les Al-Anon, les groupes EADA (Enfants-adultes de famille dysfonctionnelle ou alcoolique), les groupes de thérapie et les groupes de soutien de toutes sortes existent. Pour être efficaces, nos systèmes de soutien doivent aller dans la même direction que nous.

Nous apportons dans chacune de nos relations ces trois sortes d'amour. Parfois, il est difficile de distinguer lequel est lequel, comme le fait remarquer Margie.

❖ L'HISTOIRE DE MARGIE : *Les trois amoureux réagissent en même temps*

Un ami m'a téléphoné pour m'annoncer une nouvelle décevante. J'ai senti les trois amoureux qui cohabitent en moi réagir en même temps. Mon amoureux dépendant a eu peur et voulait le cacher par la colère et raccrocher; mon amoureux sain voulait ressentir de la tristesse, demander des détails et se faire rassurer; mon amoureux spirituel voulait exprimer de la compassion d'une façon qui tenait compte de nos besoins à tous les deux.

Il est important de reconnaître les différences entre ces amoureux, d'avoir confiance en ce qui semble bien et d'apprendre de ce qui semble mal. Tad, un participant à un atelier a dit : «Je ne savais pas que les trois amoureux existaient dans ma relation. Alors, quand ma relation allait bien, j'avais tendance à percevoir cela comme une déception et je chassais le sentiment de bien-être. Je savais que ma relation était dépendante et j'ai décidé que ces bonnes choses ne peuvent pas être réelles. Je suis soulagé de savoir qu'elles le sont!»

En voyant les différences entre les amoureux qui cohabitent en nous, cela peut nous aider à résoudre un conflit, comme nous le rappelle l'histoire de Lynn. À un moment, elle s'est demandé : *Comment puis-je rester dans une relation amoureuse dans laquelle mon partenaire continue à me tenir à distance?* Chacun de ses trois amoureux avait un point de vue.

❖ L'HISTOIRE DE LYNN :   *Connaître la différence entre les trois amoureux*

L'amoureux dépendant : je suis prête à le quitter, mais j'ai peur de partir. Si je me sépare, tout sera fini. J'aurai un sentiment d'échec. La seule chose que je peux faire, c'est pousser, tirer, et le faire s'ouvrir pour qu'il voie ses fautes, ou tenir le coup! Je peux menacer de partir.

L'amoureux sain : je peux lui dire comment je me sens, ce dont j'ai besoin, combien de temps je peux attendre, et lâcher prise. Je peux entretenir sa souffrance et reconnaître qu'il a appris à être ainsi et qu'il peut choisir de changer. Je peux planifier du temps et des moyens pour résoudre nos différences. Je peux affirmer clairement que je choisis de rester et que je sais que je serais aussi bien seule. Je peux exprimer franchement ma souffrance et ma colère. Je peux m'approprier les choses que je fais et qui renforcent sa tendance à me tenir à distance.

L'amoureux spirituel : je me souviens de l'immense joie, de l'innocence et de l'amour qui s'est transformé en statue voilée et qui a besoin de redevenir un être de chair et de sang. Je vois ses blessures et j'ai de la compassion. Je peux éclairer le chemin pour sortir de cette confusion. J'ai vraiment besoin de me dévoiler davantage et de me libérer de ma douleur et de ma peur.

Vous aussi, vous pouvez faire la différence entre ces trois amoureux. L'amour sain est votre état d'être naturel. L'amour spirituel est votre potentiel. L'amour dépendant a été appris et vous pouvez le changer, car ce n'est pas votre état naturel. Vous l'avez appris après avoir été brûlé ou trahi. Vous pouvez explorer votre passé pour découvrir quand votre confiance a été trahie. Mais en le faisant, n'oubliez pas que : *le passé, le présent et le futur ne font qu'un. Vous examinez le passé qui est présent dans le maintenant et qui interfère avec le futur.*

Le rôle des jeux de pouvoir

Les jeux de pouvoir sont des comportements manipulateurs visant à garder votre partenaire dans un mélodrame fait de hauts et de bas. Même si nous recourons instinctivement aux jeux de pouvoir pour avoir une impression de sécurité et l'impression de prévoir et contrôler nos vies, tel n'est pas le cas. Mais, ironiquement, l'excitation et le drame qui naissent des jeux de pouvoir peuvent devenir sources de dépendance. Les comportements manipulateurs sont souvent les plus douloureux à confronter, et ce n'est pas surprenant.

Pourquoi hésitons-nous à confronter les jeux de pouvoir? Par peur. Peur de découvrir notre propre vérité; peur de devoir abandonner notre déni; peur de découvrir que nous utilisons bel et bien les jeux de pouvoir; peur d'entrer en contact avec notre sentiment d'impuissance; peur de découvrir que notre relation est dépendante; peur du changement; peur de l'inconnu. En effet, quand il y a jeux de pouvoir, nous ne pouvons plus nier que notre amour est dépendant[3].

Pour avoir une compréhension saine du pouvoir personnel, je dois me connaître et m'aimer. Je dois croire que je peux vivre avec les autres d'une façon honorable. Quand il n'y a pas de pouvoir dans l'amour, notre amoureux dépendant fait surface. Nous prenons soin des autres en sacrifiant nos propres émotions. Quand le pouvoir existe sans amour, nous abusons, manipulons et offensons les autres, et cela finira par être à nos propres dépens. Il s'agit là aussi de l'amoureux dépendant.

Exercer les jeux de pouvoir est le contraire du partage de pouvoir

Les jeux de pouvoir émanent du Moi appris, lequel vit une vie remplie de cupidité, de dépendances, de possessions, de prétentions, de rôles et de peurs. Ce Moi considère le pouvoir comme une commodité que vous donnent les autres, ou comme quelque chose dont vous pouvez vous accaparer. C'est une pensée concernant la rareté : de toute façon, vous ne trouverez pas suffisamment ce que vous voulez et serez toujours insatisfait; vous ne vous sentirez pas bien et n'aurez jamais l'importance que vous cherchez.

Vous avez sans doute entendu ou prononcé ces mots : «Je lui ai donné mon pouvoir.» «Il s'est emparé de mon pouvoir.» «Elle m'a dominé.» «Je te rends ton pouvoir.» De telles déclarations sont des illusions. Elles définissent le pouvoir comme un objet que nous pouvons donner et que nous avons perdu pour toujours, sauf si quelqu'un nous le rend ou si nous le volons pour le reprendre et l'enfermer à clé. Nous agissons comme si nous

---

3. Si vous voulez en savoir davantage sur la façon dont vous utilisez peut-être les jeux de pouvoir, vous trouverez une liste de jeux de pouvoir les plus courants à la fin de ce livre.

avions donné notre pouvoir ou si nous l'avions pris aux autres. Il est important d'assumer la responsabilité de nos actes. Nos vies seraient différentes si nous disions : «J'ai agi comme si je lui avais donné mon pouvoir.» «Elle a agi comme si elle s'était emparée de mon pouvoir.» «Elle a agi comme si elle me dominait.» «J'ai agi comme si elle me dominait.» Ces affirmations sont libératrices.

Le «Je» et le «Tu» ignorent le «Nous» cohésif

Souvent, quand les individus ou les couples viennent chercher de l'aide dans leurs relations amoureuses, ils sont dans un tel imbroglio qu'ils ont de la difficulté à savoir où s'arrêtent les frontières d'une personne et où commencent celles de l'autre. C'est un signe qu'il y a confusion au sujet du pouvoir. Le «Je» est devenu le «Tu», ou le «Tu» est devenu le «Je». Ou encore, le «Je» veut que vous deveniez un autre «Je», ou le «Tu» veut que le «Je» devienne un autre «Tu» — pour penser, ressentir et agir de façons qui vous sont familières. Souvent, un client vient chercher de l'aide pour changer l'autre, dans le but que ce dernier le comprenne.

Je suis toujours aussi stupéfaite de voir combien il est rare que le «Je» et le «Tu» créent un «Nous», ou discutent du «Nous». Quand deux personnes sont ensemble, le «Je» présume que le «Tu» a la même vision du monde que le «Je» (et vice versa), et si tel n'est pas le cas, le «Tu» devrait le faire! Chacun de nous a une image d'une relation qu'il a fabriquée à partir de ses expériences passées et croit que l'autre partage cette image. La plupart des «Je le veux» sont dits sans que nous ayons même pris la peine de jeter un œil aux cadres de référence de l'autre personne. En toute franchise, cela peut être prématuré étant donné que le «Je» et le «Tu» sont généralement inconscients quand ils se rencontrent la première fois. Certaines personnes sont même en colère, fâchées et confuses quand je leur suggère de prendre le temps de se connaître elles-mêmes afin de renforcer leurs relations. Elles retournent donc souvent aux jeux de pouvoir au lieu de travailler sur elles-mêmes.

PARTAGER AMOUR ET POUVOIR

Les expériences que nous vivons dans notre enfance nous mettent dans un état de confusion et nous éloignent de notre Moi authentique, le Moi qui comprend la véritable signification de l'amour et du pouvoir. *Le pouvoir de l'amour est le fondement de notre amoureux spirituel. L'amour du pouvoir est le fondement de l'amoureux dépendant.* À mesure que nous laissons le pouvoir de l'amour s'exprimer, l'amour du pouvoir diminue. Si nous trouvons difficile de nous aimer nous-mêmes et si nous considérons le pouvoir comme un bien à aller chercher en dehors de nous, nous sommes incapables de vraiment aimer ou de partager le pouvoir. Et si nous ne pouvons pas partager l'amour et le pouvoir dans nos relations les plus intimes, comment dans ce monde pouvons-nous transmettre l'amour et le pouvoir à notre communauté, notre nation et notre planète?

La signification du pouvoir

Si nous avions reçu tout ce dont nous avions besoin pour notre développement, nous aurions une vision saine de l'identité, une identité qui nous permettrait de partager le pouvoir avec amour. *Le pouvoir est notre propre potentiel personnel, une énergie qui a son origine en nous et qui va chercher à l'extérieur ce dont nous avons besoin pour répondre à nos besoins fondamentaux.* Le pouvoir est la capacité de produire le changement. Par exemple, l'acide a le pouvoir de corroder le métal. Le soleil a le pouvoir de faire fondre la neige. Une surface polie a le pouvoir de réfléchir la lumière. Ces choses ont, comme nous, un pouvoir potentiel et un pouvoir actif. Cela signifie que le pouvoir réside en nous et il crée naturellement le changement.

Le pouvoir est neutre, il n'est ni bon ni mauvais. Le soleil ne canalise pas son pouvoir, il ne peut pas non plus s'arrêter de faire fondre la neige. En tant qu'être humain, je suis énergie. Une partie de cette énergie est enfermée en nous et une autre partie est libre. Dans ce contexte, être en vie est l'expression de mon pouvoir. Et en étant vivant, je ne peux m'empêcher de produire des changements.

Ceci est également vrai dans les relations. En acceptant de vivre une relation, je partage mon pouvoir avec une autre personne. J'ai peut-être appris à agir avec plus ou moins de pouvoir parce que je pensais que cela me protégerait. Je peux cacher mon pouvoir, mais il est toujours là. Il ne s'en va pas.

Spiritualité et pouvoir

Un des grands cadeaux que nous recevons quand nous reconnaissons que nous sommes dépendants est la prise de conscience d'une toute nouvelle réalité dont nous n'aurions même pas osé rêver : la vie vue d'une perspective spirituelle. Nombreuses sont les personnes qui se battent avec cette nouvelle réalité quand elles abordent la Première Étape des Alcooliques Anonymes, qui consiste à admettre leur impuissance face à leur dépendance : « Nous avons admis que nous étions impuissants devant l'alcool — que nous avions perdu la maîtrise de nos vies. » Cette Étape vers l'humilité, une douce acceptation de soi-même, présente un paradoxe. Alors que l'impuissance de mon Moi appris m'appartient, je suis libre d'expérimenter pleinement l'énergie spirituelle qui circule à travers moi. Cette énergie créatrice me relie à une conscience universelle et m'aide à voir que je suis plus que mes dépendances. Avec cette découverte, je peux commencer à nouveau la recherche de ma véritable identité.

En termes spirituels, *le pouvoir est la vérité essentielle qui circule à travers moi quand je m'autorise à être le capteur de la sagesse supérieure.* Cela me définit comme *un guerrier* — quelqu'un qui fait face à la peur, quelqu'un qui découvre courageusement qu'il *réalise* qui il est. C'est l'expression de mon amoureux spirituel.

Peut-être vous demanderez-vous si cela contredit la Première Étape, dans laquelle une personne admet son impuissance face à ses dépendances. En réalité, mon amoureux spirituel appuie cette Étape. À l'instar de l'acide qui ne peut cesser de corroder le métal, l'alcool ne peut cesser d'affecter le corps. Si nous voulons sauver le métal, nous devons le retirer de l'acide. Si notre vie est devenue incontrôlable à cause d'une relation amoureuse toxique, nous devons changer les propriétés de cette relation ou nous retirer. Le slogan *Lâcher prise et laisser Dieu agir* ne nous dit pas d'attendre passivement ou de nier notre pouvoir. Il nous demande de partager notre pouvoir avec Dieu, tel que nous Le concevons : changer ce que je peux changer en faisant pleinement ma part, puis en m'en remettant aux lois universelles et en étant confiant en une issue positive.

Vous pouvez penser à Dieu en tant que loi universelle. Lâcher prise consiste à partager le pouvoir avec la loi universelle. Contrôler, ou exercer des jeux de pouvoir, interfère entre le Moi et la loi universelle. Si ce que vous voulez est en accord avec la loi universelle, vous l'obtiendrez. Si tel n'est pas le cas, vous ne pourrez pas l'obtenir.

Le pouvoir qui mène à la sérénité

Les personnes à l'aise avec leur pouvoir ne blessent pas les autres et n'ont pas besoin de prouver qu'elles ont du pouvoir. Le pouvoir peut être ferme et directif, mais avec douceur. Je pense à Mohandas Gandhi, à Mère Teresa et au Chef Joseph, le chef spirituel des Amérindiens. Ces trois personnes ont vécu leur pouvoir. Leur rôle ne leur donnait pas de pouvoir ni ne les définissait. Leur rôle était une expression naturelle de leur identité, un moyen d'exprimer leur pouvoir de produire des changements. En agissant de la sorte, elles ont démontré un charisme et une relation avec l'univers qui transcende l'histoire. Nous sommes nombreux à avoir peur d'un tel pouvoir. Nous avons souvent l'impression que les personnes qui utilisent des jeux de pouvoir gagnent, mais à quel héritage préférons-nous survivre ? Celui d'Adolf Hitler ou celui de Martin Luther King ?

Un pouvoir ferme et directif peut conduire à une sérénité qui va même au-delà de la peur de la mort. Il existe une histoire ancienne sur des barbares qui envahirent un village et tuèrent quiconque se trouvait sur leur chemin. En entrant dans un temple, un de ces guerriers rencontra un humble moine qui refusa de fuir. Le guerrier lui dit : «Êtes-vous conscient que je peux vous tuer sans un battement de paupières ?» Le moine lui répondit : «Êtes-vous conscient que je peux être tué sans un battement de paupière ?»

Que signifie transformation ?

Comme je l'ai déjà dit, la solution pour un amour sain réside dans la transformation personnelle. La relation la plus importante que nous avons dans notre vie est celle que nous entretenons avec nous-mêmes. C'est la relation sur laquelle nous pouvons compter jusqu'à la fin de nos jours. Il est essentiel de savoir quelle sorte de relation je vis avec *moi-même*.

La transformation exige de faire face à mes peurs et de vaincre mes doutes sur moi-même, mes comportements négatifs et agressifs qui m'empêchent d'aimer pleinement. Cette démarche entraîne un changement si profond en moi que je deviens un être différent.

La transformation assume que notre nature humaine est une partie de nous et que notre psyché contient les graines de notre essence spirituelle. Elle voit le pouvoir comme la capacité que nous avons de créer notre propre sens à tout ce que nous faisons. La transformation nous invite à utiliser notre corps et notre intelligence pour éveiller notre esprit. Comme l'expliquent les écoles spirituelles orientales, c'est par la transformation que nous pouvons vraiment expérimenter trois aspects de notre nature supérieure : la vérité, la conscience et la félicité.

Les relations amoureuses peuvent être considérées comme une occasion de connaître cet éveil. Une telle transformation est donc beaucoup plus que prendre une pilule pour se sentir mieux, apprendre une technique pour améliorer nos relations sexuelles, suivre un traitement, arrêter une dépendance, suivre un cours sur le contrôle de l'esprit, se joindre à un groupe de soutien, assister aux réunions, divorcer ou faire la grève pour obtenir une

augmentation salariale. Nous pouvons commencer par ces étapes, mais la transformation nous conduit plus loin — vers une
sérénité que personne ne peut nous enlever.

La psychologie et la religion
nous ont souvent déçus

Chaque école de spiritualité entend nous aider à nous connaître, à
transcender notre condition humaine, à trouver notre félicité et à
nous libérer des pensées négatives qui nous éloignent de l'abondance. Autant de permissions et de directives merveilleuses,
mais, en toute franchise, pendant de nombreuses années je n'ai
eu aucune idée de la façon d'y parvenir. Il n'est pas facile non
plus de trouver des guides spirituels qui peuvent nous dire la
façon d'y parvenir. Et pour compliquer davantage les choses, la
psychologie et la religion considèrent l'être humain de manière
complètement différente. Chacune d'elles prétend avoir la
réponse, et nous sommes perdus dans les tergiversations.

Le travail de la psychologie était de nous aider à nous comprendre nous-mêmes, de créer un modèle des innombrables
influences qui sont en nous, et de nous aider ensuite à nous libérer de ces entraves. Dans l'ensemble, la psychologie a échoué.
Elle continue à se concentrer sur les symptômes ou à faire du
psychologue professionnel le gardien du savoir.

Quand la psychologie et la spiritualité se rejoignent

La psychologie en tant que transformation défie les hypothèses
traditionnelles de la psychologie occidentale. Elle mélange théories occidentales et orientales. Lorsqu'elle se penche sur la transformation, la psychologie considère la biologie et les effets du
conditionnement. Elle continue d'analyser l'impact des influences de notre vie et reconnaît l'importance des symptômes et des
problèmes relationnels. Elle pose des diagnostics, expérimente et
même prescrit.

Et pourtant, la psychologie en tant que transformation va beaucoup plus loin. Elle examine le processus, l'énergie et la guérison holistique. Elle fait confiance à l'intuition et croit qu'il faut aimer le client. Elle prend en considération l'esprit. Elle a une vision globale dans laquelle elle reconnaît que la santé de chaque relation, de chaque société et de la terre elle-même dépend d'une interrelation harmonieuse entre la psyché et l'âme de chaque personne. C'est là que la psychologie et la spiritualité se rejoignent et là où dort la semence de notre vérité, en attendant que nous la trouvions.

Réveil et prise de conscience de nos illusions

Il est vrai et triste que souvent nous ne réalisons pas à quel point nous sommes devenus aliénés, jusqu'au jour où nous sommes confrontés à un événement important dans notre vie. Il s'abat sur nous et nous crie : certaines personnes en prennent conscience brutalement à travers des événements qui se produisent dans leur vie et qu'elles n'ont pas demandés. Tel est le cas, par exemple, des anciens combattants, des victimes de viol et des personnes qui ont expérimenté de près la mort. Le déni ne réussira que momen-tanément à mettre de côté les leçons tirées de ces expériences.

Ce que vivent ces personnes n'est pas un cadeau au sens con-ventionnel du terme. Et pourtant, il y a là un cadeau si elles sont prêtes à l'accepter : la possibilité de devenir authentiques, la chance de considérer le sens de la vie et de la mort, d'examiner la qualité de leurs relations. Le défi consiste, comme toujours, à y parvenir dans un monde où, pour la plupart, nous croyons choisir alors que nous ne faisons que réagir à partir d'un plan de vie que nous avons créé il y a longtemps. Un plan que nous avons main-tenant enregistré dans notre inconscient.

D'autres personnes évoluent plus lentement et finissent par prendre conscience qu'elles vivent dans l'illusion en réalisant le mécontentement qui gronde en elles ou l'existence d'un Moi perdu depuis longtemps. Cette prise de conscience est marquée par un chaos dans leurs relations, ou elle leur fait découvrir qu'elles font, ressentent ou pensent des choses qu'elles s'étaient promis de ne jamais faire, ressentir ou penser.

Fidèles à notre Moi appris, nous voulons vite régler le problème. Parfois, nous allons chercher des thérapies pour panser nos blessures, mais il est important que nous admettions la possibilité que notre douleur soit reliée à quelque chose de beaucoup plus profond, qui existe depuis beaucoup plus longtemps que nous le pensions. Pour obtenir un soulagement à long terme, il est important d'analyser notre réalité intérieure et d'examiner comment ce qui nous arrive est en accord avec notre réalité. Il est essentiel de mieux comprendre «ce qui est en nous» et qui génère nos expériences.

Tôt ou tard, nous devons tous faire face à notre part de responsabilité dans la pagaille qui existe dans nos relations amoureuses et nous devons décider comment nous pouvons changer pour contribuer à un plus grand ensemble. Nous devons examiner notre état d'inconscience et voir comment il affecte les relations que nous attirons dans nos vies, les modèles habituels que nous répétons. Notre tâche consiste à voir le tableau d'ensemble qui reproduit ces relations. Ce tableau d'ensemble ne renferme pas seulement nos influences psychologiques les plus immédiates, mais des années de références historiques qui contribuent à une compréhension erronée de l'amour et du pouvoir. Ce sera le thème du prochain chapitre.

ACTIVITÉ

Toute forme de vie a sa propre conscience. Il est important de comprendre ce principe — nous sommes qui nous sommes. La nature ne combat pas cet état de fait. Elle ne se demande pas non plus si nous sommes bien intégrés dans notre société ou si nous sommes suffisamment bons. Elle ne demande pas que nous subissions une chirurgie plastique. Seules les personnes mal dans leur peau, critiques et coupées de leur vraie identité se préoccupent de ces aspects. Les exercices ci-dessous démontrent ces points importants.

La nature est neutre. Nous ne pouvons pas échapper à notre vulnérabilité. Il existe deux forces — la vie et la mort — auxquelles nous sommes toujours confrontés. Pour nous réaliser pleinement, nous avons à la fois besoin de qualités matérielles et de qualités spirituelles. La transformation est un processus naturel. Nous ne pouvons pas la forcer. La vie est une aventure d'être et de devenir.

Nous avons appris que nous sommes une *énergie* et que nous en bloquons une grande partie. En dépassant et transformant votre conditionnement, vous libérez votre énergie. La *visualisation* créatrice est un moyen efficace de libérer cette énergie. Il n'y a rien de magique ou de secret dans la visualisation. Nous y recourons tous très souvent au cours d'une journée. Vos images intérieures créent votre réalité extérieure. Un grand pianiste a déclaré un jour qu'il ne jouait jamais sans avoir d'abord joué mentalement chaque note du concert. Dans son esprit, il pouvait entendre les notes et sentir ses doigts sur les touches.

Nous pouvons développer notre capacité de visualisation avec des images, des sons, des mots et des sentiments. Plus nous utilisons ces ouvertures sensorielles, plus forts et grandioses sont les résultats que nous obtenons. La visualisation est un processus scientifique qui fonctionnera si vous suivez les étapes essentielles ci-dessous :

1. Videz votre esprit de tout ce qui l'encombre.

2. Détendez-vous physiquement en respirant profondément.

3. Persévérez jusqu'à ce que vous obteniez une image vivante avec des mots, une posture et des sensations.

4. Croyez profondément que ce que vous voulez arrivera.

5. Libérez l'image afin que l'énergie puisse travailler pour vous.

Suivez ces conseils chaque fois que les activités comportent une visualisation guidée.

Cultiver une graine

Imaginez que vous êtes une nouvelle graine dans la terre. Remarquez le type et la texture du sol. Voyez-vous en train de recevoir la bonne quantité de nutriments et d'humidité. Voyez-vous en train de germer et de percer l'enveloppe de la graine. Tel un récipient dynamique de vie, vous continuez à surgir de la terre et à pousser vers la lumière. Émergez de la terre et sentez l'énergie de la lumière et la nourriture du sol. Affirmez spontanément la vie qui est en vous pendant que vous vous déployez naturellement.

La vie est une aventure d'être et de devenir. Expérimentez les moments de chaos de la terre — le vent, la chaleur, la sécheresse, la pluie pénétrante, la grêle, les animaux, l'être humain. Persistez dans votre volonté d'être et de devenir.

Observez les changements qui se produisent en vous à mesure que vous vous déployez pour atteindre votre plein potentiel et votre maturité. Observez votre couleur, votre forme et votre style uniques.

Regardez autour de vous et remarquez que vous n'êtes pas seul. Observez les personnes qui ont répondu à un besoin urgent d'être. Ressentez votre lien au monde. Expérimentez la sécurité et la joie que vous procure votre unité.

Prenez une feuille de papier et un stylo ou un crayon, décrivez la forme vivante que vous êtes devenue. Utilisez le présent, par exemple : «Je suis une rose jaune» ou «Je suis un sapin». Puis, décrivez ce que votre expérience signifie pour vous, ce que vous ressentez, pensez, voyez, entendez, touchez et sentez. Demandez-vous en quoi cette image ressemble à votre processus de transformation.

CHAPITRE 2

Amour et pouvoir en crise

ᘒ ᘒ ᘐ ᘐ

*On présume que la femme doit attendre, sans bouger,
jusqu'à ce que l'on vienne lui faire la cour. Ou plutôt,
elle attend souvent sans bouger. C'est ainsi que
l'araignée attend la mouche. Mais l'araignée tisse sa
toile. Et si la mouche, comme mon héros, montre une
force qui lui garantit de s'en sortir, voyez comme elle
est prompte à abandonner sa fausse passivité et comme
elle jette ses fils sur mon héros jusqu'à ce qu'elle soit
sûre de l'avoir bien à elle pour toujours.*

– GEORGE BERNARD SHAW

*Il existe un mythe perse sur la création du monde qui
précéda le monde de la Bible. Dans ce mythe, une
femme crée le monde, elle le crée par un acte de
créativité naturelle qui lui appartient et que les
hommes ne peuvent pas reproduire. Elle donne
naissance à de nombreux fils. Les fils, stupéfaits par
cet acte qu'ils ne peuvent reproduire, ont peur. Ils
pensent : «Qui peut nous dire, si elle est capable de
donner la vie, qu'elle ne puisse pas aussi la reprendre
[?]» Et, ainsi, à cause de leur peur de cette
mystérieuse capacité qu'a la femme, et de la possibilité
qu'elle puisse aussi reprendre la vie, ils la tuent.*

– FRIEDA FROMM-REICHMANN

Les hommes et les femmes ont le même besoin d'appartenance, d'intimité, d'épanouissement en amour. Les hommes et les femmes ont le besoin et le droit d'avoir les traits féminins et masculins qui existent en eux. L'un et l'autre ont un besoin d'expérimenter un lien spirituel, l'amoureux spirituel. Les hommes comme les femmes souffrent dans les relations amoureuses.

Nous luttons pour la libération des hommes et des femmes depuis plus de vingt ans et, bien que nous ayons obtenu quelques résultats, ces changements semblent plutôt sociaux que psychologiques ou spirituels. La guerre semble être devenue une guerre souterraine. Le nombre de cas de violence physique, d'inceste, de viol, d'abus, de suicide et d'homicide augmente. La compétition, les jeux de pouvoir, le blâme et la honte sont omniprésents. Je suis stupéfaite par le nombre de femmes qui ont été abusées sexuellement quand elles étaient enfants et violées à l'âge adulte. Je suis tout autant horrifiée par les histoires d'hommes qui ont été agressés sexuellement, séduits durant l'enfance et abusés émotivement.

Je suis découragée par les manipulations et la violence chronique qui se produisent quotidiennement entre les hommes et les femmes, les femmes et les femmes, les hommes et les hommes. Nous lisons que les femmes sont en colère, que les hommes ont peur de s'engager. Des études réalisées sur le harcèlement sexuel rapportent que la moitié des adolescents pensent qu'une femme qui se promène seule la nuit et qui porte des vêtements sexy cherche à être violée. La majorité des hommes et des femmes interviewés estiment que le viol est correct dans le cadre du mariage[4].

---

4. «Education Update», ministère de l'Éducation du Minnesota, vol. 23, n° 2 (octobre 1988). Laura Kiscaden, spécialiste de la déségrégation sexuelle, fait référence à un sondage réalisé auprès d'élèves de 12 à 15 ans, dans le Rhode Island. La moitié des adolescents interrogés pensent qu'une femme qui se promène seule et qui porte des vêtements sexy demande à être violée. Un tiers ont répondu qu'un homme n'agit pas mal quand il viole une femme qui a déjà eu des expériences sexuelles; 65 pour cent des garçons et 47 pour cent des filles ne voyaient rien de mal dans le viol par un petit ami et 87 pour cent des garçons et 79 pour cent des filles ont déclaré que le viol est acceptable dans le mariage. (L'auteure attribue le problème aux stéréotypes culturels.)

Cela me fait dire que nous avons passé à côté de notre combat pour la libération des hommes et des femmes. Il ne s'agit pas d'opposer les hommes aux femmes ou vice versa. C'est le droit des hommes et des femmes de revendiquer tous les aspects de leur Moi.

Si nous voulons un jour devenir des amoureux spirituels, nous ne devons pas seulement cheminer avec nous-mêmes pendant quelque temps. Mais au cours de ce cheminement, nous devons examiner attentivement l'héritage que nous a laissé une conception erronée de ce qui est féminin et de ce qui est masculin.

L'homme et la femme qui habitent en chacun de nous

Les concepts du Yin et du Yang symbolisent les principes féminin et masculin de la vie. Ils se manifestent naturellement et harmonieusement partout dans la nature et constituent la polarité fondamentale qui caractérise tous les systèmes vivants. Le *Yin,* le principe féminin, est représenté par tout ce qui peut se contracter, réagir, ce qui est conventionnel et réceptif : la terre, la lune, la nuit, l'hiver, la fraîcheur, l'humidité, l'intérieur. C'est la synthétisation intuitive, l'aspect conscient et écologique en chacun de nous.

Il nourrit la vie. Le *Yang,* le principe masculin, renferme ce qui est expansif, agressif et exigeant. Le ciel, le soleil, le jour, l'été, la sécheresse, la chaleur, l'extérieur lui parlent. Il est compétitif, rationnel, analytique et davantage concerné par lui-même que par l'environnement. Il protège la vie.

La personnalité de chaque homme et chaque femme comporte des caractéristiques féminines et masculines. De nombreux philosophes chinois pensaient que tous les hommes et toutes les femmes traversaient des phases de Yin et de Yang. Aujourd'hui, nous pourrions l'interpréter ainsi : chaque homme a en lui une femme auprès de qui il peut se réfugier, une femme qui lui dit : «C'est bien de ressentir et je vais rester ici avec toi.» La femme a en elle un homme auprès de qui elle peut se réfugier et qui lui dit : «Je sais comment aller dans le monde et comment en revenir pour prendre soin de toi.» L'amour et le pouvoir ont trouvé un équilibre.

Plusieurs cultures voyaient les femmes comme des êtres passifs — elles les programmaient pour entrer dans ce rôle — et les hommes comme des êtres actifs. Certaines de ces cultures considèrent que les actifs ont plus de valeur que les passifs. Il semblerait que l'un doive être supérieur et l'autre, inférieur.

Le Yin et le Yang ne sont pas des concepts moraux. Ils sont aussi valables l'un que l'autre et ces deux forces doivent conserver un équilibre dynamique dans tout être humain, homme et femme. Comme dans la nature, les moments passifs sont aussi importants que les moments actifs. Nous pouvons le voir en observant les saisons. Ce qui est nuisible est en déséquilibre, et le déséquilibre semble être la norme quand nous vivons des situations où l'amour et le pouvoir sont en crise.

Thèmes communs à nos histoires

Des centaines d'hommes et de femmes ont partagé leurs histoires. Certaines choses sont claires. Autant les hommes que les femmes ont été abusés, mal informés, abandonnés, effrayés et utilisés. Nous avons tous subi des traumatismes quand nous étions enfants. Lorsque des révélations importantes, des expériences et des permissions nous ont été refusées, nous avons souffert de *traumatismes d'omission*. De même, lorsque des choses significatives nous ont été faites, des choses que nous n'avions pas demandées ou que nous ne méritions pas, nous avons subi des *traumatismes de commission*. Les souvenirs associés à ces traumatismes nous suivent jusqu'à l'âge adulte et nous recréons cette histoire dans nos relations actuelles — même si cela va à l'encontre de ce que veut une partie plus profonde et plus éclairée de nous.

En dépit des exceptions, les histoires des hommes et des femmes présentent des thèmes communs, à savoir que la partie féminine et la partie masculine qui cohabitent en nous sont en déséquilibre. Apparemment, les hommes sont encouragés à être indépendants — et franchement antidépendants à certains moments — et les femmes à être dépendantes. Cependant, psychologiquement, les hommes sont encouragés à être dépendants émotivement, spécialement envers les femmes. Par contre, les femmes sont encouragées à être indépendantes émotivement et à ne pas attendre que les hommes répondent à leurs besoins. Une idée intéressante.

Cela crée un double lien pour les hommes et pour les femmes. Les hommes sont souvent manipulés par leur mère et ont rarement des liens avec leur père, ce qui peut leur faire craindre d'être engloutis, contrôlés ou manipulés. Ils peuvent en même temps avoir au fond d'eux une peur de l'abandon. Quant aux femmes, celles qui n'ont pas pu créer de liens avec leur père et qui ont été ignorées ou abandonnées psychologiquement par leur mère, peuvent au contraire être rongées par la peur d'être laissées ou abandonnées tout en craignant au fond d'elles-mêmes l'intimité. Les hommes et les femmes peuvent avoir au fond d'eux une peur fondamentale encore plus grande de tomber malade, de devenir fou ou de mourir.

Ces modèles sont ancrés en nous depuis longtemps. Pour obtenir une vision précise de la situation, nous devons examiner les implications biologiques, les racines historiques, les enseignements religieux et les rôles culturels qui affectent notre caractère psychologique. Puis, nous devons découvrir comment notre psychologie se reflète dans la confusion que nous ressentons face à l'amour et au pouvoir.

Perspectives biologiques

Certaines contraintes biologiques apparaissent dans les relations entre les hommes et les femmes. Ces contraintes peuvent contribuer aux inéquités que nous vivons actuellement. Dans ce processus, la nature est neutre. Elle se moque que la personne la plus puissante soit un homme ou que la société sacralise la beauté des femmes. Elle se moque de nos réussites ou de savoir combien d'argent nous avons accumulé. La nature ne s'intéresse qu'au processus évolutif. Si une espèce ne se régénère pas, la vie s'arrête! Cela exige un accouplement biologique, une union, un moment de coopération quand un mâle et une femelle s'unissent.

Paradoxalement, les différences qui existent entre les hommes et les femmes sont à l'origine du miracle de la vie. Et pourtant, c'est peut-être ici qu'ont commencé la peur, la jalousie, la colère, le manque de réflexion, la base des jeux de pouvoir. Examinons cela.

Selon l'anthropologue Helen E. Fisher, les relations amoureuses ont débuté comme une fonction biologique[5]. Une femelle vivait une période de chaleur et devenait sexuellement agressive. Elle attirait un grand nombre de mâles. Une femelle arrivée à maturité n'avait que quelques cycles avant de devenir enceinte. Elle refusait les mâles jusqu'à ce qu'elle ait sevré son bébé, moment auquel son appétit sexuel réapparaissait. Le scénario de la nature montre clairement qui est responsable de la procréation.

Fisher explique comment, au cours du processus évolutif, le cycle des chaleurs des femelles a changé. Elles vivaient une nouvelle période de chaleur plus tôt et s'intéressaient au sexe pendant de plus longues périodes. Les mâles les suivaient, les protégeaient et les trouvaient plus désirables. Elles ont été récompensées pour avoir plus souvent des relations sexuelles, les avantages que leur procurait la protection des mâles offraient plus de chances à leurs enfants d'atteindre l'âge adulte. La sélection naturelle a commencé à favoriser les femelles qui reprenaient leur activité sexuelle peu après avoir donné naissance à leur petit. Progressivement, les périodes de chaleur ont disparu et la femelle était disponible à la sexualité en tout temps. La vie avait connu un changement fondamental.

---

5. Helen E. Fisher, dans son livre *The Sex Contract,* décrit comment la modification de la périodicité du cycle ovarien des femelles influe sur les relations amoureuses. Les peurs psychologiques de l'engloutissement et de l'abandon peuvent contribuer à des inéquités dans l'amour et le pouvoir.

Les mâles et les femelles ont commencé à échanger des faveurs, à répartir les tâches, toujours selon Fisher. Les rapports sexuels réguliers ont resserré les liens et créé une dépendance économique. Très vite, la sexualité ne s'est plus limitée à la procréation. Les femelles ont commencé à examiner leurs amants et à choisir non seulement de bons amants, mais aussi des mâles qui étaient de bons chasseurs, qui démontraient qu'ils étaient forts et qu'ils étaient capables de s'occuper de leurs petits. La nature et le conditionnement ont continué leur action réciproque. Les hommes et les femmes ont commencé à valoriser ce qu'ils aimaient, ce qui leur apportait du plaisir et de la protection.

Les relations personnelles, qui sont à la base de l'unité familiale, sont apparues quand un mâle et une femelle se sont mis en couple et ont partagé la viande qui provenait de la chasse et les légumes récoltés. Les bébés ont développé des liens avec l'homme qui dormait avec leur mère et ce dernier, à son tour, a commencé à veiller sur l'enfant. D'après Fisher, le contrat sexuel venait d'être passé. Il s'en est suivi pour l'homme une double obligation. Bien que la femelle fût davantage disponible, sa période de fertilité était cachée, ce qui obligeait le mâle à s'accoupler plus régulièrement pour s'assurer une progéniture.

Avec le partenariat et le lien sexuel, les émotions humaines ont commencé à se manifester. Peut-être parce qu'il voulait protéger son héritage génétique, le mâle est devenu jaloux et possessif. Pourquoi un homme voudrait-il chasser pour quelqu'un d'autre ou pourquoi voudrait-il protéger l'enfant d'un autre? Étant donné que la femelle et sa progéniture ne pourraient pas survivre sans la protection d'un partenaire, elle aurait eu peur d'être abandonnée. Peut-être les jeux amoureux sont-ils apparus quand les gens ont ressenti la peur d'être engloutis et abandonnés.

Il est possible que la biologie joue un rôle important dans les peurs que nous vivons aujourd'hui. Bien qu'elles soient irrationnelles, ces peurs peuvent continuer à contrôler de nombreuses relations amoureuses.

Des émotions positives sont également apparues. L'altruisme est peut-être survenu quand les humains, qui luttaient pour

survivre, ont reconnu l'importance d'avoir des amis ou des partenaires serviables, ou parce que l'amoureux spirituel émergeait.
En ce qui nous concerne, nous devons admettre que les chasseurs
et les cueilleurs sont importants pour notre survie.

Perspectives historiques

Comment en sommes-nous venus, nous qui étions à une époque
des chasseurs et cueilleurs paisibles, à accumuler des biens et à
avoir peur l'un de l'autre? Qu'est-ce qui nous empêche de partager en reconnaissant que l'autre est notre égal émotivement et
spirituellement?

Paix et partage du pouvoir

De telles questions n'ont pas toujours eu la même urgence. Nous
avons entendu des légendes et des mythes qui décrivaient des
relations idylliques entre les hommes et les femmes. Nous connaissons l'histoire d'Adam et Ève qui vivaient dans le Paradis
terrestre. La légende de la glorieuse Atlantide, île fabuleuse
située dans l'océan Atlantique, parlait d'une race prodige qui
labourait le sol en toute tranquillité. L'histoire de l'humanité
laisse supposer que nous avons connu des moments de paix,
d'abondance, d'éveil, pendant lesquels les gens partageaient le
pouvoir et aimaient librement; des périodes où l'impuissance,
l'abus, la violence et la peur étaient rares.

LA CRÈTE ANTIQUE : UNE SOCIÉTÉ BASÉE
SUR LE PARTENARIAT

Toute société qui considère le principe féminin comme secondaire méprise toute forme de vie, y compris la terre. La domination et l'anéantissement de la vie ne tardent pas à suivre. De
telles sociétés affichent un niveau élevé de violence et très peu de
tolérance pour le contact et l'intimité dans leurs relations personnelles.

Calice, lame, Graal, épée — nous utilisons ces mots comme métaphore pour parler de notre histoire.

- *Le calice* symbolise le pouvoir de l'univers d'aimer — de donner et nourrir la vie, le principe féminin.

- *La lame* symbolise le pouvoir de l'univers d'affirmer. C'est l'ordre, la protection, le principe masculin.

- *Le Saint-Graal* signifie que nous atteignons notre potentiel spirituel le plus élevé.

- *L'épée* a une signification mythologique, car elle parle du pouvoir de l'action nécessaire pour confronter nos peurs et l'obscurité, comme le symbolise la mise à mort du dragon, ce qui fait référence au pouvoir de protéger la vie.

Ces quatre éléments sont significatifs et importants pour les hommes et pour les femmes, car ils symbolisent les meilleurs aspects de notre Moi féminin et de notre Moi masculin.

Les problèmes ont surgi quand le pouvoir de la lame a été exalté afin que la violence tue la vie symbolisée par le calice. Interprétez cela ainsi, le pouvoir tue l'amour. *Prendre* plutôt que *donner* est un problème fondamental dans cette équation.

Les découvertes anthropologiques suggèrent que, parmi nos ancêtres, certains comprenaient avec une conception extrêmement spirituelle la relation entre la vie et la mort, et les interrelations entre toutes les formes de vie. Telle était l'histoire de la

Crète antique. Selon Riane Eisler, de 6000 à 2000 avant Jésus-Christ, le peuple de la Crète vénérait la vie[6]. Il n'y avait pas de guerres. La divinité suprême, celle qui donnait la vie dans plusieurs mythes, était féminine. Bien qu'elle ne fût pas parfaite, cette société était l'exemple d'un partenariat où les hommes et les femmes étaient égaux dans un monde qui devenait de plus en plus belliqueux.

Cette culture témoignait d'une profonde reconnaissance pour les différences sexuelles qu'elle considérait comme une source de plaisir. Cette reconnaissance détournait l'agressivité et favorisait une vie sexuelle harmonieuse. Cette culture vouait une passion pour le sport, la danse, l'art, la créativité — tout ce qui fait partie de la vie, que ce soit masculin ou féminin. Par la grande portée de cette culture, la Crète antique a été la dernière société technologiquement avancée que l'on peut vraiment qualifier de *société de partenariat,* une société qui valorisait grandement la nature pour ses pouvoirs d'affirmation de la vie, de génération et de création.

Le début de la civilisation occidentale : la perte de contact avec le principe féminin

Eisler parle d'un changement graduel dans le monde, alors que la Crète idyllique s'occupait de ses propres affaires. Des vagues d'invasions par des bandes de nomades venus de contrées arides ont perturbé l'équilibre de la nature. La domination, la violence, la destruction et les structures hiérarchiques, basées sur la propriété privée et la domination mâle, se sont développées dans ces cultures nomades. Le métal ne servait plus qu'à fabriquer du matériel pour se protéger ou recueillir la nourriture; on l'utilisait pour des armes meurtrières destinées à réduire à l'esclavage et à contrôler les gens. Les femmes ont été réduites aux rôles

---

6.   Dans son livre *The Chalice and the Blade,* Riane Eisler examine les changements qui se sont produits au cours des cinq mille dernières années et qui ont contribué à la polarisation du principe masculin et féminin.

d'épouse ou de concubine — elles étaient une propriété privée. Les hommes trop doux et les femmes fortes étaient dévalorisés. L'équilibre entre les principes masculins et féminins n'était plus encouragé.

L'ancienne culture de la Crète et les nouvelles cultures dominées par le mâle étaient aux antipodes l'une de l'autre. La chute de la Crète, il y a trois mille ans, marque le début de la civilisation occidentale telle que décrite dans les livres d'histoire. C'est à l'aide de ces livres que nous enseignons les valeurs et la religion à nos enfants. Et c'est ainsi que nous apprenons nos définitions de l'amour et du pouvoir.

Nous avons vécu dans un monde fortement masculin pendant la plus grande partie de ces trois mille années. Le douzième siècle représente une seule exception : c'est l'époque des grandes légendes. Dans ces légendes, l'homme recherchait le Saint-Graal, son aspect mystique réfléchi et réceptif. Cette période a marqué l'émergence d'une forme de grand art — la conscience spirituelle. L'art de l'amour courtois — un amour davantage mystique et spirituel — est apparu[7]. Les relations amoureuses et l'amour romantique étaient considérés comme venant de l'âme, du cœur. Nous pouvions entrevoir l'amoureux spirituel qui appréciait le principe masculin et le principe féminin.

Pour comprendre les relations que nous vivons aujourd'hui, nous devons comprendre ce qui a été perdu et comment nous l'avons perdu

La vie comporte des rythmes. Nous sommes en période de changement. Il est important que nous n'assumions pas que nos connaissances sont tout ce qui existe, sinon nous aurons des

---

7. L'histoire médiévale — telle que racontée dans *The Art of Courtly Love* de Capellanus, dans *The Power of Myth,* une entrevue avec Joseph Campbell par Bill Moyers, et dans de nombreux autres récits et chroniques dans la littérature — explique comment l'équilibre entre le principe masculin et le principe féminin était souvent pratiqué dans une forme mystique d'amour romantique.

problèmes. Les principales croyances qui ont régi nos relations tirent leur origine dans la pensée de domination. Cette manière de penser voit le guerrier comme quelqu'un qui va à la guerre, pille, conquiert et contrôle. Une vision plus éclairée, par contre, voit le guerrier comme quelqu'un qui cherche la connaissance et qui peut vivre ce savoir sans crainte. La lame coupe pour affirmer la vie et non pour l'enlever. Le guerrier spirituel fait d'une épée de l'amour.

Il n'y a aucun doute que l'énergie et les rôles des deux sexes sont indispensables à la croissance et à la survie de tout dans la vie. Les hommes et les femmes sont à la fois le calice et la lame. Les hommes méritent la liberté de revendiquer les aspects féminins qui sont en eux et qui maintiennent la vie. Les femmes méritent de posséder le masculin, la lame tranchante de la force afin d'obtenir la protection en s'affirmant elles-mêmes.

Notre biologie et notre histoire ne sont pas les seuls facteurs de ce déséquilibre. La religion a aussi joué un rôle pour de nombreuses personnes.

Le rôle de la religion

On a déjà dit qu'il y a deux moyens d'atteindre la sagesse : par la nature et par la tradition religieuse. À cet égard, certaines traditions religieuses nous ont conduits sur le chemin de la destruction plutôt que sur celui de la connaissance dans notre vie amoureuse. Plutôt que de nous aider à développer l'amoureux spirituel, où l'amour et le pouvoir sont en harmonie, la religion nous a trop souvent gardés éloignés de lui[8].

Il y a eu des époques où l'image de la femme a dominé la pensée religieuse et d'autres époques où ce fut l'image de

---

8. Les sources que j'ai utilisées pour décrire le rôle de la religion sont nombreuses : mon expérience personnelle et des discussions avec des guides spirituels et des clients ; l'entrevue de Joseph Campbell avec Bill Moyers ; le livre de Gerda Lerner, *The Creation of Patriarchy; Original Blessing* de Matthew Fox (pages 9 et 101) ; et *Beyond Power* de Marilyn French (chapitre 2).

l'homme. La naissance et l'amour maternel étaient parfois considérés comme des pouvoirs royaux, et parfois comme une vulnérabilité, une faiblesse et une dépendance. Le mâle était décrit comme ayant une vénération pour la vie, une volonté de créer un partenariat procréateur avec la femelle et un désir de protéger et de prendre soin de la vie. Cependant, à un certain moment, le mâle en est venu à croire qu'il était seul à créer et à contrôler la vie.

Il semble que nous nous soyons éloignés d'une spiritualité centrée sur la création, dans laquelle l'homme et la femme possédaient la flamme intérieure divine et vivaient directement et simplement avec la nature. Dans cette façon de vivre, chacun apportait l'amoureux spirituel dans sa relation. Le royaume de Dieu ne faisait pas référence à un territoire que l'on devait posséder ou contrôler. Il faisait plutôt référence à la dignité de chaque personne, à l'homme et à la femme comme deux parties égales de la création.

De telles traditions religieuses affirmaient la force créative qui existe en chacun de nous et nous procuraient la «nourriture de l'âme». Elles fournissaient des occasions d'expériences rituelles qui marquaient les saisons de la féminité et de la virilité, et nous permettaient de réaliser notre potentiel spirituel. Leur intention était de nous aider à devenir facilement des amoureux spirituels! L'*ego* a commencé à contaminer la religion quand celle-ci est devenue un système condescendant qui appuyait l'oppression, punissait la pensée créatrice et interprétait Dieu comme un mâle punitif qui était davantage du côté des hommes que des femmes.

Comment en est-on venu à définir les rôles des hommes et des femmes

La civilisation occidentale tire, en grande partie, ses métaphores de la Bible pour définir les rôles des hommes et des femmes. Cela a commencé dans l'Ancien Testament avec le livre de la Genèse qui couvre la période allant du dixième au cinquième siècle avant Jésus-Christ. Le mâle y est décrit comme détenant le contrôle. Les fils et leurs femmes vivent chez leur père. Quand le mari d'une femme meurt, le frère du mari ou un autre mâle exerce le contrôle sur elle et se marie souvent avec elle. Les hommes jouissent d'une totale liberté sexuelle, tant à l'intérieur qu'à l'extérieur du mariage, tandis que l'épouse doit absolument être fidèle. Le mari peut divorcer, mais la femme jamais. Les filles sont la propriété de leur père.

L'histoire de Loth, dans le livre de la Genèse, chapitre 19, montre comment un père permettait non seulement que l'on viole ses filles, mais il les offrait à l'ennemi pour l'apaiser. Un récit semblable, dans le livre des Juges (19, 1-25), décrit comment un lévite donna sa concubine à ses ennemis qui assiégeaient sa maison. Il «saisit sa concubine et la leur amena dehors; ils la connurent et ils abusèrent d'elle toute la nuit, jusqu'au matin». Non seulement, le lévite a détourné les yeux, mais il a aussi, en un sens, approuvé un viol collectif, tout en dormant sur ses deux oreilles[9].

Pendant deux mille cinq cents ans, Dieu a revêtu une apparence masculine et seuls les hommes pouvaient être des prêtres. Des métaphores convaincantes servaient à justifier la subordination de la femme d'un point de vue divin. Bien que l'Ancien Testament relate les histoires de femmes héroïques, la permission subliminale donnée aux hommes d'abuser des femmes reste puissante, créant la confusion et victimisant autant les hommes que les femmes, si l'on considère ces écrits comme étant la vérité universelle.

Les premiers groupes chrétiens étaient constitués de petits cercles de personnes qui vivaient les valeurs du Christ. Ces valeurs ont rejoint par la suite les valeurs du judaïsme : miséricorde, compassion, gentillesse, responsabilité et aide aux vulnérables, aux pauvres et aux personnes sans soutien. Jésus nous a enseigné la divinité de chaque être humain. Il a accordé beaucoup plus d'importance à ces valeurs qu'à la richesse et au statut

9.   Gerda Lerner. *The Creation of Patriarchy*, p. 172-173.

social. Bien que ces valeurs soient le fondement de la doctrine chrétienne, des codes stricts et une pensée rigide ont souvent donné lieu à la répression, à la domination et à une compétition féroce. De telles contradictions montrent la présence paradoxale de l'amour et de la haine dans nos institutions religieuses, lesquelles ont guidé nos relations.

Peut-être répugnés par les comportements sexuels et sensuels libertins de l'Empire romain, les chrétiens ont-ils commencé à restreindre les émotions et la sexualité. L'aversion pour la sexualité est devenue un dogme et la femme était souvent considérée comme la source du problème. Saint Jean Chrysostome a écrit qu'il fallait éviter les femmes parce que leur seule vue causait trop d'angoisse physique. Saint Paul a affirmé que « les passions sont en fait avilissantes ». Plus tard, saint Augustin a déclaré que « le corps d'un homme est aussi supérieur au corps d'une femme que l'âme l'est par rapport au corps ». Saint Thomas d'Aquin a élevé l'image du corps en disant que les femmes comme les hommes sont faits à l'image de Dieu, et à sa ressemblance. Toutefois, il parlait des femmes comme étant des hommes mal conçus, d'après le grand philosophe grec, Aristote [10].

Des exemples encore plus extrêmes de domination se sont produits au nom de la religion : on a éventré, torturé, brûlé les sorcières, fait des guerres de religion. Comment une tradition qui vénérait la virginité, l'ascétisme et la domination pouvait-elle aider les hommes et les femmes à créer une union spirituelle qui encouragerait la sexualité et l'amour spirituel ?

Un tel conflit n'existe pas uniquement dans la religion occidentale. Le bouddhisme, une force spirituelle importante en Orient, se préoccupait de la souffrance humaine et condamnait les jeux de pouvoir de la guerre, la cruauté et la violence. Si certains l'ont interprété comme étant un déni de la vie, du désir et des sentiments, ils ont cessé de cocréer avec la vie.

---

10. Matthew Fox. *Original Blessing*, p. 309.

Il est vrai que la plupart des personnes religieuses ont rejeté ces influences négatives et ont affirmé les valeurs de l'égalité et de la coopération. Il est toutefois impératif que notre amoureux spirituel voie quelles sont les influences négatives qui subsistent encore. Nous avons désespérément besoin de prendre ce qu'il y a de meilleur dans nos traditions et nos rituels religieux pour nous guider et nous appuyer, et nous devons abandonner le reste.

Les hommes peuvent aussi être des victimes

Les hommes peuvent aussi, comme les femmes, être prisonniers d'idéologies religieuses négatives fabriquées par l'*ego* contaminé et qui viennent de notre Moi appris. Les femmes ne sont pas les seules à être des victimes, les hommes aussi peuvent l'être. Les hommes peuvent être contrôlés par l'illusion qu'ils doivent être en contrôle. Ils sont très nombreux à avoir confessé en privé les limites que leur imposait cette croyance, l'impossibilité d'en rencontrer les exigences et de soutenir l'énergie que cela exige. Cette croyance peut empêcher un homme de laisser exprimer l'enfant en lui, avec ses besoins, d'être un amoureux avec son cœur. En effet, traditionnellement, ce sont les hommes qui ont été envoyés à la guerre pour tuer et piller et à qui on a dit de ne pas laisser leurs sentiments s'exprimer. Le résultat a été que l'esprit de l'homme meurt souvent. Alors, comment peut-il découvrir son côté doux et sentimental?

Vers les traditions spirituelles religieuses

Les hommes et les femmes peuvent créer autre chose dans la religion — et ils le font. Les théologies centrées sur la création aident à réveiller l'amoureux spirituel dans chaque homme et chaque femme. Selon ces théologies, chaque moment dans une relation amoureuse peut être créatif, quand une étincelle de conscience nous conduit à une pure intimité, à un amour inconditionnel et à une égalité sans équivoque.

Je définirais le péché comme ce qui bloque l'amoureux spirituel qui dort en nous et dans les autres. C'est ce qui transforme notre beauté, notre rayonnement spirituel en quelque chose qui nie la vie. Tout ce qui fait souffrir ou blesse notre pleine humanité est péché. Quand un homme et une femme semblables ont une impression négative d'eux-mêmes, de l'un envers l'autre, de l'amour et du pouvoir — il y a péché.

Par contre, les traditions religieuses qui appuient la plénitude du Moi et qui encouragent les hommes et les femmes à vivre en harmonie sont spirituelles. Peut-être que les *traditions spirituelles* ont besoin d'un paradigme :

- qui permette au masculin et au féminin de s'exprimer ;
- qui permette à Dieu d'être un père, une mère et un enfant ;
- qui permette les partages du pouvoir aussi bien que les jeux de pouvoir ;
- qui permette de danser le cercle de Sara et de monter l'échelle de Jacob [11] ;
- qui considère les miracles comme un émerveillement de la création et non un contrôle de celle-ci ;
- qui est critique face au *statu quo* tout en le défendant.

Nous avons besoin que la religion examine comment elle a été influencée par la biologie, l'histoire et la culture. Nous devons élaborer des traditions religieuses qui appuient notre développement naturel en tant qu'hommes et femmes capables de créer des partenariats imprégnés de sagesse, d'amour et de pouvoir, dans lesquels la création symbolisée par le féminin et la procréation symbolisée par le masculin abondent.

---

11. Sara, la femme d'Abraham, conçut et donna naissance à un fils, Isaac, à l'âge de quatre-vingt-dix-neuf ans. Cela donna lieu à beaucoup de joie et à une grande fête (Gn 21, 1-8). Jacob rêva d'un escalier qui allait de la terre au ciel et jusqu'à Dieu (Gn 28, 10-22). D'un point de vue métaphorique, la danse de la naissance (l'histoire de Sara) peut représenter le principe féminin qui donne la vie ; l'échelle ou l'escalier (le rêve de Jacob) peut symboliser le principe masculin ou le pouvoir de transcender notre *ego* et rechercher la vérité spirituelle.

Les fondements du pouvoir — une perspective culturelle

Les influences décrites dans la section précédente ont eu des répercussions sur les hommes et les femmes qui ont perdu peu à peu contact avec leur pouvoir intrinsèque et qui l'ont cherché en dehors d'eux-mêmes. Au lieu d'être notre énergie vitale inhérente, notre essence spirituelle, le pouvoir est souvent considéré comme faisant partie du rôle que nous jouons. Et chaque rôle a un fondement. Il est basé sur ce qui était le plus facilement accessible aux hommes et aux femmes. Bien qu'aujourd'hui les femmes aient accès à tous les fondements du pouvoir, je crois qu'elles continuent de compter sur trois de ces fondements : le sexe, la beauté et la maternité. Cependant, je pense que les hommes peuvent compter sur quatorze fondements du pouvoir : la finance, la justice, le gouvernement, l'éducation, la médecine, la technologie, l'industrie, le travail, les communications, l'armée, la religion, les sports professionnels, la sécurité et l'application de la loi, les sciences[12]. Avec ce déséquilibre apparent, certaines femmes peuvent abuser de ces fondements. D'autres femmes protègent ces fondements. La tragédie est qu'elles se désavantagent elles-mêmes et les autres femmes au cours du processus.

Le fondement du pouvoir parental

Le fondement du pouvoir parental est bien visible dans la vie familiale quotidienne. Ann, une enseignante, se plaignait sans cesse que son mari ne passait pas assez de temps à la maison. Elle voulait un partage du rôle parental et des tâches ménagères. À un certain moment, Ned a quitté son emploi, a repris ses études et a partagé les tâches ménagères. Pourtant, Ann a réagi en alternant des périodes de dépression et de crises de rage. «C'est mon territoire, n'y entre pas!» criait-elle. «J'ai l'impression que tu as envahi mon territoire. Je t'ai demandé d'être ici, mais, franche-

---

12. Phyllis Chesler et Emily Goodman ont d'abord mentionné douze fondements du pouvoir pour les hommes et les femmes dans *Women, Money, Power*, p. 273.

ment, je le regrette.» Elle avait peur de perdre son rôle de mère,
perçu comme un pouvoir.

Des recherches en psychologie démontrent que le nombre
d'heures que passent les hommes avec leurs enfants diminue pro-
portionnellement selon la manière dont la mère se perçoit comme
indépendante et compétente. À partir de cette recherche, il est
clair que les mères peuvent tenir le rôle de gardien et avoir de la
difficulté à permettre ou inviter les pères à passer beaucoup de
temps avec les enfants. D'après la recherche réalisée par la
psychologue Frances Grossman, il est plus probable qu'un père
entre dans le territoire de la mère quand celle-ci n'est pas aussi
compétente dans son rôle[13]. Quand les femmes travaillent à
l'extérieur, elles ont tendance à devenir des superfemmes, ce qui
les pousse à être à la fois mères et femmes de carrière plutôt que
de partager les responsabilités parentales. Peut-être que de continuer à assumer leur rôle traditionnel les aide à justifier le fait
qu'elles travaillent à l'extérieur. Ou peut-être le font-elles simplement pour monopoliser l'éducation des enfants, un des fondements traditionnels du pouvoir des femmes.

Il apparaît clairement que l'éducation des enfants est une
relation complémentaire. Plus les mères sont compétentes avec
les enfants, plus les pères le sont aussi. Selon Grossman, la mère
influe sur le rôle du père en lui permettant d'être parent de
manières plutôt différentes des siennes. Ce qui ressort le plus
clairement de cette recherche est que ni une conception traditionnelle ni une conception féministe moderne de la famille n'est
juste. C'est une question beaucoup plus complexe.

---

13. Tiré d'un article rédigé par Kim Ode et publié dans le *Minneapolis Star and
    Tribune* (10 janvier 1988), «Some Mothers May Not Give Dads a Chance».
    L'auteure fait référence à l'étude réalisée par Frances Grossman pendant cinq ans
    et demi auprès de vingt-trois familles.

Les fondements du pouvoir de la beauté et du sexe

À partir du fondement du pouvoir parental, nous pouvons examiner d'autres fondements du pouvoir, comme ceux de la beauté et du sexe. La majorité des femmes s'inquiètent de leur poids. Pourtant, chez la femme moyenne, son poids varie de trois à cinq kilos à l'intérieur de son poids normal. La poursuite culturelle de la minceur est devenue un grave problème de santé. Les femmes continuent cependant à accorder une importance primordiale à leur apparence.

Certaines utilisent encore le sexe, la beauté et la maternité pour contrôler et manipuler. Il suffit de regarder la publicité, la télévision et de lire des livres.

La beauté, le sexe et la maternité sont un droit inhérent aux femmes, ils font naturellement partie de ce qui est féminin. Une femme mérite de les vivre pleinement et foncièrement, et non pas comme un moyen de parvenir à ses fins. Une déformation culturelle du vrai sens de ces fondements du pouvoir a eu des effets dévastateurs sur les relations des femmes avec les hommes et avec les autres femmes. Les femmes qui font une mauvaise utilisation de ces fondements du pouvoir trahissent leurs sœurs, leurs filles, leurs fils et les hommes présents dans leur vie.

La tragédie est que de nombreuses tactiques de survie utilisées par les femmes ne font que renforcer le *statu quo*. Il suffit de penser à l'argent que rapportent le sexe, la beauté, la jeunesse, la nourriture, les diètes, l'image du corps, les vêtements, la décoration de la maison et l'éducation des enfants. Qui gagne cet argent? Remarquez les messages subliminaux que nous voyons dans la publicité : femmes séductrices et images qui promettent la réussite sexuelle.

Les femmes qui s'associent à ce système se nuisent à elles-mêmes et nuisent aux autres femmes. Il est important de voir comment elles perpétuent un modèle de domination quand elles ont des règlements de divorce outrageux, quand elles permettent de se laisser contrôler, refusent d'apprendre à gérer les finances de la maison, et deviennent dépendantes de la beauté, des diètes et de l'aérobie. Ne disent-elles pas plutôt : « Je suis d'accord pour être une propriété mâle ; vous pouvez acheter ma codépendance » ?

DAVANTAGE DE MOTS POUR DONNER
DU POUVOIR AUX FEMMES

En tant que femme et mère, je dis aux autres femmes : arrêtez d'attendre les hommes pour changer. Nous ne pouvons cependant nier une réalité de la nature : nous représentons le principe qui porte la vie. En étant celles qui peuvent porter les enfants, nous avons un impact énorme sur la vie de nos fils et de nos filles. Apprenez à céder — sachez quand vous affirmer et quand lâcher prise. En agissant de la sorte, nous faisons beaucoup plus pour réaliser pleinement notre féminité, guérir nos blessures et revendiquer vraiment qui nous sommes.

Le pouvoir est en nous, il ne se limite pas au sexe, à la beauté et à la maternité. Que nous le voulions ou non, que ce soit bon ou mauvais, les femmes qui sont mères passent plus de temps avec leurs enfants et ont plus souvent une influence directe sur ces derniers. Nous pouvons être plus attentives à la manière dont nous les élevons.

Nous devons cesser de chercher en dehors de nous pour nous épanouir et de demander à nos fils et à nos filles de s'occuper de nous à leurs dépens. Nous devons développer et partager avec eux notre père et notre mère intérieurs. Quand nous avons des problèmes, nous pouvons leur dire : « Je vais prendre soin de moi pour pouvoir prendre soin de vous. » Nous devons faire notre part pour inviter nos fils à devenir hommes à part entière et nos filles à devenir femmes à part entière, pour les laisser d'abord être enfants et cependant ne pas retarder leur développement.

Les hommes et les fondements du pouvoir

> *Au cours des vingt dernières années, le mâle est
> devenu plus attentionné, plus doux, mais il n'est
> pas devenu plus libre.*
>
> – ROBERT BLY

Les hommes sont aussi responsables en partie du déséquilibre du pouvoir. Certains ont continué à monopoliser les fondements du pouvoir qui leur avaient été donnés — ou qu'ils s'étaient appropriés. D'autres hommes continuent de faire subir, en privé, de la violence émotive aux femmes : actes agressifs, comportements intimidants, sarcasmes, remarques humiliantes, salaires inférieurs. Beaucoup de femmes continuent à se sentir opprimées et abusées par les hommes et déclarent ressentir de la colère à l'idée qu'elles sont la propriété de quelqu'un. À l'intérieur comme à l'extérieur de la maison, le partage du pouvoir est rare ; l'amoureux spirituel est absent. Si on vous demandait qui détient l'argent et le pouvoir dans notre monde, que répondriez-vous ? Nombreuses sont les femmes qui, à l'extérieur de la maison, luttent quotidiennement pour avoir leur place. En dépit de ce que nous croyons, la plupart des femmes n'agissent pas par choix à l'extérieur de chez elles.

Le plus grand paradoxe est que les hommes sont tenus par leurs fondements du pouvoir et sont donc contrôlés par ceux-ci. Ils doivent gagner l'argent nécessaire pour subvenir aux fondements du pouvoir des femmes : la beauté, le sexe et la maternité. Combien d'hommes sont devenus des dépendants du travail ? Combien de femmes le sont aussi devenues en essayant de s'approprier des fondements du pouvoir qui reviennent traditionnellement aux hommes ? Chacun des deux sexes se débat dans ce cercle vicieux. Ce qui est censé être un gain devient une perte pour les hommes et pour les femmes.

Je vais essayer d'être claire. *Les fondements du pouvoir ne sont ni bons ni mauvais. Ils sont destinés à être des moyens par lesquels nous pouvons découvrir notre créativité et notre signification, pour dire au monde qui nous sommes vraiment et ce que nous faisons de bien.* L'amour sain reconnaît que le pouvoir est en chacun de nous, homme ou femme. Les problèmes surgissent quand nous commençons à cumuler les pouvoirs, croyant en l'illusion que nous sommes le rôle que nous jouons, que nous sommes le fondement de notre pouvoir.

LES DEUX SEXES ABUSENT
DES FONDEMENTS DU POUVOIR

Qui a commencé? Une femme fait-elle mauvais usage de ses fondements du pouvoir parce qu'elle a été abusée, considérée comme une propriété? Ou un homme abuse-t-il des femmes parce qu'il a souffert et a été blessé, parce qu'il n'est pas libre psychologiquement de regarder en face sa peur et sa colère? Est-ce vraiment important? Devons-nous répondre à ces questions avant de pouvoir arrêter l'aliénation qui se produit dans nos relations amoureuses?

Nous devons admettre que les deux abusent de leur pouvoir. Les hommes et les femmes doivent changer s'ils veulent redécouvrir ce qu'est l'amour sain. Les techniques sexuelles, les livres de croissance personnelle, les cours de communication, les services de counseling pour les couples et les conseils de toutes sortes ne suffiront pas. Chaque personne doit apporter du sien en changeant de l'intérieur.

ÊTRE DES DOMINATEURS :
LES CONSÉQUENCES CHEZ LES HOMMES

À l'instar des femmes, les hommes sont handicapés par leur conditionnement culturel. À dix-huit ans, les hommes sont supposés détenir toutes les réponses au casse-tête de la vie afin qu'ils puissent prendre soin d'eux-mêmes et des autres. Mais comment peuvent-ils s'occuper des autres quand ils ne se connaissent pas eux-mêmes et ne savent pas quels sont leurs propres besoins?

Selon le poète Robert Bly, un père passe en moyenne dix minutes par jour avec son fils, pendant lesquelles il lui donne généralement un ordre du type : «Range ta chambre[14].» Quand les hommes ont commencé à travailler à l'extérieur, leurs fils ont perdu un modèle, la chance d'avoir un père comme professeur et mentor. Au lieu de cela, les hommes se concentrent sur leur ascension professionnelle et mettent tous leurs efforts à être compétitifs. Ils ne se cachent pas, ils sont engourdis et ils apprennent cela très tôt dans la vie. Le chagrin est présent en beaucoup d'hommes. Peut-être sont-ils en deuil du père qu'ils ont perdu; peut-être ont-ils perdu leur lien avec la nature lorsqu'ils franchissent les portes des immeubles à bureaux en béton. On a enseigné aux hommes à nier coûte que coûte ce deuil et leur chagrin.

Il en résulte un manque dans le psychisme du mâle. Il a besoin d'hommes plus âgés pour lui servir de mentors, mais souvent il ne les trouve pas. Au cours du processus, l'homme a perdu la vraie définition du guerrier : pas celui qui tue, mais quelqu'un qui a une cause, un but, qui est en contact avec son âme et qui est capable de se dépasser.

Bly ajoute que, même aujourd'hui, les jeunes hommes peuvent avoir un mentor masculin pour les «materner», les féliciter, les guider et leur transmettre la sagesse. Ce mentor peut leur apprendre à rejeter l'idée que tous les hommes sont en compétition et à accepter qu'ils recherchent désespérément les conseils d'un homme plus âgé qui ne les humiliera pas. Plusieurs hommes sont élevés dans la honte et la culpabilité. L'homme doit trouver le roi qui est en lui, la partie qui le relie à Dieu. Ce processus se fait par étapes : l'homme peut se lier avec la mère et le père, puis se séparer des deux. Ce faisant, il est libre de découvrir les meilleurs aspects de son Moi féminin et de son Moi masculin.

Il est important que les hommes puissent voir s'ils ont été blessés par le modèle dominateur et comment ils l'ont été. Ce modèle a permis et encouragé l'engloutissement de cultures entières et a aliéné autant les hommes que les femmes de leur source de pouvoir personnel, de leur possibilité de partenariat.

---

14. Atelier de Robert Bly, Oaxtapec, Mexique, janvier 1990.

Les hommes peuvent admettre ce que font les autres hommes et examiner comment cela influence leurs relations amoureuses. L'amour sain est compromis dans les cas suivants :

- quand les hommes refusent de reconnaître que le sexisme n'a pas disparu, qu'il est seulement caché ;

- quand ils protègent leur peur d'être abandonnés en agissant «comme si» les femmes dans leur vie étaient leurs égales ;

- quand ils ne font pas face à la peur, la peine et la colère qui sont en eux ;

- quand ils ne veulent pas être conscients qu'un tiers des femmes sont des victimes d'abus sexuels ;

- quand ils se taisent devant l'abus des femmes, des enfants et le non-respect des droits des minorités ;

- quand ils ne mettent pas en place des rituels significatifs qui marquent le passage du mâle à l'âge de la virilité.

Perspectives psychologiques

Peut-être êtes-vous parvenu à acquérir une certaine perspective où vous pouvez voir que l'incompréhension entre les hommes et les femmes est beaucoup plus complexe que vous ne l'auriez cru. Les fondements du pouvoir que nous exerçons aujourd'hui sont le résultat de notre bagage biologique, d'un millénaire d'histoire, des influences religieuses et d'un héritage culturel. Nous devons ajouter à ce bagage l'influence plus immédiate de nos mères, de nos pères, de nos parents psychologiques qui ont eux-mêmes été influencés par les facteurs ci-dessus — la plupart du temps sans même en être conscients. Il se peut qu'ils ne sachent pas voir et peut-être qu'ils soient incapables de savoir comment ils sont devenus éloignés de leur vraie nature[15].

L'enfant mâle élevé par des parents perdus dans leurs rôles

Bien que cela puisse sembler extrême, examinez la dynamique psychologique quand l'objet du premier amour d'un enfant, la mère, agit comme si elle était inférieure et le père était supérieur. L'enfant mâle est poussé à prendre soin de la mère et peut acquérir une vision erronée de ce qu'est le pouvoir et mépriser le pouvoir féminin en lui, en étouffant ses sentiments et en s'identifiant à un système dans lequel il ne demande pas ce dont il a besoin. Il arrive souvent que son véritable besoin d'affection et de «nourriture» ne soit pas satisfait ou qu'il soit refoulé.

Souvent, une mère va repousser brutalement son fils de son sein quand elle réalise qu'il est un enfant mâle. Si cela n'est pas suffisant, la trahison du père peut suivre. Alors qu'on demande à l'enfant mâle de se joindre à la confrérie des hommes adultes et de laisser sa mère, on l'encourage aussi à être le petit homme de maman, à prendre soin d'elle quand papa n'est pas là. Bien qu'il bénéficie socialement d'un statut d'élite, il se sent souvent abandonné émotivement par ses deux parents.

Un tel enfant mâle est confronté à une double contrainte. Il doit abandonner brutalement la source de sa nourriture et de ses caresses, l'objet de son premier amour, mais le père est occupé à l'extérieur et lui demande de ne pas partir. La mère facilite les

---

15. Les informations additionnelles que j'ai utilisées pour appuyer les données sur les perspectives psychologiques proviennent de nombreuses sources. Les plus importantes sont les centaines d'histoires que j'ai entendues de mes clients dans le cadre de leurs thérapies ou d'ateliers. Parmi les autres sources, je citerai : les théories sur le développement humain ; *Father-Daughter Incest* de Judith Herman ; *Men Who Rape* de A. Nicholas Groth ; «A Food Fix», une conférence de Sandra Gordon Stoltz ; «Today's Troubled Men», un article de Herbert J. Freudenberger, publié dans *Psychology Today* (décembre 1987) ; «Women Batterers : The Sins of Our Brothers», un article de David Adams, publié dans *Sojourners* (mai 1982) ; un article du *Time* sur le Rapport Hite (12 octobre 1987).

choses en séduisant son enfant avec ses besoins émotifs insatis-faits parce que le père est absent. La mère lui dit, de façon non verbale : *Approche-toi, va-t'en, reviens.* Le père dit : *Éloigne-toi, ne pars pas, va-t'en.* L'enfant mâle avance sur un chemin étroit : d'un côté, la peur de s'approcher et d'être englouti ; de l'autre, la peur d'être abandonné. Mais s'il le fait bien, il pourra hériter de l'amour d'une autre femme quand il sera grand. Le paradoxe est que, en étant élevé de cette façon, son développement psycholo-gique ne permet pas l'intimité. La sexualité devient souvent l'exutoire acceptable pour satisfaire son besoin de ressentir et d'être proche.

Beaucoup d'hommes découvrent ensuite une rage intérieure : une rage que souvent ils ne peuvent pas comprendre, une rage qu'ils ne peuvent pas exprimer clairement à leur mère ou à leur père. Comment peut-on espérer que ce garçon grandisse et assume sa virilité en devenant un amoureux spirituel ? N'est-ce pas incroyable que tant de tentatives pour satisfaire les besoins humains de chaleur, d'intimité et de contact échouent ?

L'enfant femelle élevée par des parents perdus dans leurs rôles

Et qu'en est-il de l'enfant femelle élevée par des parents perdus dans leurs rôles ? Pour elle, le chemin vers l'âge adulte peut s'avérer très différent. Elle peut apprendre que l'objet de son pre-mier amour, sa mère, agit non seulement comme si elle était infé-rieure, mais elle est aussi comme le modèle de rôle de sa fille. C'est de sa mère qu'elle apprend comment éduquer, être belle et sexuelle. Si la mère préfère les hommes aux femmes, la fille apprend vite l'importance d'attirer l'attention des hommes. Elle est encouragée à occuper une place spéciale dans la vie du père, mais pas plus spéciale que celle occupée par la mère.

L'attention du père est extrêmement importante dans le déve-loppement de sa fille. Quand il la soutient, elle peut apprendre à attribuer aux hommes les sentiments positifs qu'elle ressent. S'il ne la soutient pas, elle est encouragée à persister dans son rêve qu'un jour un autre homme le fera. Elle a peut-être été élevée de façon à chercher à se valoriser et à rechercher l'attention à l'extérieur d'elle-même, pour appartenir à quelqu'un plutôt que d'être avec quelqu'un. Souvent, pour connaître l'amour, elle doit contenter les autres — elle croit qu'elle sera récompensée aussi longtemps qu'elle jouera le jeu. Le père a été formé pour réprimer ses besoins de «nourriture» et méprise le côté féminin en lui. Il n'est donc pas préparé à soutenir sa fille comme son égale émotivement ou à créer un lien authentique avec elle, même si certaines parties éveillées en lui le veulent.

Cela peut résulter en une femme qui a besoin et qui hait avoir besoin. Comment une telle personne peut-elle devenir femme à part entière, une femme où l'amour et le pouvoir peuvent s'exprimer? En n'ayant pas la possibilité de développer son pouvoir masculin, qui lui permet d'aller dans le monde, elle pourrait craindre l'abandon. En n'ayant jamais eu de lien avec son père, il est probable qu'elle ait peur de l'intimité ou qu'elle pense que c'est interdit. Elle peut alors continuer à chercher à l'extérieur la présence paternelle. Elle aussi se trouve devant une double contrainte. Le message du père est *éloigne-toi,* lequel engendre à la fois la peur et une envie très forte d'intimité. Les messages de la mère sont *ne sois pas indépendante* et *crains l'abandon.*

Voici deux histoires. La première illustre très clairement comment un père et une mère peuvent apprendre à leur enfant mâle à la fois à craindre l'intimité et à la désirer. La deuxième histoire montre comment une enfant femelle peut être élevée par son père et sa mère de manière à douter d'elle-même, à craindre l'abandon tout en rejetant l'intimité. Ces histoires montrent le pouvoir de notre héritage et de nos influences psychologiques. Peut-être y trouverez-vous un message qui vous sera utile. Même si vous ne vous identifiez pas à ces histoires, vous pouvez y reconnaître des thèmes chez d'autres personnes que vous aimez ou avec qui vous êtes en relation.

❖ L'HISTOIRE DE ROBERT :   *l'homme en colère*

J'ai réussi financièrement. Socialement, tout semble bien aller — trois enfants, une femme et tous les agréments de la vie. Mes parents n'ont jamais abusé de moi physiquement. Ils ont fait avec succès beaucoup de choses que les parents sont censés accomplir. Ni l'un ni l'autre ne souffraient de dépendance aux substances chimiques.

Que Dieu me pardonne si je parle à quelqu'un de l'angoisse que j'ai ressentie pendant la plus grande partie de ma vie. Mon but secret est de me libérer de ma peur.

Ma femme me demande de m'engager émotivement. Elle en a le droit. Je n'arrive pas à lui donner ce qu'elle me demande. Je me dérobe devant l'intimité. Et pourtant, j'ai terriblement peur de la perdre. Je hais comment elle est devenue ma sécurité, comment je dépends d'elle. J'ai soif de proximité physique mais je la refuse. Je peux être sexuel mais pas amoureux. Je fantasme sur d'autres femmes. J'ai eu des aventures.

Ce fut l'enfer, c'était déprimant. Comment pourrais-je savoir ce qu'est l'amour? Comment pourrais-je connaître de nouveau la joie? Culpabilité et peur, amour et haine, dominer ou être dominé. Parfois, je me sens comme un petit garçon en colère et pourtant j'espère que ma mère sera là pour moi.

J'étais l'aîné. Ma mère était très peu sûre d'elle. Elle me disait souvent qu'elle m'aimait, que j'étais beau et intelligent. Elle m'a allaité jusqu'à ce que j'ai plus de deux ans. Elle avait une mauvaise relation avec son père, mais elle respectait son intelligence. Les hommes étaient des êtres dont les femmes devaient dépendre et pour qui ces dernières étaient insignifiantes. Jusqu'à mes trois ans, mon père était absent la plupart du temps. J'étais donc le petit garçon d'amour de sa maman. C'est là que ma peur, et non ma terreur, a commencé.

Je me souviens, j'avais environ deux ans, quand ma mère m'a emmené au lit avec elle. Au début, je me sentais bien. Le sentiment de plaisir que je ressentais s'est vite transformé en peur quand elle s'est accrochée à moi. Elle m'a tiré contre sa poitrine pour que je tète. J'étais dans un état de confusion, je voulais partir. Je voulais sentir sa douceur et profiter de ces sentiments agréables que j'éprouvais. Je me suis débattu pour me libérer. Je l'ai entendue dire : «Tu n'aimes pas maman?» J'étais terrifié à l'idée que si je partais pour aller jouer, elle ne m'aimerait plus. Je suis donc resté.

C'était la première fois que j'étais séduit par une femme. Mais je refuse ce souvenir parce que, si je l'accepte, je serai confronté à un sentiment de culpabilité et de honte qui dépassera ce que je peux imaginer.

Il n'a pas fallu longtemps pour découvrir qui était le véritable enfant — la maman esseulée. Elle était tellement anxieuse qu'elle semblait me dominer. J'ai donc cédé, je m'en voulais beaucoup et je me suis promis que je me vengerais. Il n'est pas surprenant que j'ai toujours été agressif sexuellement envers les femmes.

Pour ajouter à cette confusion, quand j'étais plus âgé, maman avait pour habitude de dire : «Les hommes sont dégoûtants; la seule chose qu'ils veulent, c'est du sexe.» Je ressentais beaucoup de rage et je voulais lui faire mal. Si elle avait su ce que je ressentais, elle aurait pu partir et j'avais encore trop besoin d'elle. Je pensais : *Pourquoi ne veut-elle pas grandir et s'occuper de moi?* Je détestais être près d'elle. Parfois, j'avais l'impression qu'elle était dans mon corps. J'exprimais ma colère en résistant et en refusant de lui donner ce qu'elle voulait.

Et où était papa dans tout ça? Jusqu'à mes trois ans, il était presque toujours parti. Après, il a été comme un sergent instructeur. Avec lui, j'étais loin des caresses de ma mère. Il était grand et fort, et je ne voulais pas avoir de problèmes avec lui. Il ne me manifestait de l'intérêt que lorsque j'excellais. Alors, j'excellais. Lui aussi ajoutait à ma confusion. Il m'en voulait de l'attention que m'accordait ma mère et pourtant son absence m'obligeait à le remplacer. Un rôle dont je ne voulais pas!

J'avais envie de lui hurler : «Je ne veux plus faire ton travail. Tu es lâche, je te hais! Tu n'es jamais ici! J'ai besoin de toi!»

Mon père traitait les femmes différemment des hommes. Je remarquais comment il se faisait servir par ma mère et ma sœur, comment il flirtait avec les serveuses et les autres femmes. Quand une femme était de mauvaise humeur, il disait qu'elle ne devait pas avoir assez souvent de rapports sexuels satisfaisants. La première fois que je suis resté seul avec lui, il m'a emmené dans un bar et m'a jeté dans les bras d'une call-girl. Je me suis senti comme un petit garçon. Cette expérience et ce que j'ai ressenti sexuellement m'ont tellement perturbé que j'ai décidé de séparer mon corps de mon cerveau. Je suis devenu un robot.

Je comprends aujourd'hui que ce que m'a fait ma mère est horrible, que l'absence de mon père était une trahison. J'ai été victime d'un abus émotif insidieux. Je suis en colère que mon père m'ait livré à ma mère. Je suis en colère que ma mère m'ait préféré à son mari. Je ressens encore de la culpabilité, de la honte et de la peur. Je pleure mon enfance gâchée. Je travaille pour pardonner. Je sais qu'ils étaient aussi des victimes.

Ma relation avec ma femme s'améliore. J'ai moins peur de la colère des autres. Je comprends comment ma peur d'être englouti et ma peur de l'abandon donnent lieu à un tiraillement qui remonte à ma relation avec ma mère. Je repousse et je retourne chercher. Je suis plus gentil avec moi-même, j'ai plus de compassion, j'aime davantage et je suis plus généreux. Je cherche des hommes qui pourront m'aider à trouver un moyen pour redevenir une personne entière. C'est un travail difficile. Mais je peux vous dire que les moments de liberté que je vis en valent la peine. Grâce à mes efforts, je ne me sens plus en colère. J'ai parcouru beaucoup de chemin.

Cette histoire démontre comment un garçon a été élevé pour aimer et craindre les femmes. La séduction en bas âge, le rapprochement, l'éloignement, les invitations à prendre soin de maman à ses propres dépens, l'absence du père — c'est une histoire que j'ai entendue des centaines de fois.

❖ L'HISTOIRE DE JANET :   *la femme vide à l'intérieur*

J'ai quatre ans. Mon père projette les diapositives de nos dernières vacances en famille et de nos dernières réunions familiales. Il projette une photo de moi sur l'écran. Je porte fièrement ma nouvelle robe de Pâques en mousseline rose et le bonnet assorti. Je crie avec ravissement : «Que je suis belle!»

Je ne m'attendais pas à la réaction de mon père. Il a éteint le projecteur et m'a regardée avec des yeux furieux. «Ne dis plus jamais des choses comme ça!»

J'ai eu honte et j'ai cru que j'avais fait quelque chose de très mal, mais je ne comprenais pas pourquoi. Je pensais que j'étais belle. Ma mère me l'avait dit. Quand je lui ai demandé pourquoi papa avait été si fâché, elle a marmonné quelque chose comme quoi il ne voulait pas que je devienne vaniteuse.

À peu près à la même époque de ma vie, il s'est passé autre chose. Mon père regardait souvent des magazines pornographiques. J'avais observé qu'il ne remarquait pas ma présence quand il était plongé dans sa lecture. Pour obtenir son attention, je devais ressembler aux femmes sur ces photos. J'ai pris des décisions que j'ai maintenues dans ma vie adulte : les hommes aiment que les femmes soient belles et sans défense. Les femmes aiment être belles et sans défense. Être belle est la chose la plus importante dans la vie. Puisqu'il n'est pas correct de faire savoir aux autres que vous êtes belle, la naïveté est la chose la plus importante ensuite.

Ma mère a contribué à renforcer ce que je pensais avec des commentaires comme : «Julie devrait vraiment apprendre à rentrer son ventre.» «Aujourd'hui, Martha est bien développée; mais dans dix ans, ses seins lui tomberont jusqu'aux genoux!» Quelque chose dans la voix de ma mère me faisait savoir que ces filles étaient condamnées à une misère trop sombre et trop désespérante pour que je puisse seulement l'imaginer. Ma mère avait toujours quelque chose à dire sur mon apparence : «Tu es si belle que les garçons ont peur de te parler.» «Si tu perdais trois kilos, tu serais exactement comme la femme de cette publicité sur la boisson gazeuse diète.»

J'ai passé mon adolescence à me préoccuper de mon apparence et à m'abreuver de magazines de beauté. Je scrutais les modèles, étudiais leurs postures et les expressions de leur visage. À seize ans, j'avais presque mis au point l'image parfaite de séductrice innocente. Je pouvais porter une jupe fendue jusqu'en haut des cuisses et afficher le sourire d'une petite fille de cinq ans : des yeux grands ouverts et une grande naïveté. Par mes efforts, j'attirais l'attention d'innombrables hommes, mais cette attention était souvent vide et banale.

À l'université, j'ai commencé à me fatiguer d'avoir peur des hommes et d'avoir l'impression de toujours jouer un jeu, de toujours poser. Mais j'étais toujours prisonnière de mes vieilles croyances selon lesquelles les femmes sont des victimes sans défense qui ont le droit de manipuler les hommes pour obtenir leur attention et ce qu'elles désirent. Les hommes étaient là pour qu'on leur fasse plaisir (surtout sexuellement) et qu'on les vénère. Les femmes étaient en compétition pour attirer l'attention limitée et appréciée des hommes. Bien que je n'aie jamais pu être à la hauteur de ce que mon père voulait d'une femme, je me sentais obligée de continuer à essayer. Je suis arrivée à l'âge adulte sans rien savoir sur la manière de me lier honnêtement avec les autres personnes. Je me sentais comme une femme vide intérieurement et qui avait besoin d'être remplie.

Quelque chose a fini par me montrer la voie. Je savais que je devais changer. J'ai commencé par prendre au sérieux mes habitudes alimentaires autodestructrices, mes dépenses exagérées, mon abus de substances chimiques, ma dépendance sexuelle et ma rage intérieure. J'ai été confrontée au défi de simplement être qui je suis dans une culture qui honore les règles étouffantes de la beauté et de l'apparence au lieu de l'authenticité. Ma vie est venue en grande partie de l'intérieur de moi — l'essence de ma vraie beauté. Pourtant, je suis souvent prise de panique. À trente ans, j'ai peur de vieillir. J'ai l'impression d'avoir encore quatre ans et j'imagine que mon nouveau mari va me quitter pour le corps d'une de ces femmes que mon père avait l'habitude de regarder dans les magazines.

L'exemple de cette histoire nous montre comment un père et une mère peuvent encourager leur fille à croire qu'elle est impuissante et dépendante, et à compter sur sa beauté et le sexe pour obtenir ce dont elle a besoin.

Le travail des hommes et le travail des femmes

Nous pouvons guérir la plus grand partie de notre souffrance. Les hommes peuvent s'approprier et cicatriser toutes les blessures qui leur ont été infligées par les femmes au cours de leur vie. Des blessures qui ont engendré chez eux la peur d'être engloutis. Ils peuvent reconnaître pleinement et faire face à leur peur de l'abandon. Ils peuvent s'approprier leur rage et leur chagrin et les exprimer — la rage et le chagrin provenant du père qui n'a pas accueilli son fils dans sa virilité et de la mère qui a gardé son fils pour elle. Ils peuvent ensuite trouver un modèle d'un rôle masculin qui soutient leur vie intérieure. Ils peuvent, avec la bénédiction des femmes et des hommes qu'ils côtoient dans leur vie, développer les traits féminins que sont la douceur et la réceptivité, et marier les aspects féminins et masculins d'eux-mêmes.

Les femmes peuvent s'approprier et cicatriser toutes les blessures qui leur ont été infligées par les hommes au cours de leur vie. Des blessures qui ont engendré chez elles la peur d'être abandonnées. Elles peuvent reconnaître pleinement leur peur de l'intimité. Les femmes peuvent reconnaître leur rage et leur chagrin de ne pas avoir été appuyées par leur père et d'avoir été victimes de la collusion de leur mère avec un système qui niait l'égalité des hommes et des femmes. Toutes les femmes peuvent trouver une mère qui leur servira de modèle et qui les accueillera dans le monde de la féminité véritable. Elles peuvent aussi, avec la bénédiction des femmes et des hommes qu'elles côtoient dans leur vie, développer les aspects masculins et féminins d'elles-mêmes.

En bref, les hommes autant que les femmes peuvent développer en eux un père et une mère intérieurs et cesser de chercher de façon irréaliste à l'extérieur le maternage et le paternage dans leurs relations amoureuses. Les hommes et les femmes peuvent apprendre le vrai sens de l'amour et du pouvoir.

Chercher un équilibre

Le mouvement est en plein changement. Je suis encouragée par le nombre de femmes fortes qui profitent pleinement des merveilles du principe féminin et qui continuent d'exprimer leur pouvoir personnel d'une façon qui les honore. Une femme en harmonie avec tous les aspects de son Moi a plus de chances d'influencer ses filles et ses fils de façon à encourager un équilibre intérieur entre l'amour et le pouvoir si nécessaire à la vie.

Je suis tout autant encouragée par le mouvement de prise de conscience des hommes. Ils sont plus nombreux à se réunir pour créer des groupes de soutien qui étudient la mythologie et fournissent des rituels qui les accueillent dans le monde de la virilité des hommes. Les hommes plus âgés qui sont des mentors vont de l'avant pour fournir des modèles qui affirment ce que signifie être un mâle sain. Davantage d'hommes sont prêts à exprimer leur côté masculin, sans que cela soit au détriment de leur aspect féminin, tout en laissant leur amoureux spirituel s'exprimer.

Il est d'abord nécessaire de vous marier avec vous-même

Les histoires relatées dans ce chapitre illustrent un fait important. Avant de me marier, je dois d'abord me marier avec moi-même pour développer les meilleurs aspects de ma féminité et de ma masculinité. Avant de pouvoir entrer dans une relation amoureuse saine, homosexuelle ou hétérosexuelle, chacun des partenaires doit avoir le courage de prendre la lame et de couper le cordon ombilical, invisible mais fort solide, qui l'empêche de réaliser entièrement son Moi.

Il doit affronter le dragon — les croyances et les habitudes contraignantes qui régissent sa vie depuis des générations. Avec la conviction du guerrier, il doit s'aimer et se nourrir, même s'il n'aime pas ce qu'il est devenu. Il doit se développer pour devenir un amoureux spirituel.

Ce sera un combat au début parce que plusieurs d'entre nous n'ont pas encore développé leur mère et leur père intérieurs. La lumière de leur amoureux spirituel est à peine visible. Leur foi est précaire. Chacun de nous a besoin d'une mère en lui qui lui dit : *Je sais comment m'occuper de toi ; tes besoins et tes sentiments sont importants.* Chacun de nous a besoin d'un père en lui qui lui dit : *C'est bien d'avoir confiance en ce que tu sais. Je sais comment te protéger. Je ne partirai pas.* Tous deux diront : *Je vais t'apprendre ce que tu dois savoir pour te sentir en sécurité dans le monde, pour devenir qui tu es destiné à être.* En écoutant ces mots, chacun de nous peut surmonter les influences négatives de la biologie, de l'histoire, de la religion, de la culture et la confusion psychologique dans laquelle il est plongé. Le plus grand défi auquel nous sommes confrontés aujourd'hui est dans la guérison. Pour commencer le processus de guérison, nous sommes appelés à regarder notre vie d'illusions, notre scénario que nous avons peut-être accepté comme notre vérité. Ce sera le thème du prochain chapitre.

ACTIVITÉS

1. Découvrir les énergies masculine et féminine

Nous avons appris que chacun de nous a en lui les caractéristiques de ses deux opposés : la femme renferme l'énergie masculine potentielle ; et l'homme, l'énergie féminine potentielle. Le rationnel abrite l'intuitif, l'adulte nourrit l'enfant qui est en lui. En revendiquant nos opposés, nous parvenons à une complétude. Voici une liste de caractéristiques. Cochez celles qui s'appliquent à vous. Inscrivez un « x » à côté de celles que vous aimeriez exprimer plus souvent. Rappelez-vous que, homme ou femme, nous avons besoin de développer notre mère et notre père intérieurs. Travaillez pour parvenir à un équilibre et à une complétude. Sachez que la femme et l'homme qui sont en vous auront tour à tour l'occasion de s'exprimer. *C'est la femme en nous qui ouvre la porte à notre sagesse intérieure. C'est l'homme en nous qui agit selon cette sagesse et qui apporte cette connaissance dans le monde.*

MASCULIN (Épée, chasseur, *ego*) X	FÉMININ (Graal, cueilleuse, esprit) X
❑ Actif	❑ Passive
❑ Fermé	❑ Ouverte
❑ Compétitif	❑ Accommodante
❑ Analytique	❑ Intuitive
❑ Énergique	❑ Parle avec douceur
❑ Autonome	❑ Ouverte à ce que peut lui apporter le monde
❑ Affirmé	❑ Compréhensive

MASCULIN (Épée, chasseur, *ego*) X	**FÉMININ** (Graal, cueilleuse, esprit) X
❑ Fort	❑ Tendre
❑ Preneur de risques	❑ Prudente
❑ S'identifie au Soleil	❑ S'identifie à la Lune
❑ Meneur	❑ Suiveuse
❑ Protecteur	❑ Nourricière
❑ Préoccupé par la mort	❑ Préoccupée par la vie
❑ Expansif	❑ Réservée
❑ Progressiste	❑ Conservatrice
❑ Le Moi avant l'environnement	❑ Consciente de l'environnement
❑ S'identifie au divin	❑ S'identifie au terrestre
❑ Athlétique/Physique	❑ Sensuelle
❑ Directif	❑ Réceptive
❑ Décideur	❑ Loyale
❑ Déterminé	❑ Hésitante
❑ Froid	❑ Chaude
❑ Ambitieux	❑ Humble
❑ Volontaire	❑ Lâche facilement prise
❑ Pragmatique	❑ Esthétique
❑ Structuré	❑ Flexible
❑ Adulte rationnel	❑ Se sent comme une enfant

En nous appropriant et en exprimant avec confiance notre énergie féminine-masculine, nous sommes libres de développer la mère et le père intérieurs idéaux dont nous avons toujours eu besoin. Plutôt que de laisser notre amoureux dépendant chercher la femme parfaite ou le meilleur homme pour nous sentir complet, nous attirons l'homme ou la femme qui reflète notre parent intérieur, rempli de sagesse. En effet, nous ne confierons notre Moi à personne d'autre. Le paradoxe est que, lorsqu'une femme s'approprie peu à peu l'homme rempli de sagesse qui est en elle, il devient moins dangereux pour elle de montrer de façon visible sa nature féminine. Et l'homme découvre qu'en entrant en contact avec son pouvoir féminin, il se sent plus sûr de lui et libre d'exprimer sa masculinité.

2. Développer le père et la mère intérieurs

Examinez la liste des caractéristiques aux pages 95 et 96. Utilisez ces caractéristiques pour créer l'image idéale d'une mère et d'un père. S'il le faut, inspirez-vous de personnes que vous connaissez et respectez, et qui présentent les meilleurs aspects féminins et masculins. Faites ensuite l'exercice suivant.

- Détendez-vous, respirez profondément. Allez chercher dans votre esprit une image de la mère idéale dont la force que vous ressentez en elle est nourricière et remplie de sagesse. Prenez le temps de l'explorer. Remarquez comment vous vous sentez en sa présence. Si un sentiment négatif ou une inquiétude se manifeste en votre esprit, dialoguez avec cette mère idéale jusqu'à ce que vous vous sentiez en sécurité.

- Allez chercher dans votre esprit l'image du père idéal. Remarquez encore comment vous vous sentez en sa présence. Si des inquiétudes ou des questions surgissent, demandez au père rempli de sagesse ce dont vous avez besoin pour vous sentir en sécurité. Dialoguez jusqu'à ce que vous soyez satisfait.

- Remarquez comment vous ressentez la présence à la fois de votre mère et de votre père intérieurs. Dites-leur ce que vous avez appris sur les mères, les pères, l'amour, le pouvoir et vos relations amoureuses passées — comment cette éducation vous a fait défaut ou vous a laissé avec un sentiment d'incomplétude.

  ☐ Parlez des souffrances et des blessures, des peines d'amour. Dites-leur ce que vous avez reçu de bon dans cette éducation et que vous voulez garder.

  ☐ Imaginez que vous leur confiez votre enfant intérieur. En tant qu'homme, vous sentez-vous en sécurité quand vous confiez votre enfant à la femme? En tant que femme, vous sentez-vous en sécurité quand vous confiez votre enfant à l'homme? À cause de vos souffrances et de vos peurs, peut-être n'êtes-vous pas encore prêt à confier votre enfant intérieur. C'est correct! Faites cet exercice autant de fois que vous en aurez besoin pour que votre enfant intérieur ait confiance en vos parents intérieurs.

- Terminez en réunissant symboliquement toutes les parties qui vous constituent — l'enfant blessé, l'adulte qui émerge et les parents aimants et remplis de sagesse.

CHAPITRE 3

La guérison :
du scénario à l'autonomie

CʒCʒ೩〇೩〇

Renaître, c'est prendre la responsabilité d'être le
père et la mère de mes propres valeurs.

– SAM KEEN

Nous sommes des créatures d'habitudes. Nous avons appris comment une multitude d'influences ont, tout au long de notre vie, contribué à ces habitudes, bonnes et mauvaises. Nous ne pouvons pas retourner en arrière et revivre le passé. Nous ne pouvons qu'examiner comment notre passé reste présent dans notre tempérament psychologique et nous empêche d'exprimer de l'amour tout en conservant notre pouvoir.

Il a été dit de nombreuses façons que nous sommes les créateurs de notre propre réalité, que notre expérience avec l'extérieur n'est que le reflet de notre réalité intérieure. Nous obtenons dans notre vie ce que nous avons l'intention d'avoir. Ce que nous n'obtenons pas, c'est ce que nous ne voulons pas. Certains nieront cette vérité pour éviter de se sentir coupables ou de reconnaître leur responsabilité personnelle. Sincèrement, je pense que c'est une bonne nouvelle. Savoir que je suis responsable de moi-même me donne un avantage. Je n'ai plus besoin de chercher à l'extérieur de moi pour trouver un sentiment de complétude. Je n'ai plus besoin que les autres changent pour que je sois satisfaite. Je n'ai plus besoin de contrôler.

La plupart des relations amoureuses connaissent des difficultés parce que le Moi, aux prises avec des besoins, affirme qu'il est incomplet et cherche un «quelqu'un» ou un «quelque chose» pour se sentir heureux. Ce Moi crée un attachement émotionnel avec un objet aimé, une habitude, une pensée, ou un sentiment de mal-être qu'il chérit.

Comprendre notre enfant intérieur, lequel détermine nos décisions importantes

Comment en vient-on à se sentir incomplet? Pour répondre à cette question, nous devons comprendre notre enfant intérieur. Tout le potentiel de notre complétude réside à l'intérieur de la partie enfant de notre personnalité. Cet enfant intérieur représente notre énergie vitale, notre soif de grandir. Il identifie nos besoins, nos désirs, nos sentiments. Il requiert un environnement réceptif qui affirme ses droits et lui enseigne comment vivre en coopération. Cet enfant ne nous quitte jamais et seule la mort peut l'arrêter. Souvent par contre, il est dépressif, refoulé ou considéré comme futile.

Cette partie de nous enregistre tous les traumatismes de la vie et les réactions à ces traumatismes. L'enfant en nous pense en noir et blanc et peut facilement personnaliser les événements de la vie : «C'est toujours à moi que ça arrive.» «Je n'aurai jamais ce dont j'ai besoin.» «Je déçois les gens.» À une époque, cet enfant était prêt à se faire confiance, ainsi qu'aux autres et à la vie. Il ne s'est refermé sur lui-même qu'après avoir été échaudé. Il n'est pas rationnel et contrôle la vie intuitivement. Il attire les personnes et les événements qui correspondent à ses croyances intérieures. Quand de telles attractions feront défaut, il les créera.

Plus important encore, c'est cet enfant intérieur qui détermine nos décisions les plus importantes — ou qui peut tout laisser tomber même quand une partie plus éclairée de nous veut autre chose. Pour comprendre les scénarios, il est essentiel que nous prenions au sérieux chaque événement de la vie que l'enfant en nous a ressenti comme bon ou mauvais. C'est à travers ces expériences que nous prenons nos décisions qui concernent l'amour, le pouvoir, les hommes, les femmes, la vie. En tant qu'adultes, nous pouvons et devons faire la lumière, et soigner les blessures que l'enfant a subies. Nous devons examiner de près les croyances qu'il nourrit et changer celles qui nous empêchent d'obtenir ce que nous disons vouloir. Beaucoup de nos croyances peuvent nous avoir été transmises par des générations d'hommes et de femmes, et peut-être résistons-nous au changement.

Les récits que j'ai rapportés précédemment nous aident à voir comment l'enfant intérieur acquiert un Moi appris et nie une identité plus profonde. Ces histoires montrent aussi le pouvoir psychologique que nous avions, comme enfant, de prendre des décisions. Même si les choix qui s'offraient à nous étaient limités, nous avions un choix. Ces choix deviennent des adaptations, une façon de vivre qui, au mieux, nous offre la banalité, la vie de personnes ordinaires. De temps à autre, nous entrons en contact avec ce vide, l'ennui et la vacuité de la qualité de la vie.

Pourquoi un certain déséquilibre est-il nécessaire ?

Le paradoxe est le suivant : notre droit à la naissance est d'obtenir tout ce dont nous avons besoin. Cependant, si nous obtenions tout ce dont nous avons besoin, nous ne grandirions peut-être pas. Un besoin non satisfait est un élément motivant. Par exemple, Adam avait besoin d'Ève, le principe féminin, pour se sentir mécontent. Nous ne devons pas pour autant considérer Ève comme une tentatrice envoyée par le diable. Un tel déséquilibre est nécessaire pour attirer notre attention sur un besoin. Nous en avons besoin pour nous remettre en question et continuer notre croissance spirituelle. C'est ce qui est passionnant. Une personne réellement spirituelle est une personne qui expérimente entièrement les ténèbres de la tentation. Ce n'est pas le scénario en opposition à l'autonomie. C'est le scénario, puis l'autonomie — pour nous libérer de ce qui, à un moment, nous a protégé et qui nous empêche aujourd'hui d'approfondir notre connaissance.

La nature des scénarios de vie

Nous aussi pouvons connaître nos ténèbres intérieurs. Pour revendiquer qui nous sommes, nous devons d'abord découvrir qui nous sommes devenus. Comme je l'ai souligné auparavant, nous devons comprendre que ces trois Moi nous accompagnent dans toute situation ou relation : le Moi dépendant, le Moi autonome et le Moi spirituel. À leur tour, ils permettent aux amoureux dépendant, sain et spirituel qui nous habitent de se manifester. Nous pouvons mieux comprendre un de ces Moi, le Moi dépendant, en examinant les scénarios de vie.

Il est une supposition selon laquelle la plus grande partie de notre temps est passée à fonctionner aveuglément sans un plan de vie. Je reprendrai ici les propos du psychiatre Eric Berne :

> «Toute personne décide dans sa petite enfance comment elle vivra et comment elle mourra, et ce plan, qu'elle a toujours en tête où qu'elle aille, s'appelle un scénario. Elle peut utiliser la raison pour décider de son comportement futile, mais ses décisions importantes sont déjà prises : quel type de personne elle épousera, combien d'enfants elle aura, quel sera le lit dans lequel elle mourra et qui sera là quand elle mourra. Ce n'est peut-être pas ce qu'elle veut, mais c'est ce qu'elle veut être[16].»

«Les scénarios sont des systèmes artificiels qui limitent les aspirations spontanées et créatives de l'être humain», ajoute Berne[17]. «Les analystes transactionnels ne savaient pas au départ que les plans de vie des êtres humains sont construits comme les mythes et les contes de fées. Ils se sont contentés d'observer que ce sont les décisions prises pendant l'enfance plutôt que les plans de vie élaborés à l'âge adulte qui semblent déterminer le destin ultime de l'individu[18].»

---

16. Eric Berne. *What Do You Say After You Say Hello?* [Que dites-vous après avoir dit bonjour?], p. 33.
17. *Ibid.,* p. 213.
18. *Ibid.,* p. 106.

Sigmund Freud parle de compulsion de répétition. Carl Jung parle d'archétypes et du personnage. D'autres théoriciens en psychologie réputés y font aussi référence. Alfred Adler a dit : «Si je connais l'objectif d'une personne, je sais de façon générale ce qui va arriver.» R. D. Laing utilisait le mot *injonction* pour parler d'une forte programmation de l'individu par les parents. Otto Rank a reconnu le concept selon lequel la vie et le rêve ont pour modèles les mythes, les légendes et les contes de fées. Joseph Campbell présente avec éloquence ce concept dans *Le héros aux mille visages*. Chacun de ces penseurs a contribué, à sa façon, à la création du concept des scénarios de vie. En fait, certains penseurs dont le champ d'intérêt est la spiritualité disent que nous arrivons dans la vie avec un caractère précis qui peut être à la fois notre vice et notre vertu. Le mystique affirme : «Vous vous êtes abandonnés vous-même à votre fausse personnalité. Vous portez le voile de l'illusion[19].»

Ce plan de vie, ou scénario, est prévisible. Il donne un sentiment de confort et d'être rattaché à quelque chose. C'est un mélange de nos expériences de vie antérieures que sont venues renforcer des expériences ultérieures. Il devient le cadre de référence qui nous sert à voir le monde. Ce plan est unique à nous, comme le sont nos empreintes digitales. Pourtant, nous assumons trop facilement que les autres voient aussi le monde de ce point de vue.

---

19. G. I. Gurdjieff, professeur en spiritualité, enseignait que chaque personne a une caractéristique dominante autour de laquelle tournent les illusions du Moi. Il a introduit la théorie de l'Ennéagramme qui propose neuf types de personnalité. À mesure que nous devenons conscients et que nous transcendons nos scénarios de vie, nous exprimons la vertu des meilleures qualités du type de personnalité qui est le nôtre. Mais quand nous sommes en état de stress, nous nous désintégrons et exprimons le vice ou les tendances négatives de notre type de personnalité. Une compréhension de notre type de personnalité et de celui des personnes avec lesquelles nous entretenons des relations, qui laisse la place à la compassion, peut réduire les souffrances inutiles dans les relations. Helen Palmer dans *The Enneagram* et Don Richard Riso dans *Personality Types* et *Understanding the Enneagram* traitent en détail des types de personnalité.

Imaginez que le scénario de vie est l'enveloppe extérieure qui protège une graine. Au début, la graine tire de nombreux avantages de cette protection. De la même façon, nous concevons nos scénarios pendant notre enfance pour qu'ils nous sécurisent, pour qu'ils protègent notre vulnérabilité. Nous nous adaptons au monde, non pas dans un but malhonnête, mais parce que nous ne connaissons pas d'autres moyens de prendre soin de nous-mêmes. Si maman récompense Johnny quand il ment aux créanciers, il se peut qu'il apprenne à être malhonnête. Quand Sally obtient de l'attention en minaudant auprès de papa, elle risque de devenir une séductrice. Les enfants feront tout ce qui est nécessaire pour se sentir en sécurité, pour obtenir des caresses, pour s'assurer une forme de prévisibilité.

Combien de fois vous êtes-vous promis que vous ne diriez pas ou ne feriez pas quelque chose, pour vous surprendre peu de temps après à le dire ou à le faire? Combien de fois avez-vous senti une compulsion intérieure contrôler vos actes et vos paroles? Combien de fois avez-vous dit que vous vouliez de l'amour et vous avez continué à trouver le rejet?

Ce sont les signaux les plus évidents qui nous montrent que nous ne sommes pas le capitaine de notre propre bateau. Nous pouvons reconnaître de tels modèles de comportement même si, souvent, nous ne comprenons pas la force de motivation qui s'y cache. Bref, nous pouvons essayer de comprendre notre scénario de vie.

Le pouvoir d'un scénario de vie

Quand Cindy est venue me voir, elle était en profonde dépression et avait de fortes idées suicidaires. Le problème, selon elle, résidait dans l'incapacité de son fiancé de s'engager. Chaque fois qu'ils parlaient mariage, il la quittait, pour revenir quelques semaines plus tard et lui demander de se réconcilier. Au début, Cindy voulait des conseils pour persuader son fiancé de suivre une thérapie afin qu'il puisse examiner ce comportement.

Je croyais fermement «qu'on a ce qu'on veut» et je commençai à explorer le cadre de référence de Cindy afin de comprendre pourquoi elle avait choisi ce partenaire. Elle me décrivit son fiancé en ces termes : «C'est vraiment un homme très gentil, mais il est rarement là quand j'en ai le plus besoin.» Elle avait été mariée une fois et lorsqu'elle me décrivit son ancien mari, elle utilisa presque les mêmes mots : «Vous savez, c'était un garçon vraiment gentil, mais il n'était jamais là quand j'en avais le plus besoin.»

Une fois est un accident, deux fois une coïncidence, trois fois, c'est un modèle de comportement. Au cours de notre travail de régression, nous sommes retournées à une scène où Cindy avait moins de six ans. Elle observait sa mère mélancolique et déprimée. Je lui demandai pourquoi, selon elle, sa mère pleurait. «Parce que mon père est un représentant et il n'est pas souvent à la maison, et ma mère s'ennuie de lui.»

«Et qu'en concluez-vous sur les hommes?» lui demandai-je.

Elle répondit : «Les hommes sont vraiment gentils, mais ils ne sont jamais là quand vous en avez le plus besoin.»

Elle avait intégré cette croyance et cela expliquait pourquoi elle choisissait toujours des hommes qui n'étaient pas disponibles émotivement. Cindy apprit que cette croyance, qui avait quelque chose de vrai dans son enfance, a embrouillé sa vision des hommes. Son Moi autonome était ouvert à l'amour et à l'intimité, et son amoureux spirituel était prêt à former des liens affectifs. Cependant, son Moi appris choisissait des partenaires qui correspondaient à sa croyance, ou qui sabotaient les relations amoureuses qu'elle vivait.

Il était important que Cindy accepte complètement qui elle était. Même si elle souffrait, il était important qu'elle reconnaisse que son *ego* était un ami loyal qui ne cherchait qu'à la protéger. Elle devait guider gentiment cette partie d'elle-même vers une façon différente de voir la vie et les hommes.

À quoi ressemble votre scénario?

Le scénario de vie est le fondement de l'amoureux dépendant et du Moi appris. À moins qu'un événement majeur ou une redécision radicale ne vienne le changer, il est probable que nous continuions à fonctionner par rapport à ce plan.

Il a été dit que nous passons la majorité de notre temps, peut-être quatre-vingt-quinze pour cent, dans ce «scénario». Ce qui signifie que nous sommes enclins à l'amour dépendant et que nous considérons que les autres sont responsables de nous, psychologiquement parlant. Quand nous sommes dans notre scénario, nous ignorons certains aspects de nous-mêmes et des autres. Nous avons un lien émotionnel avec notre expérience. Il a également été dit que, même après avoir appris ce qu'était notre scénario, la plupart du temps nous continuons à fonctionner conformément à ce scénario. Nous sommes alors sur le pilote automatique, car c'est le plus souvent notre inconscient qui nous guide.

Plus vous connaissez votre scénario de vie, plus vous aurez de choix dans vos relations. Cette connaissance est utile pour maintenir des frontières saines tout en commençant à reconnaître vos faiblesses. Elle vous permet de développer un Moi observateur qui prend du recul, reconnaît votre comportement familier et vous guide vers de meilleurs choix.

Il est essentiel d'identifier notre scénario ici et maintenant pour sortir de notre déni et entrer dans notre Moi autonome.

Les «positions» du scénario

Examinons un modèle de scénario en action. Le mot *action* ici signifie toujours en mouvement. Ce modèle peut nous aider à reconnaître où nous sommes à tout moment.

Le scénario de vie comporte quatre aspects souvent appelés «positions» du scénario. Nous passons un certain temps dans chacune de ces positions et pouvons passer rapidement d'une position à l'autre. Cependant, chacun de nous semble préférer une position où il passe la plus grande partie de son temps. Ce modèle est basé sur la théorie du mini-scénario de Taibi Kahler et Hedges Capers. J'ai établi un lien entre leur théorie et celle de Robert L. Goulding et Mary McClure Goulding, «Injonctions du scénario», et j'y ai ajouté mes propres idées[20]. Vous trouverez ci-dessous une explication de chaque position. Vous reconnaîtrez sans aucun doute quelques endroits familiers.

• Position du *driver* (conducteur)	• Position du *vengeful* (vengeur)
• Position du *payoff* (débiteur)	• Position du *stopper* (frein)

LA POSITION DU *DRIVER* (CONDUCTEUR)

La première position est appelée position du *driver* (conducteur). Ici, nous nous sentons contraints d'agir de façon bien précise. Les messages verbaux du passé et du présent nous hantent : «Tu devrais faire mieux.» «Tu ne le fais pas comme il faut.» «Tu n'es pas assez bon.» «Tu ne peux pas leur montrer que tu es faible.» «Tu n'y arriveras jamais.» De tels messages émis par des personnes qui symbolisent l'autorité nous poussent à *être parfaits*, à *essayer fort*, à *faire plaisir aux autres*, à *être forts* et à *nous dépêcher*. Ces personnes nous amènent à croire que l'estime, l'importance, l'amour et le pouvoir sont conditionnels à des comportements spécifiques. Et, au fur et à mesure que nous nous adaptons, nous sommes récompensés adéquatement par des

---

20. Les positions décrites ont été présentées pour la première fois par Taibi Kahler dans l'article qu'il a écrit avec Hedges Capers, «The Mini Script» (Le mini-scénario), publié dans *Transactional Analysis Journal* 4 : 1 (janvier 1974). Le lecteur trouvera une version mise à jour de cette théorie dans le livre *Transactional Analysis Revisited*, p. 234-248. Afin de simplifier et faire ressortir le thème du livre, j'ai utilisé les quatre positions originales : *driver, payoff, vengeful* et *stopper* dans le Moi appris. L'information sur le *driver* vient directement du Dr Kahler. J'ai ajouté la théorie sur l'injonction de Robert L. Goulding et Mary McClure Goulding pour démontrer la position du *stopper*. Pour la troisième position du *vengeful*, j'ai ajouté les jeux de pouvoir décrits dans mon livre *Is It Love or Is It Addiction?*

Le Moi appris — Amoureux dépendant

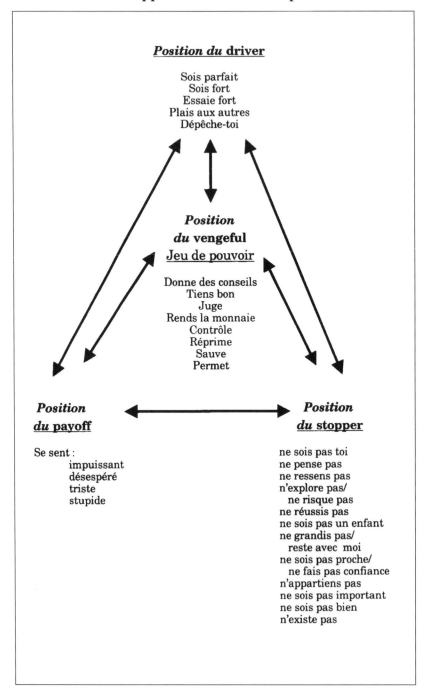

Position du driver

Sois parfait
Sois fort
Essaie fort
Plais aux autres
Dépêche-toi

**_Position_
_du_ vengeful**
Jeu de pouvoir

Donne des conseils
Tiens bon
Juge
Rends la monnaie
Contrôle
Réprime
Sauve
Permet

**_Position_
_du_ payoff**

Se sent :
    impuissant
    désespéré
    triste
    stupide

**_Position_
_du_ stopper**

ne sois pas toi
ne pense pas
ne ressens pas
n'explore pas/
    ne risque pas
ne réussis pas
ne sois pas un enfant
ne grandis pas/
    reste avec moi
ne sois pas proche/
    ne fais pas confiance
n'appartiens pas
ne sois pas important
ne sois pas bien
n'existe pas

sourires, des caresses, des louanges, de l'argent et de bonnes notes. Comment pourrions-nous résister?

Nombreuses sont les personnes qui passent une grande partie de leur temps dans cette position. La raison en est fort simple : quand nous vivons dans cette position, nous avons un sentiment positif de nous-mêmes, des autres et de la vie dans son ensemble. Ce qui est tragique, c'est que nous devons répondre à certaines conditions pour ressentir cette image positive. Nous traversons la vie tel un funambule.

L'anxiété prévaut. Une tension intérieure est associée avec les sentiments du *je dois* et du *il faut*. Deux causes sont reliées à cette tension : 1) Je sais que ce qu'on me demande de faire est impossible et me conduira à l'échec; 2) Je consacre la plus grande partie de mon énergie à déchiffrer les réactions des autres, car une partie de moi pense qu'ils sont responsables de moi psychologiquement. Paradoxalement, je serai moins efficace puisque j'oriente mal mon énergie en déchiffrant les pensées des autres pour évaluer si je réussis ou non.

Selon Kahler, chaque personne a un *driver* préféré qui lui vient de son enfance. Nous reconnaissons souvent ces *drivers* dans les relations.

- *Sois parfait.* Jim, un perfectionniste compulsif, nerveux et méticuleux, pousse toujours les autres et lui-même à mieux faire.

- *Sois fort.* Bill, qui est dur et macho, ne peut pas faire savoir aux autres qu'il est faible. D'une voix dure et froide, il déclare : « Sans commentaire. »

- *Essaie fort.* Julie, dans son mode de fonctionnement d'essayer fort, ressent des tensions dans son estomac et dans ses épaules, se penche vers l'avant quand elle s'assoit et dit : « C'est très difficile, mais je vais vraiment essayer. »

- *Plais aux autres.* Dolly, qui veut de manière chronique faire plaisir aux autres, dit d'une voix haute et claire en levant les sourcils : « Je ne veux pas faire ça pour toi », puis fait demi-tour et demande : « Est-ce que je peux t'aider? »

- *Dépêche-toi*. Andy se sent souvent soucieux et se culpabilise en disant : «Je ne pourrai jamais le faire»; pourtant, il ajoute tout de suite après : «Allons-y.»

Les *drivers* sont un personnage, un masque qui ne peut pas être gardé longtemps. À mesure que nous nous stimulons avec des commentaires qui se volatilisent d'eux-mêmes et que nous intériorisons la désapprobation des autres, ou ce que nous considérons comme de la désapprobation, nous passons éventuellement à la deuxième position, le *stopper*.

LA POSITION DU *STOPPER* (FREIN)

Cette position nous rappelle toutes les interdictions de notre enfance — les messages non verbaux qui nous disent que certains aspects de nous-mêmes, de ce que nous ressentons, pensons ou faisons et dont nous avons besoin, ne sont pas OK, ou sont sans importance. Généralement, nous expérimentons une ou plusieurs des douze injonctions puissantes identifiées par Bob Goulding, M.D., et Mary McClure Goulding, M.S.W.[21]

- *Ne sois pas toi — sois ce que je veux que tu sois*. Ce que tu fais se reflète sur moi. J'aurais souhaité que tu sois une fille (un garçon). Les filles sont séduisantes. Les garçons sont actifs. Sois gentil. Sois parfait pour moi.

- *Ne pense pas*. Je penserai pour toi. Ne sois pas en désaccord avec moi, ne fais pas confiance à ta capacité de penser. Tu es idiot, tu es stupide.

- *Ne ressens pas*. Réprime tes sentiments. Je vais te montrer quels sentiments sont acceptables ici. Les garçons ne manifestent pas de tendresse, de sentiments, de tristesse ou d'anxiété. Les filles ne ressentent pas de colère ou d'excitation et ne montrent pas leur sexualité. Mais elles peuvent

---

21. Le lecteur trouvera des informations complémentaires sur les injonctions de scénario dans le livre de Mary McClure Goulding et Robert L. Goulding, *Changing Lives Through Redecision Therapy*, p. 34-43. Les informations les plus actuelles sur les injonctions figurent dans leur livre *Not To Worry*.

être tristes, hystériques, déprimées et offrir du réconfort aux autres.

- *N'explore pas, ne risque pas.* Ne prends pas de risques. Joue de prudence. N'explore pas ou tu te feras mal. Laisse-moi te mettre un harnais. Ce sont les seules manières et les seuls endroits que tu peux explorer. Je vais te protéger; le monde est un endroit terrifiant. Ne sois pas excité ou créatif.

- *Ne réussis pas.* Il n'y a qu'un chef ici et c'est moi. Je vais m'assurer que tu échoues en te confiant des tâches sans te donner les compétences pour les accomplir. Je me moquerai de tes erreurs. Je te ferai des compliments, puis je les reprendrai.

- *Ne sois pas un enfant.* Dépêche-toi et grandis, j'ai besoin de quelqu'un pour m'aider. Je suis trop déprimé pour m'occuper de toi. Mes besoins passent en premier. Tu devras attendre jusqu'à ce qu'on se soit occupé des autres. Je ne sais pas ce que je ferais sans toi.

- *Ne grandis pas, reste avec moi.* Ne me quitte pas, j'ai besoin qu'on ait besoin de moi. Viens, laisse-moi m'occuper de toi. Regarde comme je sais m'occuper des autres.

- *Ne sois pas proche de moi, ne fais pas confiance.* Je ne suis pas à l'aise quand je partage qui je suis avec toi. J'ai changé d'avis : va-t'en, je suis trop occupé. Je te frapperai de nouveau si tu ne fais pas attention. Tu es trop grand pour t'asseoir sur mes genoux.

- *N'appartiens pas.* Tu es différent. Ne dis à personne ce qui se passe ici. Va voir ailleurs pour qu'on satisfasse tes besoins. Tu dois appartenir à quelqu'un d'autre; tu ne me ressembles vraiment pas. Tu es si particulier!

- *Ne sois pas important.* Je suis occupé, ne me dérange pas. Les compliments te monteront à la tête. Les enfants devraient être vus et non entendus. Je n'ai pas de temps pour toi.

- *Ne sois pas bien.* Tu es mauvais. Tu es un problème. Quelque chose ne va pas avec toi. Je m'occuperai toujours de toi quand tu es malade.

- *N'existe pas.* Je souhaiterais que tu ne sois jamais né. Va jouer sur l'autoroute (Ha! Ha!). Je souhaiterais n'avoir jamais été enceinte. Je te donnerai une pièce de monnaie si tu te jettes dans la rivière (Ha! Ha!).

Ce ne sont que quelques-uns des messages inhibiteurs ou indirects appelés *injonctions* que l'enfant en nous peut entendre. Non seulement le penseur intuitif en nous reçoit le message, mais nous commençons à tirer des conclusions à partir de ces messages et à prendre des décisions qui pourraient orienter le cours de notre vie. «Il y a quelque chose qui ne va vraiment pas chez moi.» «C'est risqué d'aller vers les autres.» «Tu verras quand je serai grand.» «Je suis mauvais.» Les injonctions sont puissantes et il n'est pas facile de s'en libérer. Dans notre vie adulte, nous les réécoutons sans cesse, ce qui bloque nos capacités et nous empêche d'exercer nos droits acquis à la naissance.

❖ L'HISTOIRE DE TODD :   *«Approche-toi, va-t'en.»*

Todd, un homme brillant, attirant et serviable se plaignait qu'il avait beau être agréable avec les femmes, il les rebutait toujours. Enfant, il avait appris à être le petit homme de maman, son chevalier servant, pourtant elle avait peu de temps pour lui. «Tiens, prends un biscuit et cesse de me casser les pieds» était une des phrases favorites de maman. Ce message disait non seulement à Todd «Tu n'es pas important, alors va-t'en», mais il instaura chez lui un système de croyance qui disait : *Si je ne peux pas avoir ce dont j'ai besoin en étant gentil, je peux attirer l'attention de maman (des femmes) en lui cassant les pieds.* Plus tard, cela donna lieu à des comportements qui ne manquaient pas de susciter la désapprobation. Todd pouvait revivre le sentiment de rejet qui lui était familier.

Todd pouvait voir la tragédie, la répétition dans tout ceci. Pour changer, il devait prendre conscience de la colère qu'il ressentait à l'égard de sa mère et son message : «Approche-toi, va-t'en», et l'exprimer. Il devait faire de même pour la rage qu'il nourrissait envers son père qui l'avait obligé à être, malgré lui, le petit homme de maman, et qui n'avait jamais été là pour lui. Une fois ceci fait, Todd a pu changer ce qu'il pensait de lui-même, et ses comportements autodestructeurs cessèrent. Ses relations avec les femmes devinrent plus soutenues.

Chacun de nous expérimente un ou plusieurs de ces douze messages avant l'âge de six ans. Les choix qui s'offraient à nous étaient limités, nous donnions le pouvoir aux personnes qui symbolisaient l'autorité, nous devions survivre. Nous ne pouvions pas fuir. Si vous avez décidé de fuir, comme je l'ai fait, vous avez certainement couru aussi loin qu'au coin de la rue et le monde vous est apparu très terrifiant.

Les décisions que nous avons prises à cette époque nous orientaient vers des comportements prévisibles et finalement vers un sentiment désagréable qui nous était familier : rejet, honte, culpabilité, colère, dépression, solitude, anxiété, pour n'en citer que quelques-uns. Si, par exemple, enfants, nous avions honte quand nous exprimions des émotions négatives, il se peut que nous choisissions aujourd'hui un sentiment d'excitation ou une fausse sensation de bonheur.

Si ce que nous ressentons n'est pas accepté, nous exprime-rons un sentiment de remplacement, appelé sentiment de *racket* par Berne. Nous manipulons l'environnement pour être sûrs d'obtenir ces sentiments. Parfois, nous les collectionnons et les entreposons jusqu'à ce que nous en ayons suffisamment pour justifier une folie : une aventure, une tentative de suicide, une dépression, une bonne cuite ou un accès de colère[22].

---

22. Eric Berne. *What Do You Say After You Say Hello?* [Que dites-vous après avoir dit bonjour?], p. 137-139. Aujourd'hui, on considère les *rackets* comme un mélange de sentiments déformés, appuyés par des croyances et des souvenirs inté-rieurs, et qui se manifestent dans des comportements extérieurs, tels que décrits par Richard Erskine et Marilyn J. Zalcman dans leur article «Rackets and Other Treatment Issues», *Transactional Analysis Journal* 9 : 1 (janvier 1979).

Certaines personnes passent la plus grande partie de leur vie dans la position du *stopper,* où elles ont appris à contrôler l'environnement en faisant figure de martyres, de victimes — elles sont malades, anxieuses, ont besoin d'attention, se sentent stupides, sans importance, dépréciées. Les autres sont tour à tour leurs sauveurs et leurs persécuteurs. La vie demeure prévisible.

D'autres personnes méprisent cette position et s'y aventurent rarement, de peur de connaître un sentiment de frustration ou de se sentir diminuées. Elles peuvent choisir de retourner à la première position (du *driver*) où elles se contrôlent encore plus qu'avant ou de passer à la position trois, la position du *vengeful* (vengeur).

LA POSITION DU *VENGEFUL* (VENGEUR)

C'est dans cette position que dominent l'illusion du pouvoir, du contrôle et un sentiment d'euphorie. Une colère hypocrite et des comportements compétitifs servent à maintenir l'illusion. Dans cette position, nous confrontons les autres pour blesser, prendre notre revanche, rendre la pareille, contrôler, dominer et n'en faire qu'à notre tête.

Je ne pense pas devoir vous convaincre que beaucoup de personnes aiment cette position. Une fois qu'elles y sont, elles ont beaucoup de difficulté à en partir. Pourquoi devraient-elles changer? Debout sur leur piédestal, elles dominent la situation et invitent les autres à se joindre à leurs jeux de pouvoir compétitifs. C'est dans cette position que nous donnons des conseils, simulons, rendons la pareille, réprimons nos émotions et prenons le pouvoir. Cette position donne lieu au jugement, à la résistance, à la projection et aux autres jeux de pouvoir. Les personnes qui l'occupent cherchent rarement de l'aide. Dans leur déni, elles affirment qu'elles n'en ont pas besoin. Cependant, au fond d'elles-mêmes, elles ont conscience des ténèbres et de la peur qui se glissent dans les meilleures personnes. Ces gens ne sont pas de véritables guerriers, ils s'accrochent à leur faux sentiment de pouvoir. Cette position est fragile, car ce qui monte finit toujours par redescendre.

Toutefois, la position du *vengeful* nous protège en nous empêchant de ressentir une douleur encore plus forte que celle que nous avons connue dans la position quatre, la position du *payoff* (débiteur).

LA POSITION DU *PAYOFF* (DÉBITEUR)

Dans cette position, nous trouvons le désespoir, la détresse, la tristesse et la stupidité. Ce sont les ténèbres, la position où une personne ne s'intéresse ni à elle, ni aux autres, ni à la vie. Rien n'a d'importance ; seules existent les ténèbres.

Originellement, nous découvrons cette position pendant l'enfance lorsque, incapables de nous occuper de nous-mêmes, nous tendons la main aux autres pour qu'ils s'occupent de nos besoins. Les personnes responsables, les autorités, n'ont pas pu ou n'ont pas voulu répondre à nos besoins. C'est là que nous avons ressenti la souffrance pour la première fois — les ténèbres. Comme nous n'aimons pas cette position, alors, après avoir observé le monde avec soin, nous avons élaboré nos scénarios dans l'espoir de ne jamais avoir à revenir à la position quatre. L'intention derrière nos scénarios était de nous ramener vers la lumière.

Le paradoxe ici est que toutes les autres positions nous ramènent inévitablement à la position quatre — les ténèbres. Certaines personnes se retrouvent dans cette position quotidiennement, d'autres une fois par semaine. Cependant, pour la plupart d'entre nous, cela prend des années. Et même si nous pensons que nous sommes dans la lumière, cette lumière nous éclaire faiblement ou au détriment de quelqu'un d'autre. À certains moments, une autre personne que nous contrôle le commutateur.

Je ne connais personne qui n'a pas de scénario de vie personnel. Comment pourrions-nous ne pas être affectés par notre environnement ? La question n'est pas « Avez-vous un scénario ? » mais « Comment votre scénario vous limite-t-il ? »

Chaque fois que nous nous sommes adaptés ou que nous sommes parvenus à une conclusion qui nous limitait, nous acceptions d'abandonner certains aspects de notre authenticité, notre Moi autonome, notre âme. Peu à peu, nous avons oublié qui nous sommes et nous avons commencé à penser que notre Moi appris était réel. Pour nous protéger de la souffrance engendrée par cette perte de soi, nous avons construit des systèmes de défense élaborés. Ce faisant, nous avons convaincu non seulement les autres que l'illusion est la réalité, mais aussi nous-mêmes. De plus, nous maintenons une loyauté : nous acceptons de nous charger de ce que nos parents n'ont pas vu ou ce dont ils ont refusé de s'occuper dans leurs vies d'illusion.

Les personnes à qui je parle me racontent souvent les effets de leurs scénarios. En voici un exemple qui démontre comment un scénario a un commencement, un milieu et une fin prévisible.

❖ L'HISTOIRE DE DAN :   *« Pour aller où je veux aller, je dois lâcher prise. »*

Je suis un drogué du travail. Je lutte pour donner un sens spirituel à ma vie. Ma femme demande la séparation. Mon fantasme est d'allumer l'étincelle du vide intérieur que je ressens, pour me réveiller et me sentir de nouveau passionné envers la vie et envers ma femme. J'ai ma propre entreprise et je réussis très bien, pourtant j'ai tout le temps peur d'échouer et de devoir travailler pour quelqu'un d'autre. J'apprends comment je suis devenu le produit de mon histoire. Ma mère avait été élevée par un père qui lui avait promis qu'un homme serait toujours là pour prendre bien soin d'elle. Mon père a lancé sa propre entreprise mais a échoué. Ma mère ne lui a jamais pardonné cet échec et lui en a fait voir de toutes les couleurs, émotivement. Mon père est devenu dépressif et a vécu le reste de sa vie dans la honte. Ces souvenirs me hantent.

Quand l'entreprise de mon père a échoué, j'ai su que je devrais prendre sa place. Ma mère parlait de moi comme son fils bien-aimé, parfait en tout. À quatre ans, j'étais déjà si détaché de moi-même que je souriais tout le temps, même quand j'avais le cœur brisé. Je suis devenu un comédien et les louanges n'ont jamais manqué. Ma mère avait l'habitude de chanter : «Chut! petit bébé, ne pleure pas!»

J'ai compris le message et j'ai appris à cacher mes sentiments. J'avais besoin de passer plus de temps avec mon père, qu'il me serre dans ses bras, me lise des histoires. J'avais besoin d'entendre sa voix et, quand je ne pouvais pas l'obtenir, je me pelotonnais, seul avec mon sourire. Je voyais papa devenir de plus en plus déprimé. J'ai décidé de rester détaché, de dire des choses drôles et de ne pas faire de grabuge!

J'étais désorienté, je ne savais pas ce que grandir et être un garçon voulaient dire. Je me sentais tiraillé entre l'envie d'agir pour que la famille retrouve sa fierté et que maman se sente bien, et la colère que je ressentais à l'égard de ma mère pour la manière dont elle traitait mon père. J'en ai conclu que l'amour était fait de stress et de tension. L'intimité n'existait pas.

Je ne peux pas montrer mes besoins ou mes sentiments. Je suis très triste quand je me remémore mon expérience à l'âge de quatre ans, quand je constate la peur, la confusion et l'abandon dans lesquels j'étais vraiment. Je n'avais aucune idée à l'époque de la manière dont ces événements allaient influencer le cours de ma vie. Ce que je vivais alors me semblait normal.

Mon père était rarement là. À onze ans, j'étais capitaine et entraîneur de l'équipe de mon école élémentaire parce qu'il n'y avait pas de pères pour le faire. J'ai dû grandir vite. Je me sentais très seul.

Mes expériences avec les femmes n'ont pas été bonnes non plus. En première et deuxième du secondaire, je me suis joint à un groupe de garçons. Nous choisissions toujours les *cheerleaders*, les filles les plus populaires. Je me sentais en sécurité dans des groupes, mais jamais quand j'étais seul avec une fille. Au collège, j'ai eu le coup de foudre. J'ai eu si peur que

j'ai perdu les pédales et que j'ai quitté la soirée. J'étais trop
gêné pour le dire à mes amis. À l'université, alors que j'avais
trop bu, j'ai molesté la fille avec qui je sortais. J'ai eu si peur
que j'ai cessé de sortir avec des filles. Ensuite, j'ai été violé
par une femme plus âgée que moi. C'est alors que j'ai décidé
que le sexe était sale, mécanique et qu'il ne comportait rien
de spirituel.

Quand je repense à ma vie, je rêvais d'une mère qui ait une
identité et qui soit sûre d'elle. Je serais probablement plus
honnête, plus respectueux envers les femmes et je partagerais
probablement mon Moi émotionnel. Tout serait différent. Je
souhaiterais que mon père ait pris davantage soin de lui-
même, qu'il ait communiqué avec ma mère et parlé de ce qui
se passait dans son dos. Je pleure quand je pense à la distance
que j'ai maintenue avec mon père dont l'âme est morte dans
la honte. Si j'avais entretenu un lien avec mon père, je me
respecterais en tant qu'homme. Je n'aurais pas peur que mon
entreprise échoue et je ne serais pas si compulsif en travaillant quatre-vingt-dix à cent heures par semaine.

Si je continue sur la même voie, je terminerai ma vie seul et
ressentirai aussi beaucoup de solitude. Ma santé se détério-
rera. Malheureux et déprimé, je me replierai de plus en plus
sur moi-même. Je finirai par être indifférent à la vie.

Pour arriver à ce que je veux être, je dois cesser d'avoir peur
de l'échec et soigner les blessures qui m'ont été infligées
subtilement. Je dois pardonner à mes parents, mais pas avant
d'être allé chercher le petit garçon qui s'assied encore, seul
dans son coin, et qui pleure ce qu'il a perdu.

Le Moi autonome

Notre défi consiste à passer plus de temps dans une vie d'autonomie, notre destin à l'origine. Cette réalité est un droit acquis à
la naissance. Nous ne devrions pas avoir besoin d'identifier et de
renforcer ce Moi autonome. Cependant, étant donné que nous
sommes en état de sommeil depuis si longtemps et que les rainu-

res des influences de notre petite enfance sont si profondes en nous, nous manquons de confiance en nous-mêmes dès le début. Souvent, nous ne savons pas quel Moi parle. Et puisque la plupart de nos transactions sont des invitations pour que nous retournions dans notre scénario de vie, nous glissons de temps à autre, même dans les meilleures circonstances.

Lorsque notre Moi autonome régit notre vie, le sens de notre valeur, de celles des autres et du monde dans son ensemble ne repose sur aucune condition. Je suis responsable envers moi-même et envers les autres. Émotivement, je suis stable. Avec mon Moi autonome, je découvre une nouvelle passion pour la vie et je réponds à mes besoins primaires : je suis spontané. Mon intuition augmente alors que je m'ouvre au monde. La créativité s'exprime à travers moi et je vis le moment présent. Mon Moi réel reconnaît que le passé et le présent ne font qu'un. Je ne retourne vers mon Moi appris que pour lui réclamer les parties de moi bloquées dans le développement de ma petite enfance.

Le Moi autonome est la porte vers l'éveil spirituel. Au début, toutefois, il se peut qu'il se préoccupe davantage des difficultés de l'*ego* que d'une quête spirituelle. Mais ce n'est que temporaire. Il est important de passer le temps nécessaire avec notre Moi appris, alors que notre Moi autonome se libère du passé. Notre progression est incertaine et nous avons besoin de temps pour faire une synthèse.

Nous devons intégrer de tels changements à notre esprit, à nos nerfs et au corps dans lequel nous vivons. Après tout, nous vivons effectivement dans un corps humain et il semblerait qu'il faut six mois pour incorporer chaque changement afin que chaque cellule soit en harmonie avec celui-ci. En outre, ce processus entraîne souvent un changement dans nos relations interpersonnelles. Des amitiés qui n'ont plus leur raison d'être se terminent et de nouvelles amitiés compatibles avec notre Moi autonome se forment. Nous travaillons pour parvenir à une personnalité bien intégrée qui permettra des états de conscience spirituelle élevés. Ceci débute souvent par une lutte intérieure entre le scénario et l'autonomie. Cependant, cette lutte finit par se transformer en une danse. Cette danse se produit quand nous nous autorisons à entrer dans notre scénario afin de réunir davantage d'informations pour continuer à changer. À ce stade, nous laissons la place à un Moi observateur qui examine attentivement et attire notre attention sans porter de jugement.

En devenant autonome, nous créons l'homme et la femme intérieurs, le père et la mère intérieurs que nous cherchions. Art décrit ce processus de façon frappante.

❖ L'HISTOIRE DE ART :   *« Je pouvais choisir de m'occuper de mes parents, comme je pouvais choisir de m'occuper de moi. »*

J'ai commencé à réfléchir à tout ce que j'apprenais sur la façon de développer mon père et ma mère intérieurs, sur l'importance de le faire et sur le plaisir que j'y prenais. Puis, une image a commencé à se former dans mon esprit. Une vieille femme est apparue — elle était vêtue d'une longue robe blanche qui flottait, elle avait de longs cheveux gris, des yeux bleus et un beau visage basané couvert de rides. Tout en cette femme était chaleur et profondeur. Elle était mon parent nourricier, un mentor spirituel. Elle était assise gracieusement sur une grosse pierre et tenait un bâton dans sa main gauche. J'ai remarqué qu'elle abritait sous son bras droit deux petits enfants. Ils avaient peur. Ils se blottissaient l'un contre l'autre en tremblant et ils essayaient de ne pas se faire attraper, mais ils savaient que je les avais vus. C'étaient ma mère et mon père.

La scène était sereine. La vieille dame m'a dit que mes parents n'avaient jamais reçu les soins dont ils avaient besoin quand ils étaient enfants. Maintenant qu'elle s'occupait d'eux, ils étaient satisfaits.

Au début, j'ai pensé : *Comme c'est bien que je m'occupe de mes parents.* Puis, j'ai commencé à sentir que ce n'était pas bien du tout. Mon enfant intérieur hurlait : « Qu'est-ce qu'elle fait à mettre tout ce temps et tous ces efforts sur mes parents, alors qu'elle devrait se concentrer sur moi ? »

La femme m'a répondu : «C'est toi qui décides. Ça ne dépend que de toi. Si tu veux que je les laisse partir, je le ferai. Mais tu dois d'abord savoir qu'ils sont tranquilles maintenant parce qu'ils ont ce dont ils ont besoin.»

Je lui ai dit que je voulais qu'elle les laisse partir. Elle l'a fait. Dès qu'elle les a lâchés, ils ont commencé à hurler.

J'ai demandé à mon parent nourricier de reprendre mes parents et de s'occuper d'eux. Elle l'a fait et ils se sont calmés.

Maintenant, je sais que j'aurais pu choisir de m'occuper de mes parents comme j'aurais pu choisir de m'occuper de moi et me donner les choses dont j'avais besoin. Mes parents intérieurs devinrent calmes et satisfaits. Moi de même.

Cette histoire illustre comment l'autonomie nous invite à libérer le blâme afin que nous devenions libres de pardonner et d'étreindre nos parents ou les autres personnes qui nous ont fait du mal.

Jouer avec des visages et des masques pour développer notre complétude

Pour le Moi autonome, les mythes fournissent les images et les histoires nécessaires pour développer notre complétude. Nous apprécions et explorons toutes les parties du Moi. Nous crions notre colère, notre peur, nos besoins primaires, notre passion sexuelle et notre naïveté. L'homme et la femme farouches qui nous habitent se révèlent. Nous tentons de varier nos personnalités. Les archétypes éclatent. Nous avons du plaisir avec notre *ego*. Nous jouons avec de nombreux visages et masques, et nous les essayons pour voir s'ils nous vont. Dans notre excitation, nous pouvons devenir de simples brutes quand nous enlevons le couvert de nos instincts refoulés. Il se peut même que nous ridiculisions les autres.

Ce n'est pas toujours agréable. Avec l'incertitude qui nous gagne, un doute et une résistance apparaissent, peut-être un dernier test. «Es-tu certain de vouloir continuer ce cheminement?» «Comment sais-tu si ce sera mieux?» «Ça n'a pas été si mal jusqu'à maintenant, n'est-ce pas?» «Avant, nous pouvions prévoir ce que serait notre vie; sur quoi peux-tu compter maintenant?» «Pourrons-nous compter sur quelqu'un après la transition?»

Parfois, nous avons l'impression d'être crucifiés, les bras écartelés dans des directions opposées. C'est la résistance qui ne fait que son travail. *Tout ce que nous demandions d'abandonner à notre Moi appris a été conçu spécialement pour nous pendant notre enfance, pour que nous nous sentions en sécurité et pour que notre vie ait un sens.* Remerciez-le, parlez-lui et éduquez-le. Soyez patient. Il vous rejoindra bientôt dans votre autonomie. La tranquillité remplace la solitude, et les périodes de solitude sont synonymes de liberté. C'est le moment de tomber amoureux de vous-même.

Je me souviens d'un client qui est entré plein d'enthousiasme dans un groupe de thérapie en chantant : «Je suis amoureux, je suis amoureux, je suis amoureux.»

«Qui est l'heureuse élue?» lui demandèrent plusieurs membres du groupe.

Il répondit : «Moi. Je suis amoureux de moi, vraiment amoureux de moi, pour la première fois de ma vie!»

Pour quelqu'un qui ne s'aimait pas et ne se respectait pas, et dont le plan de vie consistait en abus sexuels, boulimie, alcoolisme, vols et suicide, c'était en effet une célébration. Il était parvenu à l'autonomie après des mois de thérapie.

Les quatre positions du Moi autonome

Il existe dans le Moi autonome quatre positions, définies par Kahler et Capers[23]. Elles correspondent aux quatre positions du scénario dans le Moi appris (voir page 108). Il peut s'avérer utile de connaître ces positions pour comprendre nos relations amoureuses et reconnaître les endroits où nous nous sentons bien et respectés. Et puisqu'elles correspondent aux quatre positions du Moi appris, nous pouvons les choisir lorsque les autres nous invitent à retourner dans un scénario. En d'autres termes, ces positions nous fournissent des options plus saines pour entrer en relation avec les autres. Les quatre positions du Moi autonome sont la position de celui qui se permet d'être (*allower*), la position de celui qui fonce (*goer*), la position de celui qui s'affirme (*affirming*) et la position de celui qui s'emballe (*wover*).

POSITION DE L'*ALLOWER*

La première position, appelée *allower* (permission), nous encourage à nous libérer de notre besoin compulsif «que tout aille bien» que nous éprouvons dans la position du *driver*. Ici, nous passons du besoin *d'être parfaits* au droit *d'être nous-mêmes*. Ce message nous dit que c'est OK d'être qui nous sommes, de faire des erreurs et d'avoir confiance que ces erreurs nous feront grandir. Notre corps est soulagé et se détend en entendant et en agissant selon ce message. Nous n'avons plus besoin d'examiner minutieusement notre performance.

Sois humain va en complémentarité avec *sois fort*, ce qui soutient que maintenant c'est OK de revendiquer notre véritable nature humaine, nos sentiments et nos besoins. La façade — le corps rigide — se détend. Plutôt que d'entendre le message «*fais tout ton possible*», notre voix intérieure nous autorise à *faire* ou à *ne pas faire*. Là encore, nous nous asseyons et nous nous

---

23. Hedges Capers suggéra à Taibi Kahler de se concentrer sur les positions OK de l'autonomie. Capers identifia et classa les quatre positions OK du mini-scénario. Voir : «The Miniscript», *Transactional Analysis Journal* 4 : 1 (janvier 1974).

L'amoureux autonome et sain

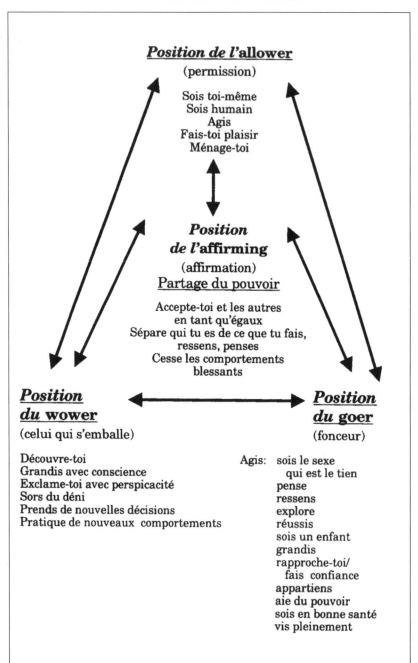

Position de l'allower
(permission)

Sois toi-même
Sois humain
Agis
Fais-toi plaisir
Ménage-toi

**_Position
de l'affirming_**
(affirmation)
Partage du pouvoir

Accepte-toi et les autres
en tant qu'égaux
Sépare qui tu es de ce que tu fais,
ressens, penses
Cesse les comportements
blessants

**_Position
du wower_**
(celui qui s'emballe)

Découvre-toi
Grandis avec conscience
Exclame-toi avec perspicacité
Sors du déni
Prends de nouvelles décisions
Pratique de nouveaux comportements

**_Position
du goer_**
(fonceur)

Agis: sois le sexe
        qui est le tien
     pense
     ressens
     explore
     réussis
     sois un enfant
     grandis
     rapproche-toi/
        fais confiance
     appartiens
     aie du pouvoir
     sois en bonne santé
     vis pleinement

détendons. La pression devient moins forte. Nous faisons ce que nous pouvons faire — rien de plus, rien de moins.

Ceci nous permet de respirer. Plutôt que de faire plaisir aux autres, nous sommes libres de *nous faire plaisir* ainsi qu'aux autres. Nous avons maintenant le choix, et nous ne sommes pas guidés par la peur. Nous sommes libres de dire non. Le nœud que nous avions dans l'estomac se dénoue. Et, au lieu du *driver* «*dépêche-toi*», nous apprenons que c'est OK et important de *suivre notre rythme* pour notre bien-être. Maintenant, nous pouvons nous arrêter, sentir les roses, regarder le coucher de soleil, méditer sur la vie. Nous évoluons dans un rythme confortable et même s'il arrive que nous accélérions notre rythme, c'est par choix. Notre corps flotte et nous sentons la sensualité de son mouvement.

POSITION DU *GOER*

La deuxième position, celle du *goer* (fonceur), contrairement à la position du *stopper* mentionnée auparavant, nous encourage à vivre pleinement notre vie. Cette vie consiste à être qui nous sommes au moment présent. La mère et le père intérieurs nous parlent d'une voix douce et convaincante — contrairement aux messages inhibiteurs des *injonctions du scénario,* définis par Bob et Mary Goulding. Ces voix disent :

* *Sois tout ce que tu es et ce que tu devrais être.* Vas-y. Comme le brin d'herbe qui perce la terre durcie au printemps, va chercher le soleil, connais ta véritable nature, suis avec confiance ta voie. Je suis heureux que tu sois une petite fille ou un petit garçon.

* *Laisse tes propres pensées s'exprimer et aie confiance en ton propre discernement pour te guider.* Tu peux ne pas être d'accord, et tu peux poser toutes les questions pour lesquelles tu as besoin d'une réponse.

* *Ressens ce que toi tu ressens, et non ce que les autres veulent que tu ressentes.* Je vais t'enseigner comment exprimer pleinement et sans danger tout ce que tu ressens. Je

vais t'aider à avoir confiance à la fois en ce que tu ressens, ce que tu penses et ce que tu fais. Ce que tu ressens est OK : ta sensualité, ta nature primitive profonde, ta peur, ta colère, ta tendresse, ta peine, ta joie, ta passion pour la vie.

- *Explore, prends des risques.* Je vais t'enseigner comment y parvenir sans danger. Tu peux vivre et découvrir ce que tu aimes faire. Tu n'as plus besoin de faire quelque chose pour être quelqu'un. Tu es quelqu'un.

- *Réussis selon ta définition du succès.* J'ai confiance que tu sauras ce qui est bon pour toi et que tu le vivras avec enthousiasme. Et tu es libre de connaître beaucoup plus de succès que j'aurais cru possible.

- *Sois un enfant.* Joue. Aie des besoins. Ris, pleure, plaisante, cours, glisse, saute! Ressens ton exubérance de vivre. Touche avec douceur les plantes, les rochers, la terre. Découvre la vie avec l'émerveillement d'un enfant. Va chercher les soins et la protection lorsque tu en as besoin.

- *Grandis et sois responsable envers toi et tes engagements.* Tu peux partir dans le monde tout seul, en sachant que tu es toujours le bienvenu chez toi. Tu peux vivre ta vie comme tu le veux. Tu es libre de grandir et de changer dans tous les domaines, et c'est important que tu le fasses.

- *Sois proche, fais confiance.* Remets-t'en aux soins de ceux et celles qui te traiteront avec appréciation, honneur et respect. Aime-toi d'abord et aime les autres comme tes égaux. Tu es libre de faire confiance, mais sache que tout le monde n'est pas digne de ta confiance. Quand cela se produit, aie confiance en ta méfiance et agis prudemment. Sois une personne avec qui les autres se sentiront en sécurité.

- *Tu as une appartenance.* Tu as une place dans le monde. Décide comment, où et avec qui tu veux vivre cette appartenance. La vie est un processus d'élimination. Fais preuve de sagesse dans tes choix et passe du temps là où tu te sens en sécurité et où on se soucie de toi. Ressens le lien que tu entretiens avec toute la terre et ses créatures.

* *Sois important et puissant.* Étends ce pouvoir — approprie-toi ton caractère unique et partage-le avec tous les aspects de la vie. Il n'y a personne d'autre qui soit exactement comme toi. Tu fais une différence. Partage ton pouvoir.

* *Sois sain dans ton esprit, ton corps et ton âme.* Aime ton corps, prends le temps de te reposer, de bien manger, de faire de l'exercice, prends soin de toi. Nourris ton esprit et ton âme.

* *Vis pleinement.* Je suis si heureux que tu sois ici, vivant. Tu mérites d'être ici et de vivre pleinement ta vie. Je t'aime!

Nous ne faisons pas qu'entendre ces permissions — nous les ressentons profondément à mesure que nous changeons notre vision[24].

POSITION DE *L'AFFIRMING*

Nous appelons la troisième position *affirming* (affirmation) parce que, contrairement à la position du *vengeful* dans laquelle nous devons avoir l'avantage et dominer, *nous nous acceptons et acceptons les autres comme tous égaux, sans aucune condition.* Nous *partageons le pouvoir* au lieu de *recourir à des jeux de pouvoir.* Nous sommes appelés à faire la différence entre ce qu'une personne *est* et ce *qu'elle fait, pense* ou *ressent.* Nous n'aimerons pas toujours les actions des autres. Mais nous continuerons de reconnaître et d'affirmer le droit de cette personne d'être, ainsi que sa bonté essentielle. Notre amour inconditionnel demeure. Nous confronterons les comportements blessants non pas

---

24. Les permissions sont des messages qui soutiennent ce qui est en nous et notre droit d'agir dessus. Références : Annette Bodmer, *The Gift of Affirmations,* Savage (MN), Affirmations Enterprises, 1985 ; Jean Illsley Clarke, *Self-Esteem : A Family Affair,* Minneapolis, Winston Press, 1978 ; Pamela Levin, *Becoming the Way We Are,* 1974 ; Brenda Schaeffer, tableau de «Corrective Parenting», 1981.

pour faire souffrir ou blesser les autres, mais pour *mettre un terme aux comportements abusifs et blessants.*

Cette position est celle du partenariat. Nous y découvrons une égalité émotionnelle et spirituelle malgré les différences. De nombreuses personnes considèrent que cette position est la plus difficile de toutes, car nous sommes appelés à lâcher prise et à partager le pouvoir sur une base quotidienne. On nous demande de nous aimer, même si nous ne sommes pas où nous voudrions être, et même si nous avons fait des choses que nous regrettons.

POSITION DU *WOWER*

La quatrième position s'appelle position du *wower* (celui qui s'emballe), en référence à d'importantes «expériences exaltantes» qui nous permettent de passer du scénario à l'autonomie. Nous avons une perspicacité qui nous aide à identifier les scénarios que nous répétons, notre nature mécanique. Cette perspicacité nous aide à prendre des décisions qui modifient la voie que nous avons prise. Nous poursuivons la *découverte de notre Moi.* Nous lisons des livres, nous entreprenons une thérapie, nous nous joignons à des groupes de soutien qui encouragent les changements de comportement et nous mettons en pratique ces nouveaux comportements. *Nous sommes sortis du déni.*

Il est probable que, pendant l'enfance, la position quatre du Moi appris, le scénario du *payoff* (débiteur), ait été la porte d'entrée vers le Moi appris. La position du *wower* est également la porte que nous ouvrons pour sortir de nos scénarios. *La prise de conscience précède la plupart des changements.* Un événement traumatisant de notre vie ou certaines intuitions majeures nous transforment suffisamment longtemps pour que nous ayons une vision plus objective de nous-mêmes. Alors que nous saisissons ces visions furtives, nous sommes amenés à continuer notre quête du Saint-Graal — le Moi authentique.

La vie autonome

Une fois que nous avons fait ce changement, notre vie ne sera plus jamais la même. Une vie d'autonomie nous fait nous sentir bien et honorables. Elle nous encourage à progresser pour découvrir les meilleurs aspects de notre humanité. Il se peut que nous consacrions beaucoup de temps à notre quête d'identité, concentrés sur la connaissance de nous-mêmes, sur la réalisation de soi, sur le développement d'un parent intérieur, et intéressés davantage à nous-mêmes qu'aux autres. Mais cette étape est à la fois temporaire et nécessaire pour nous-mêmes et pour nos relations.

Nous nous sommes ouverts à Dieu, à une conscience spirituelle. Un nouveau changement ne tarde pas à se faire sentir. Nous retournons moins souvent dans notre passé pour nous trouver. Nous vivons davantage dans le présent et sommes plus sûrs de notre position, peu importe que nous réagissions en fonction de notre Moi autonome ou de notre Moi appris, car nous savons que chaque expérience que nous vivons nous permettra d'apprendre quelque chose.

Nous remarquons que notre centre d'intérêt change pour passer du «Je *versus* Tu» au «Nous». Nous intégrons ce que nous apprenons et nous cheminons avec plus d'assurance dans nos relations, nos choix et nos décisions de vie. Nous sommes, en effet, conscients. Nous sommes stupéfaits lorsque nous constatons que *nous sommes davantage comme nous étions et plus différents que nous aurions jamais pu l'imaginer possible*. Et nous savons le sens de ces mots.

Nous posons des questions simples et profondes, comme nous le faisions dans notre enfance :

- «Si je suis si petit, et si les étoiles sont si brillantes, si grosses et si lointaines, pourquoi est-ce que je me sens si important ?»

- «Pourquoi ai-je l'impression que les étoiles sont mes amies ?»

Nous commençons à regarder les plantes, les insectes, les serpents, les oiseaux, les nuages, les gens, la terre et les lacs d'une nouvelle façon.

Nous commençons à sentir une double contrainte. Nous sommes en même temps plus liés à la vie et plus détachés de la vie. Nous faisons davantage attention à ce que nous disons et à qui nous le disons. En vivant dans la lumière, nous n'aimons pas tout ce que nous voyons, mais nous sommes appelés à l'accepter dans notre vie. L'authenticité de notre esprit a parlé.

Au-delà de l'autonomie

La psychologie populaire des années soixante-dix a été à l'origine de la quête désespérée de l'identité de soi. Trop souvent, c'était interprété pour signifier que le «Je» et le «Tu» passent avant le «Nous». Heureusement, nous avons découvert que l'autonomie n'est pas l'anarchie, l'antidépendance, ou ne consiste pas à faire ce que nous voulons quand nous le voulons. L'autonomie n'est pas une excuse pour nous battre ou prendre notre place par le biais de jeux de pouvoir. Elle ne justifie pas non plus la satisfaction personnelle de tous nos désirs, la cupidité, l'accumulation de biens et les dépendances.

L'autonomie signifie la liberté d'être qui je suis comme je suis, de savoir quelle est ma vérité et quels sentiments dans ma relation m'appartiennent par opposition à ce que je pense que les autres veulent que je ressente. Cela nécessite que je devienne responsable de mes actes et que j'en assume les conséquences. Cela nécessite que je vive ma vie de manière moins nuisible pour moi, pour les autres et pour la vie dans son ensemble. C'est une question d'éthique. L'autonomie devient la découverte de ma nature essentielle, qui a été séparée de mon Moi appris. C'est s'approprier l'enfant intérieur meurtri et négligé qui craignait l'amour et l'intimité, et a développé un sens erroné du pouvoir. Cela signifie aussi développer la femme et l'homme intérieurs, le père et la mère intérieurs, qui peuvent prendre soin de l'enfant en moi et le guider pour qu'il ait de nouveau confiance en lui, aux autres et en la vie. L'autonomie devient une ouverture vers une connaissance et une compréhension plus profondes de mon noyau spirituel.

Bien que l'autonomie, un sentiment sain de l'identité, soit importante dans le spectre plus large de la découverte de l'identité, ce n'est pas là que nous devons nous arrêter. L'autonomie n'est pas *la* réponse ou *la* fin. Dans notre réflexion orientée vers le but que nous recherchions, nous pensions probablement que, une fois l'autonomie atteinte, nos problèmes ordinaires disparaîtraient. Nos relations seraient plus faciles et nous souffririons moins. Nous avons plutôt appris depuis *que la facilité ne rend pas toujours honorable, et que l'honneur n'est pas toujours facile.* Une fois que nous sommes conscients, il nous est impossible de retourner au blâme, à la honte, au contrôle ou aux dépendances du Moi appris sans endosser personnellement la responsabilité de ces comportements.

Ce pas vers l'humilité, cette acceptation de notre vie d'illusions, présente un paradoxe. Alors que l'impuissance de notre Moi appris nous appartient, nous sommes libres d'expérimenter entièrement l'énergie créatrice qui nous aide à nous voir sous un autre jour : «Je suis moins ce que je pensais être et je suis plus que ce que j'aurais pu rêver possible.» Nous continuons notre recherche du *Je* pour lequel nous sommes nés et nous découvrons ce que nous sommes venus faire dans cette vie. Nous commençons à suivre notre félicité. Nous commençons à dévoiler notre amoureux spirituel.

À mesure qu'une personne découvre sa véritable nature, elle développe une personnalité bien intégrée. Elle parle plus souvent de Dieu, de la destinée, des préoccupations mondiales, des valeurs morales, d'un sens à la vie. Elle connaît davantage de relations qui lui procurent chaleur, intimité et soutien, et qui expriment un partenariat. Elle respire la confiance en soi et attire les autres.

Cependant, si une personne se concentre uniquement sur l'autonomie, elle reste dans le monde matériel. Si nous avions tous eu ce dont nous avions besoin de la manière dont nous en avions besoin, nous serions autonomes en quittant notre famille d'origine. Et pourtant, est-ce suffisant? Qu'est-ce qu'il y a après, une fois que je suis devenu réel ou vrai? Est-ce une fin en soi? N'y a-t-il rien d'autre que l'autonomie? Dans les années soixante-dix, nous étions nombreux à le penser. Nos dépendances nous donnent cette impression, mais y a-t-il autre chose?

Nous n'aurons pas à chercher longtemps pour trouver les réponses à ces questions. Elles sont dans le chapitre suivant.

ACTIVITÉ

Une vie ne vous suffirait pas pour découvrir tout ce qui est en vous. Toutefois, en examinant votre histoire et votre évolution, vous pouvez en apprendre davantage sur le parcours de votre plan de vie et sa destination. Vous pouvez examiner l'enfant intérieur qui a été traumatisé ou négligé, afin de mieux comprendre vos comportements présents. De plus, vous pouvez créer de nouvelles images de votre futur, telles que votre vrai Moi les désire. Vous pouvez solliciter le soutien d'un amoureux spirituel qui sera votre guide intérieur sage et aimant. Vous pouvez aussi examiner vos contes de fées préférés et étudier comment vous les avez vécus au sens littéral dans votre vie.

Ceci peut consister en une évaluation respectueuse et en un cheminement thérapeutique qui vous aideront à comprendre tout ce que vous avez enduré, souffert et rendu acceptable à travers votre scénario.

En découvrant l'utilité du scénario et le pouvoir de l'auto-détermination, vous pourriez entamer un processus de deuil. En disant au revoir à ce qui vous a permis de vous garder en sécurité, vous pourriez pleurer la perte de votre enfance et du sens de l'émerveillement. Peut-être pleurerez-vous quand vous comprendrez que vous êtes une femme ou un homme sans père ni mère.

Les questions à examiner sont les suivantes : Avons-nous complété notre développement d'enfant? Avons-nous grandi? Pendant notre développement, avons-nous reçu toutes les permissions pour vivre entièrement notre vie ? Nous sentons-nous sécurisés à l'intérieur de nous-mêmes ? Savons-nous vraiment où nous allons et pourquoi ? Notre vision du monde, nos décisions, nous viennent-elles de notre Moi intérieur ou de notre Moi extérieur, de notre Moi défini ? Suivons-nous notre propre voie ? Nous sommes-nous débarrassés des «*je devrais*» destructeurs et des autres valeurs et attitudes destructrices — les *fais* et *ne fais pas* — pour adopter nos propres règles qui sont en harmonie avec notre développement spirituel ?

Je pense que, si vous êtes honnête, vous connaissez des aspects de votre scénario et vous voulez en sortir. Vous comprenez aussi que la souffrance de savoir est de courte durée, car quelque chose de mieux vous attend.

Voir le processus du scénario

Les plans d'après lesquels nous vivons sont les adaptations nécessaires que nous avons faites quand quelque chose allait mal dans notre développement. Nous sommes des créatures incroyablement flexibles. L'enfant en nous a vite appris à analyser le monde et à déterminer comment obtenir ce dont il a besoin. Cette adaptation psychologique astucieuse est devenue un mode de vie et fait maintenant partie de notre caractère neurologique. Nous fonctionnons sur le pilote automatique.

Voici des choses précises que vous pouvez faire pour découvrir à quel point votre vie d'illusions est active. Chacun des points ci-dessous peut être un exercice en soi. Faites-en un à la fois, *un jour à la fois.*

- Examinez votre conte de fées préféré et essayez de voir en quoi il ressemble à votre vie.

- Écoutez les mots et les messages intérieurs qui vont à l'encontre de l'amour et du pouvoir.

- Observez les modèles de comportement qui engendrent des résultats négatifs.

- Examinez vos relations actuelles. En quoi ressemblent-elles à celles de votre enfance?

- Étudiez les messages non verbaux que vous envoient les gens et la manière dont vous réagissez.

    ☐ Essayez de voir quelle partie de votre histoire ces messages recréent.

- Examinez ce qui n'arrive pas dans votre vie et que vous dites vouloir.

    ☐ Essayez de voir quels messages et quelles décisions en vous vous empêchent d'obtenir ce que vous dites vouloir.

- Examinez ce que vous n'avez pas terminé, des choses que vous n'avez pas résolues de manière saine. Terminez-les!

- Examinez votre vie pour en faire ressortir les traumatismes et les événements inhabituels, ainsi que ce que vous avez décidé de faire à cause de ceux-ci.

- Parlez à des gens qui vous ont connu enfant et qui sont prêts à vous donner un aperçu honnête.

- Faites une liste des comportements «fais» (*driver*) et des «ne fais pas» (injonctions du scénario) que vous avez reçus quand vous étiez enfant. Remarquez comment ils influencent votre vie et vos relations aujourd'hui.

En faisant les exercices ci-dessus, laissez la connaissance venir à vous à mesure que vous êtes prêt. Il se peut qu'il y ait des choses que vous n'êtes pas prêt à entendre ou à connaître pour le moment.

Alors que votre scénario commence à vous parler, décidez ce que vous voulez conserver et ce qui est important de changer. C'est vous qui décidez ce que vous changez. Être conscient ne signifie pas que vous devez tout changer en vous. Cela signifie prendre possession de celui que vous êtes devenu et vous engager à sortir du déni.

CHAPITRE 4

La transformation : de l'autonomie à la spiritualité

౧౧ ౧౧ ౪౧ ౪౧

Le processus de divinisation qui mène à la transformation de l'union, le stade ultime du mysticisme, dépend d'une individuation saine et harmonieuse.

– WILLIAM MACNAMARA

Qu'y a-t-il après l'autonomie ? Une sagesse supérieure à laquelle nous avons tous accès — Dieu ! Les anciens le savaient. Les philosophes aussi. Il en était de même des premiers psychologues, même si plusieurs n'osaient pas l'admettre. Pourquoi nous a-t-il fallu tant de temps pour revenir au début de ce qui était déjà là dès le début ? Comment avons-nous pu nous éloigner autant de cette connaissance ?

La psychologie vise à traiter directement les maladies mentales et émotionnelles, ainsi que les comportements dysfonctionnels. Je suis d'accord avec ça. La spiritualité avait sa place dans les lieux saints — les églises. Je peux accepter ce point de vue. Mais j'ai commencé à être témoin de quelque chose de significatif. À mesure que les gens se libéraient des restrictions que leur imposait leur Moi appris, ils commençaient à ressentir naturellement et à exprimer davantage leur authenticité spirituelle. Même s'ils éprouvaient des problèmes, ils transcendaient ces problèmes et se transformaient eux-mêmes. Ils s'aimaient eux-mêmes. Ils avaient un pouvoir personnel. Ils entrevoyaient leur amoureux spirituel.

Le poids des visions du monde dépassées

Les maîtres religieux traditionnels ont parfois critiqué la psychologie. Elle a été décrite de nombreuses façons, d'agent du diable à une préoccupation démesurée pour l'*ego* et une négligence de la nature spirituelle de l'homme.

Nous pouvons comprendre ce dernier reproche. La psychologie occidentale, déterminée à devenir une science, a critiqué ouvertement tout ce qui était spirituel. La psychologie s'intéressait au psychisme, qui à l'origine signifiait l'âme, et a commencé à se concentrer sur l'enveloppe extérieure, le personnage, le masque de la personnalité. Aujourd'hui, la psychologie veut davantage dire l'étude de maladie mentale ou de la personnalité que l'étude de notre nature humaine. Nous nous préoccupons davantage du masque que nous considérons, à tort, comme notre vrai Moi. Nous passons des tests de personnalité et suivons des cours de psychologie, nous lisons des livres pour découvrir notre type de personnalité et apprendre pourquoi nous agissons comme nous le faisons.

En concentrant notre attention sur cet aspect restreint de nous, nous nous identifions encore plus au Moi appris. Pourquoi ? Parce que nous fonctionnons avec une vision du monde fondée sur la physique newtonienne. Cette vision oppose à la base l'humanité à la nature, au lieu d'en promouvoir l'harmonie. Elle essaie de décrire le spirituel à partir du matériel. De ce point de vue, les êtres humains finissent par devenir des machines complexes, une série de mécanismes en réponse à des stimulus.

Comment en sommes-nous arrivés à cette vision ? Pour répondre à cette question, nous devons connaître un peu l'histoire intellectuelle[25]. Les années 1500 à 1700 après J.-C. marquèrent un changement spectaculaire dans les visions du monde. Jusqu'à cette époque, le monde était considéré comme organique. Il y

---

25. Les pages 135 à 138 sont largement inspirées de «History of Psychology», matériel d'examen de l'American Psychological Association et de *The Turning Point*, chapitres 2 et 6, de Fritjof Capra.

avait une relation entre le monde spirituel et le monde matériel. Les sciences médiévales utilisaient la raison *et* la foi pour comprendre le sens et la signification de la vie.

L'âge de la révolution scientifique changea tout cela. Nous avons commencé à considérer le monde comme une machine que nous pourrions contrôler à l'aide de chiffres, de lois, de mesures et de quantifications. Avec le philosophe anglais Francis Bacon, le but de la science devint la domination et l'esclavage de la nature. Selon Bacon, la nature, considérée comme féminine, devait être «traquée dans ses divagations», «obligée de servir» et «soumise à des contraintes». L'objectif de la science consistait à «torturer la nature pour qu'elle livre ses secrets».

Le mathématicien et philosophe français René Descartes est généralement considéré comme le fondateur de la philosophie moderne. Même s'il affirmait l'existence de Dieu, il considérait l'univers comme une machine élaborée, sans vie. Sa vision de la nature physique du monde pouvait exclure tout aspect spirituel. Un tel mode de pensée justifiait les gestes destructeurs contre la nature. Après tout, la nature était considérée comme étant au service de l'homme.

Isaac Newton, le mathématicien et physicien anglais, est allé plus loin que Bacon et Descartes. Il pensait qu'un Dieu avait créé des particules matérielles, les forces entre elles et les lois fondamentales du mouvement. Dieu avait mis l'univers en marche, et cet univers fonctionnait depuis comme un immense mécanisme d'horlogerie. Après cela, on n'avait plus besoin de Dieu. L'approche newtonienne de l'univers est devenue le courant dominant de l'âge des Lumières.

Ensuite suivit la théorie de John Locke sur la «Tabula Rasa» : à la naissance, l'esprit est un tableau complètement vierge sur lequel la connaissance s'imprime à mesure qu'on l'acquiert par l'intermédiaire des sens.

La pensée de Descartes et de Newton imprègne encore nos vies, de nos relations économiques à nos relations amoureuses. Cela est visible dans les déclarations qui suggèrent la domination, le contrôle et une préoccupation pour ce qui est technique. «Je peux contrôler mes dépendances.» «Il faut que les autres changent pour que je sois heureux.» «Je suis la prolongation de mon rôle.» «Ce que je fais est ce que je suis.» Ces affirmations suggèrent qu'on accepte le monde matériel et concret comme l'unique réalité et nous éloignent de l'expérience intérieure de notre amoureux spirituel.

Aujourd'hui, les théories sur l'exploitation et la manipulation influencent aussi la pensée psychologique. Ceci signifie que les courants psychologiques qui se concentrent uniquement sur les comportements ou l'inconscient passent à côté d'expériences vers une conscience supérieure. Ils sont prisonniers d'une vision du monde dépassée.

Une nouvelle vision du monde fait son apparition

> *La vision mécanique du monde ne peut pas faire de nous des personnes saines parce qu'elle ignore qui nous sommes; des êtres conscients qui traversent un processus évolutif, créatif et variant dans la nature et capables de transcender de nouveaux niveaux... jamais victimes de notre passé... responsables de notre destinée. Si nous continuons à nous concentrer sur des objets présents dans notre vie comme étant la vérité, nous passons complètement à côté de l'essentiel.*
>
> – JACQUELINE SMALL

Une nouvelle vision du monde fait son apparition. Le physicien Fritjof Capra attribue notre crise actuelle au fait que nous ne reconnaissons pas le changement qui se produit actuellement[26]. Ce changement est fondé sur la nouvelle physique. Bien que tous les physiciens ne partagent pas ce point de vue, une vision du monde commune prend forme. La physique quantique ne consi-

---

26. Fritjof Capra. *The Turning Point.*

dère plus l'univers comme une machine, mais plutôt comme un tout dynamique dont les parties sont interreliées et ne peuvent être comprises qu'en tant qu'éléments d'un processus plus vaste.

En termes simples, la nouvelle vision dit que la vie est une danse, et nous en sommes les danseurs. Cette vision affirme l'existence de l'est et de l'ouest, du féminin et du masculin, du matériel et du spirituel. Elle soutient le partenariat, le pouvoir et le partage. Elle encourage une nouvelle psychologie, celle de la transformation.

La psychologie de la transformation propose que tous les événements de la vie, y compris nos dépendances et nos relations amoureuses douloureuses, sont nos professeurs. Elle nous encourage à dépasser les limites que nous avons apprises. Elle assume que nous pouvons, avec l'aide de toutes nos forces psychologiques, découvrir davantage notre nature spirituelle. Elle travaille à créer une personnalité bien intégrée qui s'identifie aux forces spirituelles supérieures et à une expérience personnelle de Dieu. *Cette nouvelle vision nous dit que c'est notre niveau de conscience qui exerce le plus d'influence sur nos relations.* Elle nous considère comme une voie de sagesse spirituelle supérieure et affirme que nous avons la capacité d'accéder à cette sagesse.

À partir de cette nouvelle perspective, nous pouvons voir le cerveau comme un hologramme. Un *hologramme* est une image en trois dimensions obtenue en reflétant la lumière à partir d'un objet. Cette image se compose de nombreuses images plus petites qui sont la copie exacte de l'ensemble. De la même manière, notre cerveau englobe toute l'échelle de notre réalité. Le poète anglais William Blake a écrit à ce sujet :

> *Pour voir un monde dans un grain de sable*
> *Et un paradis dans une fleur,*
> *Prenez l'infinité dans la paume de votre main*
> *Et l'éternité dans une heure[27].*

---

27. William Blake, «Auguries of Innocence», *Anthology of Romanticism,* 3ᵉ éd. révisée, Ernest Bernbaum, dir. de la publication, New York, The Ronald Press Company, 1948, p. 132.

Nous connaître nous-mêmes au sens le plus profond, c'est connaître l'univers. Et si l'univers inclut une réalité transcendante, alors nous l'incluons aussi.

Quand la religion diffère de la spiritualité

> *La civilisation occidentale a préféré l'amour de la mort à l'amour de la vie à un point tel que ses traditions religieuses ont préféré la rédemption à la création, le péché à l'extase, et l'introspection individuelle à la conscience et à l'appréciation cosmiques. La religion occidentale a trahi les gens aussi souvent qu'elle a gardé le silence sur le plaisir, sur la création cosmique, sur le pouvoir continu de l'énergie mouvante du créateur, sur la grâce originelle.*
>
> – MATTHEW FOX

La psychologie traditionnelle a eu tendance à avoir une mauvaise opinion de la religion. Je peux comprendre pourquoi. Pour certaines personnes, la religion ne devint rien d'autre qu'un endroit où se cacher, où éviter d'être réel, une tentative désespérée d'échapper à la solitude et à la condition humaine, de rester inconscient. Pour d'autres, la religion peut être un moyen de rester dans le déni. C'était un endroit pour juger les autres, pour maintenir les gens à leur place, pour être satisfait de soi et faire mieux que les autres.

Quand la religion se limite à servir et perpétuer les systèmes doctrinaux, ce n'est que de la religion et non de la spiritualité. C'est un prolongement de notre conditionnement. Quand la religion se réfère à un système de croyances et de traditions qui contraint notre nature spirituelle à une dépendance aveugle envers Dieu, nous avons alors créé une nouvelle dépendance.

Quand la religion est de la spiritualité

La *religion* est un lien de la nature spirituelle de l'homme avec le transcendant, le sacré. Elle permet de faire l'expérience du paradis sur terre. Pour reprendre les mots du poète américain Henry Wadsworth Longfellow, la vraie religion est «le merveilleux monde de la lumière qui se trouve derrière toute destinée humaine»; selon Shakespeare, c'est «le trésor d'une joie éternelle». Cette religion permet de connaître l'extase, la félicité et un sentiment d'harmonie avec la vie dans son ensemble. Elle considère la prière non pas comme un simple acte de supplication, mais, comme le disait Mère Teresa, «la parole de Dieu dans le silence du cœur». Ici, la nature et l'esprit communient.

La religion est ce qui nous guide pour comprendre que notre personnalité n'est pas qui nous sommes, mais plutôt quelque chose que nous possédons. Elle nous guide pour nous faire découvrir que nous pouvons transcender la souffrance engendrée par nos dépendances, nos habitudes, nos rôles et nos prétentions. Elle confronte l'abus que nous connaissons dans nos relations. Elle nous guide vers notre véritable nature qui renferme le germe de la conscience spirituelle, l'ouverture à Dieu.

La signification du repentir

Le chemin vers la croissance spirituelle est, dans un certain sens, un chemin vers le repentir. Adin Steinsaltz traite avec éloquence du paradoxe du repentir. Dans *The Thirteen Petalled Rose,* il écrit que, selon le concept juif du repentir, une personne doit se libérer de toutes les influences étrangères et surmonter peu à peu «les formes gravées par le temps et les lieux avant de pouvoir atteindre sa propre image[28]». En d'autres termes, une personne doit se libérer des chaînes, des limites et des restrictions que lui imposent son environnement et son éducation. De ce point de

---

28. Le chapitre 8 de *The Thirteen Petalled Rose,* d'Adin Steinsaltz, traite de l'essence de l'existence juive et de la signification du repentir comme un retour à soi.

vue, l'éloignement de Dieu n'est pas une distance physique mais une distance spirituelle.

Dans le repentir, nous devons arrêter de courir après nos désirs afin de pouvoir atteindre le divin. Quand nous le faisons, il est probable qu'à un moment nous nous sentions coupés de notre passé. C'est le moment de changer de direction. Une métamorphose importante se produit. Plus ce changement de direction est important, plus nous nous libérerons du passé, plus grandes seront la transformation du Moi et l'impatience d'aller de l'avant. Le repentir n'est pas seulement un phénomène psychologique, mais également un processus qui peut entraîner un changement réel dans le monde. Le repentir peut être considéré comme une volonté de dépasser les limites ordinaires du Moi et de retourner au Moi spirituel.

De nombreux chemins mènent à la destination

Plusieurs religions ont compris que nous avons besoin de mythologie et de rituels afin de nous aider à grandir pour devenir un homme et une femme adultes, et découvrir notre caractère sacré. Toutefois, la vie spirituelle n'est pas toujours présente dans la religion. La religion ne reflète pas toujours la vie de l'esprit.

De nombreux chemins mènent à la destination de Dieu. Les personnes spirituelles ne jugent pas la voie utilisée par les autres, sauf si elle vient entraver leur propre cheminement. Même alors, la personne spirituelle apprécie sans porter de jugement et contourne, voire traverse, l'obstacle. Notre cheminement religieux dépend de nous. Peut-être que si nous étions tous en harmonie avec notre nature spirituelle, nous n'aurions pas besoin d'une voie. Nous découvririons que nous sommes cette voie.

Réflexion sur mon propre cheminement spirituel

J'ai été élevée dans la religion catholique et je m'identifie encore à beaucoup de ses rites et de ses vérités spirituelles profondes. J'ai examiné les religions du monde et étudié les principes de la métaphysique. J'ai été intriguée et transformée par les enseignements de la Quatrième Voie de Gurdjieff et Ouspensky. Les philosophies orientales m'ont fascinée, j'étais en harmonie avec elles. Quand j'ai besoin de conseils, je m'adresse à un prêtre catholique, à un ministre du culte à la retraite et à une femme remplie de sagesse.

Même si mon cheminement spirituel peut sembler éclectique ou même éparpillé, ce n'est pas le cas. Dans notre recherche de la vérité, nous devons explorer et expérimenter sans peur et ouvertement les différences pour découvrir les similarités. Car, inévitablement, tel un tamis, l'esprit laisse passer la vérité. J'ai vite appris qu'il existe une connaissance universelle qui transcende les structures spécifiques appelées religion, philosophie et voies de la connaissance. La véritable spiritualité est tout cela et plus encore. Tous les cheminements parlent à ce qui est divin en nous et à ce qui nourrit notre esprit.

En tant qu'exploratrice et personne qui s'interroge, je devais découvrir pour moi-même quelle religion et quelle spiritualité étaient et n'étaient pas. Je peux vous dire ce que je crois que la religion ne fait pas.

- La religion ne me dit pas que je suis mauvaise et comment être bonne. Elle soutient ma bonté, ma naïveté et mes transgressions comme étant entièrement humaines et ayant des leçons à apprendre.

- La religion ne dit pas : *C'est le seul chemin, la vérité et la vie.* Elle dit : *Le chemin, la vérité et la vie sont en toi.*

- La religion ne dit pas : *C'est la seule manière de connaître Dieu.* Elle dit : *Tu es un enfant de Dieu et tu as en toi tout ce dont tu as besoin pour vivre une vie spirituelle.* Elle n'est pas au service de systèmes. Elle m'appelle vers un niveau d'existence plus profond à l'intérieur du système.

- La religion n'utilise pas la peur pour contrôler. Elle me guide avec douceur vers l'émerveillement, l'étonnement face à la vie et à Dieu. Elle ne me condamne pas et ne m'emprisonne pas dans ma douleur, ma souffrance et mes choix peu judicieux. Elle sait que j'ai besoin de ces expériences pour apprendre.

• La religion ne mesure pas et ne compte pas mes actions et n'exige pas des dons spécifiques. Elle invite le désir de mon âme à aimer et servir les autres. Elle ne discipline pas parce qu'elle juge que je dois être punie. Elle le fait pour freiner suffisamment longtemps mon *ego* afin que je puisse connaître les joies de l'âme.

• La religion ne dit pas : *Choisis cette religion ou une autre.* Elle dit : *Ta vie quotidienne est ton école sacrée.*

• La religion ne dit pas : *Tu dois réussir pour connaître le paradis.* Elle dit : *Tu vis le paradis dans les moments d'enchantement, d'émerveillement, d'extase et de service.*

La vie est transformation

Le livre *Un cours en miracles* décrit notre recherche du paradis comme toute autre chose.

> «Vous n'avez pas besoin d'aide pour entrer au paradis, car vous ne l'avez jamais quitté. Mais vous avez besoin d'aide pour aller au-delà de vous-même, alors que vous êtes limité par de fausses croyances sur votre identité, laquelle, en réalité, Dieu seul a créée.»

Michael commença avec l'intention de transformer et de combattre son histoire. Au lieu de cela, il a transformé son mode de vie. Il a complètement changé.

❖ L'HISTOIRE DE MICHAEL :   «*À mesure que je me libère de mon scénario et de ce que je pense devoir faire, mon esprit circule plus librement en moi.*»

Mon voyage a commencé quand mon père est né. C'est là qu'il a commencé parce que mon père était un élément central dans mes croyances quand j'étais enfant. Il a appris un scénario ancré dans la tradition catholique conservatrice.

On lui avait appris que l'homme est fondamentalement imparfait. Il avait appris que nous sommes des serviteurs qui souffrent et que toute souffrance non méritée est rédemptrice. *Il a souffert.*

Mon père a rencontré et épousé ma mère. Elle n'existait qu'en fonction de l'homme qu'elle avait épousé. Ils sont devenus une seule personne, dans une relation vraiment malade. Je suis entré dans leur vie. Ma vie est devenue une aventure et je n'avais aucune idée qu'elle m'emmènerait là où je suis allé.

J'étais leur premier enfant et un prêtre m'a baptisé, j'étais le futur « saint homme » de la famille. J'étais très jeune quand mon père m'a sacré prêtre de la famille. J'étais sûr que la prêtrise était pour moi. La souffrance, l'aventure, un missionnaire ! Tout y était. Après l'école secondaire, je suis entré dans un ordre de missionnaires. L'année suivante a vu le premier grand changement dans ma spiritualité. J'ai passé la plus grande partie de cette année-là cloîtré loin du monde. J'ai vraiment essayé d'être un prêtre. Quoi qu'il en soit, je ne voulais pas d'eux et ils ne voulaient pas de moi. J'étais terrifié. Partir signifiait *abandonner Dieu*, ne pas remplir mon devoir. Plus grave encore, je décevais mon père.

Mon Moi imparfait a pris la suite et s'est fait une nouvelle image de Dieu, un super policier qui, là-haut dans le ciel, cherchait mon péché et exigeait la perfection. J'en avais peur. Je marchais sur la corde raide !

Quand je regarde en arrière, je vois une image désespérée, inutile. Un jeune homme rempli de désirs, de passions, de promesses et pourtant déchiré par ses propres dissensions. Il ne fonctionnait que pour plaire aux autres, dans l'espoir de rassurer Dieu que tout allait bien.

Ma façon de me sortir de cette pagaille a été d'épouser quelqu'un « d'assez bien » pour mon père et pour Dieu. Je me suis donc marié avec la fille d'un ami de mon père.

J'étais certain que cela plairait à tout le monde. J'étais malheureux, mais je pensais : *Être malheureux, c'est souffrir, et je suis venu sur cette terre pour souffrir. S'il n'y a pas de péché, je dois en créer un.*

Ces pensées étaient inconscientes. J'ai commencé à «faire comme si» et je ne savais pas pourquoi. Je pense que tout cela avait un rapport avec un scénario qui exigeait les erreurs, la souffrance, la rédemption, l'expiation, puis la perfection. Étant donné que la perfection n'existe pas, le cycle recommencerait. Protéger ma honte devint un travail à temps plein.

J'allais allègrement vers une vie dysfonctionnelle — essayant d'être parfait mais pourtant irresponsable et blâmant Dieu. Je vivais dans un désert spirituel et émotif. Puis, mon père est mort. Sa mort m'a fait regarder ma condition mortelle, et j'ai su que cette vie a une fin.

J'ai continué d'aller à l'église, mais seulement par habitude. Je suis devenu cynique, froid et détaché de ma famille, de mes amis, de moi-même.

Le jour de mes quarante ans, je me suis réveillé avec un profond sentiment de malaise, la sensation d'être brisé. J'ai décidé que les choses devaient changer. Ce besoin venait du fond de moi. C'était une force spirituelle. Pour connaître mon esprit, je devais m'aventurer sur ma propre voie, me libérer des vieux «Tu devrais», «Il faudrait» qui m'avaient été donnés à ma naissance. Je devais embrasser ma honte qui, paradoxalement, a disparu. J'ai rendu son scénario à mon père, sa vie d'illusion.

Il n'est plus resté que moi et Dieu. À mesure que mon estime de moi augmentait, Dieu semblait devenir plus doux, plus humain, comme le personnage de George Burns dans le film *Oh God*.

J'ai une déclaration de mission pour ma vie qui se lit ainsi :

Je m'engage —
À savoir qui je suis;

À être libre d'être cette personne ;
À trouver le courage d'être cette personne ;

À agir selon ma vérité, mes valeurs
telles que je les connais et basées
sur *mon* « guide intérieur rempli de sagesse ».

Mon « guide intérieur » est venu à moi dans un rêve ; il avait la forme de deux anges mesurant un mètre quatre-vingt et qui parlaient comme une seule personne. Je pense que c'était une intervention divine, car ce rêve m'a fait prendre des directions très importantes.

L'image que j'avais de Dieu changeait au fur et à mesure que je changeais. Quand je me sentais mal, Dieu était en colère. Quand je me suis approprié ma bonté, j'ai connu l'amour et le pouvoir de Dieu. En me libérant de mon scénario et de ce que je crois devoir faire, mon esprit circule plus librement à travers moi.

Ma vision de Dieu aujourd'hui est la même que celle de Zorba dans le film *Zorba, le Grec*. Quand on lui a demandé « Qu'est-ce que Dieu ? », Zorba répondit : « Dieu ? Dieu est exactement comme moi, sauf qu'il est... beaucoup plus grand et beaucoup, beaucoup plus fou. » Qui suis-je ? Je suis Michael, je suis unique donc divinement parfait, un radieux enfant de Dieu.

Une vie authentique : transformer et non réformer

Abraham Maslow a dit qu'il existe deux types de personnes qui se réalisent pleinement : celles qui ne se transcendent pas et celles qui se transcendent. Les premières restent dans le monde ordonné. Elles « disent ce qu'il faut dire ». Elles changent en apparence. Quand elles font appel à des services de counselling en relations, elles veulent des solutions précises pour obtenir les résultats désirés. Elles ont peu d'expériences de la transcendance. Elles essaient de réformer activement le monde.

Les personnes qui se transcendent, au contraire, deviennent des transformatrices. Elles changent de l'intérieur. Leurs expériences intérieures les éclairent et les aident à changer leur vision du Moi, des relations amoureuses et du monde. Elles «dansent la danse». Après avoir entrepris une transformation personnelle, elles savent que chacun de nous est un être unique. Elles réagissent aux dépendances et aux jeux de pouvoir dans les relations en les voyant comme des opportunités de croissance. Avec cette connaissance, elles aident le monde en parcourant la terre avec douceur et confiance. Elles transforment, elles ne réforment pas. Elles s'engagent à mener une vie authentique — à être des amoureux spirituels. Ceci a été appelé le niveau transpersonnel de l'être. Il inclut toute notre réalité intérieure — le Moi appris, le Moi autonome et le Moi spirituel.

Les positions dans le Moi spirituel

Voici mon modèle conceptuel destiné à aider notre Moi humain à réfléchir sur ce qu'il y a au-delà de l'autonomie. Tout comme il y avait quatre positions dans notre modèle appris et notre modèle autonome, il peut y avoir quatre positions dans notre vie spirituelle. Dans ces positions, nous sommes mis au défi d'exprimer notre amoureux spirituel :

• Transcender

• Être et devenir

• Aimer

• S'éveiller

Transcender

Dans la *transcendance,* nous fonctionnons au-delà du sentiment de savoir ce qui est bien. Ici, nous possédons la vérité divine et agissons à partir de valeurs intrinsèques très différentes des règles qui régissent la majorité. Nous créons et contrôlons nos

Le Moi spirituel – L'amoureux spirituel

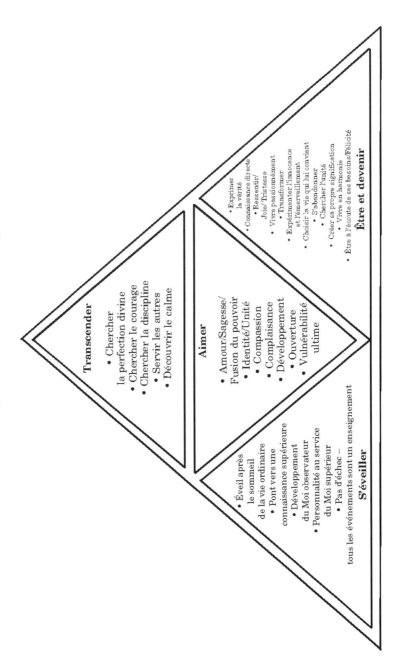

Transcender
- Chercher
  la perfection divine
- Chercher le courage
- Chercher la discipline
- Servir les autres
- Découvrir le calme

Aimer
- Amour/Sagesse/
  Fusion du pouvoir
- Identité/Unité
- Compassion
- Complaisance
- Développement
- Ouverture
- Vulnérabilité
  ultime

S'éveiller
- Éveil après
  le sommeil
  de la vie ordinaire
- Pont vers une
  connaissance supérieure
- Développement
  du Moi observateur
- Personnalité au service
  du Moi supérieur
- Pas d'échec –
  tous les événements sont un enseignement

Être et devenir
- Exprimer
  la vérité
- Connaissance directe
- Ressentir/
  Joie/Tristesse
- Vivre passionnément
- Transformer
- Expérimenter l'innocence
  et l'émerveillement
- Choisir la vie qui lui convient
- S'abandonner
- Chercher l'unité
- Créer sa propre signification
- Vivre en harmonie
- Être à l'écoute de ses besoins/Félicité

propres valeurs, qui sont cependant universelles. Nous découvrons que nous devons donner beaucoup de nous-mêmes pour vivre une vie spirituelle. Après avoir revendiqué notre autonomie et nous être séparés de notre Moi appris et de son besoin d'être parfait, nous sommes libres de *chercher la perfection divine*. Il ne s'agit pas d'une compulsion, mais plutôt d'une réponse intérieure au besoin urgent d'être tout ce que nous pouvons être, d'utiliser notre pouvoir pour laisser notre potentiel s'exprimer. Je veux être le chêne, la fleur. Si je suis un artiste, je veux être le meilleur artiste que je suis destiné à être. Si je suis une mère, je veux être la meilleure mère que je suis destinée à être.

Une fois à l'aise avec notre condition d'être humain et avec nos besoins émotifs, nous sommes appelés à *chercher le courage*. Contrairement au besoin du Moi appris d'être fort, ce courage nous fait ressentir un pouvoir au fond de nous qui nous permet de faire face à la douleur et à la peur. Nous poursuivons notre développement alors que nous entreprenons des tâches difficiles. Nous traversons nos problèmes au lieu de les contourner.

Après nous être donné la permission de faire ou de ne pas faire, nous découvrons la valeur de la *discipline*. Contrairement au Moi appris qui pousse à travailler dur, la discipline est considérée comme une structure qu'apportent toutes les écoles religieuses pour encourager le développement de ce qui est spirituel et non dominé par l'*ego*. Bien que nous ayons de nombreuses manières pour discipliner notre corps, nous devons aussi entraîner nos émotions et notre esprit afin qu'ils travaillent pour nous et non contre nous. Par exemple, il est possible de même faire les tâches ménagères routinières avec une conscience spirituelle, en les considérant comme un entraînement pour développer la clarté et la conscience. Nous pouvons aussi choisir d'aller nous placer délibérément au bout d'une longue file d'attente pour développer notre patience. Nous pouvons apprendre par cœur quatre lignes d'un verset sacré et les utiliser pour calmer notre esprit lorsque nous souffrirons. *Ce genre de discipline ne freine jamais et n'attaque jamais les appétits de notre Moi humain*. Si tel était le cas, il s'agirait d'un contrôle qui finirait par mener ultimement à la répression. Cet entraînement, au contraire, nous enseigne à réorienter et à canaliser notre énergie de manière constructive.

Nous cessons de vouloir nous faire plaisir pour vouloir *servir les autres*. Contrairement au besoin du Moi appris de donner ou de faire plaisir aux autres à partir d'une position de peur, le Moi spirituel nous appelle à donner aux autres à partir de notre âme. Apprendre comment servir les autres peut être une manière puissante de transcender notre propre souffrance humaine.

Même en pleine souffrance, nous pouvons découvrir la joie de servir. Donner devient une prière vivante. Ce n'est pas de la codépendance. Ce n'est pas «sauver le monde» ou être un martyr. Il s'agit de se soucier et de servir sincèrement l'humanité, parce que nous savons que nous sommes tous les reflets des uns et des autres. Ici, donner et recevoir sont une seule et même chose. Découvrir la condition du monde nous appelle à donner d'une manière qui nous est unique. Tous les jours, nous donnons quelque chose, sans même y prêter attention. Nous faisons une action qui guérit et nous y ressentons un pouvoir. Tout dans nos relations en bénéficie.

Après avoir mis un terme à la vie frénétique et pressée du Moi appris, nous suivons notre rythme et vivons des moments de *calme*. C'est alors que nous commençons à comprendre le vrai sens de *Lâcher prise et Laisser Dieu agir*. Ce slogan nous demande de faire pleinement notre part, quelle qu'elle soit, puis d'arrêter et de nous en remettre avec confiance à l'univers pour le reste. Le calme est une méditation vivante où nos aspects humain et spirituel se rencontrent.

Parfois, nous sommes actifs dans nos périodes de calme. Dans l'état d'esprit que les bouddhistes Zen appellent *satori*, le guerrier spirituel émerge. Ceci se produit quand l'esprit est libre de toute pensée, quand nous ouvrons la porte aux émotions et les libérons. Même si le corps est actif, il reste détendu. Le calme se produit quand je me sens réellement concentré. J'ai besoin de ces périodes pour accueillir en moi la perspicacité nécessaire à ma croissance. Il y a un équilibre, un mouvement. Tout ceci fait partie de la transcendance.

Être et devenir

> *Je ne sais pas si ma conscience est adéquate ou*
> *non; je ne sais pas si ce que je sais de mon être*
> *est mon véritable être ou non; mais je sais où est*
> *mon extase. Alors, laissez-moi m'y accrocher, et*
> *ainsi ma conscience et mon être s'éveilleront.*
>
> – JOSEPH CAMPBELL

Un des grands défis auxquels nous sommes confrontés dans la vie est «d'être dans le monde sans être issus de ce monde». Notre Moi appris s'y adapte et se définit par ce monde. Nous acceptons de ne pas être la personne que nous étions destinés à être. À mesure que nous brisons les interdictions parentales de notre passé et revendiquons nos droits acquis à la naissance, notre nature spirituelle se révèle.

En *étant et devenant,* nous stimulons notre nature spirituelle. En pouvant transcender la sagesse qui est en nous, nous faisons maintenant tous les efforts pour la vivre. Il s'agit de vivre en toute conscience. Le pouvoir de créer notre propre signification est réalisé. Nous parcourons le monde sans peur. Quand quelqu'un nous confronte, nous sommes libres de céder. Nous ne critiquons pas le monde. Nous faisons notre part pour y vivre en tant qu'être humain éclairé. Avoir une sagesse supérieure ne signifie pas quitter la vie, mais la vivre complètement, passionnément, avec un nouveau niveau de conscience. En fait, notre âme est entrée dans la réalité. L'*ego* (je) et l'esprit (tu) s'unissent pour former un nouveau Moi. Je puise la signification la plus profonde de l'épée et du calice.

Connaissant et aimant qui nous sommes, nous devenons libres *d'exprimer notre vérité.* Nous «suivons notre chemin». Maintenant libres de laisser libre cours à nos propres pensées, nous découvrons la *perception directe,* une connaissance intérieure. Enfin libres de ressentir, nous exprimons la joie, la tristesse, l'extase et d'autres *émotions supérieures.* Libres de prendre des risques et d'explorer, nous utilisons notre sagesse intuitive pour *vivre passionnément.* Sachant que nous réussissons, nous nous *transformons*. En revendiquant notre enfant intérieur, nous retrouvons un sens du *respect,* de l'*innocence* et de l'*admiration*.

En ayant la permission d'être un adulte responsable, nous choisissons *la vie qui nous convient* au lieu d'une vie convenable. Nous savons quelle est la vie qui nous convient grâce à cette connaissance intérieure plutôt qu'à un ensemble de règles extérieures. En découvrant l'intimité avec les autres et en nous faisant confiance, nous pouvons maintenant nous *abandonner* au processus de la vie. Non seulement nous appartenons à la vie, mais nous ressentons directement notre *conscience de l'unité,* une expérience holographique (tridimensionnelle). Cette énergie vitale intérieure, fondée sur notre pouvoir personnel, nous donne la liberté d'exprimer notre force de vie et de créer notre *propre signification*. L'amour avec le pouvoir nous oriente et nous garde sur la bonne voie. La santé se traduit par *l'harmonie* de l'esprit, du corps et de l'âme. En vivant notre vie à plein, sans être submergés par des questions de relations, de vie ordinaire, de souffrance, de peur ou de ténèbres, nous découvrons un sentiment de félicité ou d'enchantement. Tout dans notre vie est en parfait *accord*.

Aimer

> *Nous avons plusieurs personnalités, mais nous n'avons qu'une seule essence.*
>
> – Jacqueline Small

En *aimant,* nous dépassons notre Moi autonome qui a appris à s'affirmer lui-même et à laisser les autres s'affirmer. Le partage du pouvoir a remplacé les jeux de pouvoir compétitifs du Moi appris. Nous avons séparé ce qui est une personne de ce que cette personne pense, ressent et fait. Maintenant, nous embrassons les autres dans un lien émotif et spirituel. Nous avons trouvé notre cœur et l'avons largement ouvert. Nous aimons aussi profondément qu'un être humain peut aimer, en vivant la proximité et l'intimité, bien au-delà de l'enchevêtrement.

De cette ouverture, l'expansion de l'amour total peut commencer, et notre amoureux spirituel apparaît. Dans les relations amoureuses, aimer à partir de notre amoureux spirituel peut être si profond qu'il nous projette dans des états de conscience plus élevés. Dans une union sexuelle, cette ouverture peut être si complète que nous pouvons connaître l'orgasme dans l'immobilité, sans qu'aucun geste ne soit nécessaire.

En nous ouvrant à nos besoins primaires, nous déplaçons notre énergie vers le cœur et en dehors du corps. Dans le mariage, chaque personne sacrifie son *ego* à une union beaucoup plus intense que tout *ego* ne pourrait jamais connaître ou imaginer. Il se peut que nous vivions un sentiment profond *d'unité,* que nous ressentions un amour, une passion pour une union avec la vie entière qui dépasse nos relations les plus importantes. En donnant, nous recevons.

Nous reconnaissons *le pouvoir de l'amour alors qu'il s'accompagne de volonté et de sagesse.* L'amour est l'esprit qui s'exprime lui-même. Il est spontané. C'est la pulsion de la vie qui vient du cœur. C'est un état d'être qui n'a pas de limites. Il ne demande pas d'objet d'amour spécifique, même s'il peut en avoir un. L'amour sublime la vie pour en faire une suite d'expériences spirituelles. Nous ne craignons plus le pouvoir, car il s'est exprimé dans sa forme la plus grande — l'amour et la bonté. Voilà l'amoureux spirituel.

S'éveiller

Le passage de l'autonomie à la vie spirituelle est un éveil intérieur. C'est ce moment dans le temps où nous réalisons en toute conscience qui nous sommes ici et maintenant. En réalité, il s'agit d'un *réveil,* car nous sommes nés avec cette conscience. De nouveau, nous ne faisons plus qu'un avec l'univers alors que nous *devenons* entièrement qui nous sommes. Comme le brin d'herbe, le chêne et la rose, nous revendiquons notre vraie nature. Nous connaissons le véritable sens de l'authenticité, de l'amour et du pouvoir. La personnalité est maintenant appelée au service de notre Moi spirituel.

Cet état de conscience supérieur devient le *pont vers la connaissance supérieure*. Notre expérience est accueillie et entièrement intégrée. Nous sommes en accord. Les mots *voir, entendre, penser* et *ressentir de nouveau* prennent vie. Il s'agit d'une expérience directe, non plus d'une compréhension partielle. Nous ne cherchons plus à conquérir, nous sommes en parfait accord ! C'est la joie par opposition à la réussite. Nous découvrons notre noyau, l'essence de la vie qui nous met en rapport avec tout ce qui est merveilleux. Nous prenons nos décisions à partir de ce noyau et ces décisions nous semblent bonnes et honorables.

Nous *développons un Moi observateur* qui non seulement se soucie avec détachement, mais devient un mentor spirituel, un Moi divin. Nous nous promenons avec notre mentor, nous allons en nous et écoutons les messages :

- *Arrête de feindre que ta vie est ordinaire.*
- *Tu n'as rien à faire, sauf cesser de te tourmenter.*
- *Décide ce que tu veux faire et ce que tu ne veux pas faire.*
- *Examine les peurs qui t'empêchent d'agir.*
- *Tout professeur est étudiant, et tout étudiant est professeur.*
- *Sois plus attentif à ton partenaire.*
- *Tu doutes.*

Le guide plein de sagesse est un lien avec l'intelligence universelle et divine. Nous commençons à canaliser cette information dans notre vie de plusieurs manières. Alors que notre *ego* s'écarte du chemin, la sagesse coule en nous. Souvent, des mots jaillissent soudainement en nous et semblent nous traverser. À ces moments, nous savons que nous accédons à une source de connaissance beaucoup plus grande que nous le sommes. Nous sommes tous un canal par lequel circule cette connaissance. Nous n'avons besoin de personne pour le faire à notre place. Accéder au divin est notre héritage et notre droit acquis à la naissance.

La semence de la spiritualité
dans une coquille extérieure

La vie est un voyage pendant lequel nous allons d'un monde sans frontières à un monde avec des frontières, pour retourner à un monde sans frontières. Ce qui est paradoxal quand nous retournons à notre Moi spirituel, c'est que nous retournons à l'endroit d'où nous sommes partis, l'endroit où ont commencé nos problèmes. À la naissance, nous étions un être pur. Nous n'avions d'autre frontière que notre peau. Nous n'avions aucun moyen de nous protéger de l'environnement rude dans lequel nous vivions. Nous avions besoin des autres pour nous protéger, sinon nous allions mourir.

Parfois, cet environnement nous dit que la colère n'est pas acceptée, que nous ne sommes pas importants, que nous devons craindre la proximité. C'est alors que nous commençons à développer une coquille, dure comme un gland. Nous pouvons considérer le scénario comme étant cette coquille extérieure que nous avons créée pour nous protéger. La semence de la spiritualité reste en nous et elle a besoin d'être protégée pendant que nous développons nos forces. Si la couche extérieure ne s'enlève pas, la graine pourrit. Elle meurt peu à peu. Pour qu'elle continue à grandir, elle a besoin de se fendre, de s'ouvrir, afin de découvrir la lumière. La graine a aussi besoin de nourriture, de terre et d'eau. Elle a besoin d'être élaguée et protégée. Elle se développera quand elle répondra à son besoin pressant de grandir en traversant la terre dure qui l'emprisonne, en allant chercher le soleil pour devenir ce qu'elle est, son propre caractère unique.

Si la semence spirituelle en nous reste dormante, nous mourons. Une voix intérieure nous dit de grandir et d'être, de suivre notre chemin. Si nous avons de la chance, la vie nous offrira les occasions qui nous pousseront sur ce chemin. Souvent, nous avons besoin de souffrir, aussi pénible que cela puisse être, pour briser notre coquille extérieure. Si nos parents avaient été suffisamment sages et informés, et si leurs parents les avaient nourris comme il se doit, ils nous auraient donné naturellement ces ouvertures. Souvent, ils ne l'ont pas fait parce qu'ils ne le pouvaient pas. Si la vie ne nous fournit pas les chocs dont nous avons besoin, nous les créerons assurément en vivant notre scénario de vie. Ces chocs nous servent à revendiquer notre autonomie, puis à atteindre la transcendance. Cela se produit naturellement, car c'est notre véritable nature.

L'importance de comprendre l'amoureux spirituel

N'oubliez pas que le Moi appris, le Moi autonome et le Moi spirituel sont tous les trois en vous. La question est de savoir lequel dirige votre vie à un moment donné. Il se peut que vous ne laissiez pas toujours s'exprimer le Moi que vous voudriez être, mais le fait de comprendre ce modèle peut vous encourager à percevoir le processus à partir de votre côté supérieur — l'amoureux spirituel. Ceci vous permettra souvent d'avoir plus de facilité dans vos relations.

Qu'a à voir la spiritualité avec la dépendance amoureuse ? Tout. Vous pouvez être en pleine dispute, vivre un traumatisme, être confronté à un problème déroutant, et prendre du recul pour examiner la situation d'un point de vue spirituel. Bien que l'intégration du Moi soit nécessaire, nous n'avons pas besoin d'être complètement intégrés pour voir la vie à partir de notre Moi spirituel ou pour développer notre amoureux spirituel. Souvent, les gens décrivent la croissance qui nous mène de l'autonomie à la spiritualité en termes religieux ou poétiques. C'est vrai pour l'histoire de Kelley, qui résume une grande partie des idées que je viens d'aborder.

❖ L'HISTOIRE DE KELLEY : *« Quand je me libère de la litanie de mes expériences douloureuses, la lumière commence à briller dans mon cœur. »*

Pendant mon enfance, j'avais l'impression d'être en dehors de la vie, de la regarder le nez collé à la fenêtre. Je voulais entrer dans le cœur de mes amis qui, je le pensais, vivaient confortablement dans leurs foyers américains, chaleureux et heureux.

J'étais le portrait de l'enfant américain type : cheveux blonds, taches de rousseur, yeux bleus, visage rond. J'adorais grimper aux arbres et mâcher du chewing-gum. Je réussissais presque tout ce que je faisais.

Personne ne savait mon secret. Mes parents étaient toxicomanes. Je prétendais que j'allais bien, mais mon père, un médecin, était morphinomane.

Ma mère, ma déesse vénérée pour sa force, finit par perdre contact avec la fille amoureuse qu'elle avait été! Son amour s'éroda petit à petit et elle finit par abandonner son rêve. Je refusais d'admettre son échec. Je consacrais ma vie à la protéger. Ma mère était alcoolique.

Ma grande admiration d'enfance envers ma mère réglementait constamment mes pensées : *Fais passer les personnes que tu aimes avant toi.* J'ai suivi ce décret. La liberté ne faisait plus partie de mes choix.

Je n'étais plus qu'une chenille. J'avais besoin de mes parents comme les petites chenilles ont besoin d'une surface solide sur laquelle fixer toutes leurs pattes duveteuses. Je n'ai jamais appris à créer de l'énergie, juste pour moi. Je n'ai jamais rêvé que je pourrais m'envoler.

Mais il n'est jamais trop tard pour devenir un papillon. Je le sais maintenant. J'ai assisté à la métamorphose de mon père et de ma mère avant la mienne.

La métamorphose n'a pas été tout de suite visible. Je n'ai d'abord vu que ce qui appartenait à la dépendance : un cocon bien développé, dans lequel ils étaient enfermés et qui les séparait de moi. Je voyais la souffrance sur leurs visages et je la reconnaissais entièrement, jour après jour.

J'étais dépendante de cette image de la dépendance et je faisais comme si j'allais bien.

Papa a failli mourir et a arrêté de se droguer. Maman a failli mourir et a arrêté de boire. Ils en sont tous les deux sortis vainqueurs. Pourtant, je continuais à m'accrocher avec entêtement à l'image que j'avais d'eux avant.

Chacun de nous cherche son salut. Nous sommes nos meilleurs critiques de nous-mêmes, nos meilleurs juges de ce qui est réel. La Bible dit : «Cherchez votre salut dans la crainte et en tremblant.»

Mes parents ont survécu à l'humiliation et à la discorde. Ils ont vécu le cycle en entier. Leur métamorphose était leur affaire. Ils ont souffert, puis ils sont devenus un papillon.

C'était moi qui étais incomplète. J'avais peur de trouver mon propre moi que j'avais perdu de vue. J'ai commencé à penser autrement : *Si je ne me libère pas de cette vision rigide de la souffrance qui me vient de mon passé, je ne pourrai jamais lâcher prise devant ma propre souffrance dans le présent.*

Soudain, je me suis sentie différente. Mes pensées sont devenues plus profondes. Elles se sont creusé un chemin vers des profondeurs où la dépendance n'a pas de pouvoir, un endroit merveilleux où le mal n'a pas sa place.

J'ai commencé à me libérer de tout ce dont j'avais été témoin. Ce faisant, je me suis débarrassée d'une préoccupation malsaine pour la douleur et la souffrance. La beauté devenait importante pour moi.

À mesure que je modifie ma vision de la condition humaine, je vois que chacun de nous peut revendiquer la liberté. L'amour ressort victorieux des combats déroutants que nous devons mener contre des souvenirs obscurs. Des anges émergent des nuages pour nous montrer le chemin à suivre.

Mary Baker Eddy, fondatrice de la Christian Science Church, a dit : «À mesure que la pensée humaine passe d'une étape de souffrance consciente à une autre, puis exempte de souffrance, de tristesse et de joie — de la peur d'espérer et de la foi de comprendre — la manifestation visible de ce changement sera qu'enfin l'homme sera gouverné par l'âme et non par un sens matérialiste.»

Quand je me libère de la litanie de mes expériences doulou-reuses, la lumière commence à briller dans mon cœur. La liberté, c'est comprendre. Et il est toujours temps de devenir un papillon.

Nous avons appris comment nous ouvrir à notre spiritualité. Mais comment ce sens de la spiritualité change-t-il nos relations dans notre vie quotidienne? Il y a un amoureux spirituel en cha-cun de nous. Et, bien que d'amener notre amoureux spirituel dans notre vie soit un idéal, nous devons relever le défi de recon-naître notre amoureux spirituel et de le laisser diriger notre vie amoureuse. Nous aborderons ce sujet dans le prochain chapitre.

ACTIVITÉ

Le scénario transformationnel

Voici des questions qui pourront vous aider à évaluer votre niveau d'engagement dans votre transformation. Prenez tout le temps dont vous avez besoin pour répondre à chaque question. Vous pouvez prendre un crayon ou un stylo et écrire vos réponses sur une feuille de papier.

1. Quelles sont les expériences qui continuent de vous empêcher d'atteindre votre complétude?

2. Que faites-vous pour que ces expériences vous aident à grandir?

3. Considérant vos relations comme des moyens d'appren-dre, faites une liste de vos relations importantes et ce qu'elles vous ont appris sur vous-même.

4. Comment essayez-vous de combler vos vides spirituels? (Parmi vos réponses peuvent figurer le plaisir, l'argent, le travail, le sexe, le pouvoir, la drogue, l'excitation, les relations dépendantes, etc.)

5. Comment pourriez-vous améliorer la qualité spirituelle de votre vie?

6. En utilisant une échelle de 0 à 10 (10 étant le plus élevé), quelle importance accordez-vous à ce qui suit? Quelle importance votre partenaire accorde-t-il à ce qui suit? Remarque : si vos résultats et ceux de votre partenaire sont très différents, cela vaudrait la peine que vous en discutiez tous les deux.

- Valeurs spirituelles et besoins
- Expériences mystiques
- Être mon vrai Moi
- Maîtrise de soi
- Félicité, émerveillement
- Guide intérieur rempli de sagesse
- Amoureux spirituel
- Humour cosmique et caractère enjoué
- Solitude

CHAPITRE 5

L'amoureux spirituel en vous

ભ૯ଛଽ૦ଛ૦

Lorsque l'amour vous fait signe, suivez-le,
Quoique ses voies soient difficiles et escarpées.
Et lorsque ses ailes vous enveloppent,
abandonnez-vous,
Quoique l'épée cachée sous ses ailes puisse
vous blesser.
Et lorsqu'il s'adresse à vous, ayez confiance
en lui,
Quoique sa voix puisse briser vos rêves,
comme le vent du nord dévaste le jardin.
Car, bien que l'amour puisse vous couronner,
il pourra aussi vous crucifier.
Et bien qu'il soutienne votre croissance,
ainsi favorise-t-il votre élagage.
Mais si votre peur vous poussait à ne chercher
que la paix et le plaisir de l'amour,
Alors, il serait préférable de couvrir votre nudité
et passer outre l'aire de battage de l'amour.

– KHALIL GIBRAN

Selon la croyance populaire, le véritable amour fait souffrir et, s'il ne vous dévaste pas, ce n'est pas de l'amour. En amour, vous êtes totalement vulnérable, ouvert. Cette ouverture à l'autre est si complète qu'elle ne laisse aucun vide dans l'âme. Cet amour vous transporte bien au-delà de vous-même, vers une expérience d'union avec la vie tout entière. Dans cette union, vous connaissez et accueillez la joie et la tristesse, toutes deux concubines de la vie.

L'émergence de l'amoureux spirituel

Nous avons défini *l'amour* et nous avons défini le *pouvoir*. Vous avez appris que vous apportez trois amoureux, et non pas un, dans chaque relation.

- Il y a l'amoureux dépendant qui est attaché à lui-même ou à l'objet de son amour et qui cause des ravages dans toutes les relations amoureuses dans lesquelles il entre.

- Il y a l'amoureux autonome, qui aime d'une façon profondément humaine et avec engagement. Après s'être libéré de ses peurs et de ses pensées négatives, il partage avec la personne aimée l'amour et le pouvoir, et un partenariat significatif peut alors se développer.

- Enfin, il y a l'amoureux spirituel qui connaît en profondeur le véritable sens de l'amour et du pouvoir.

Plus notre amour est complet, plus nous nous permettons d'être intimes, plus nous nous rapprochons de notre noyau spirituel. Quand ce noyau fait partie de nos relations, l'amour défie tous les mots. Quand l'amour vient du cœur, de l'âme, de l'esprit et du corps, nous devenons un amoureux spirituel.

Bien que cet amour soit possible, il reste un idéal pour lequel nous devons continuellement lutter. Alors que nous nous approprions et nous débarrassons des ténèbres de notre psyché, nous connaissons de plus en plus de moments d'amour spirituel dans nos relations amoureuses. En reconnaissant ces moments, nous pouvons les emmagasiner dans notre banque de mémoire humaine. Nous savons que nous pourrons y retourner encore et encore.

Avec toutes les pressions pour que nous soyons autrement, il est difficile de maintenir l'amoureux spirituel en nous. Pourtant, accueillir cet amoureux dans notre relation est peut-être le seul espoir que nous ayons. Car c'est notre amoureux spirituel qui peut nous faire découvrir les profondeurs inconnues de l'amour. Et c'est l'amoureux spirituel en chacun de nous qui revendique l'intensité de notre pouvoir, qui nous pousse à aimer sans crainte. Nous avons appris que l'amour sans le pouvoir finit par disparaître, que le pouvoir sans l'amour blesse. La réponse est donc l'amour et le pouvoir, la métaphore vivante dans nos relations. Autrefois endormies, aujourd'hui réveillées, ces énergies spirituelles produisent un sentiment enivrant d'une telle ampleur que nous découvrons tout à coup les meilleurs aspects de nous-mêmes. Nous transcendons la mesquinerie et tous les aspects négatifs habituels qui ont dominé nos relations jusqu'à présent.

Découvrir l'amour

Des allusions à la reconnaissance de l'amoureux spirituel sont apparues au début du douzième siècle avec l'introduction du concept de l'amour courtois[29]. Plutôt que de le déplorer et de le considérer comme un péché, l'amour passionné était considéré comme un amour venu des profondeurs de l'âme. La passion était synonyme de souffrance. L'amoureux spirituel l'acceptait volontairement. Cela permettait à l'homme et à la femme inspirés par l'amour d'atteindre une noblesse de caractère qui les transformait et appelait leurs vertus les plus grandes. Un nouveau respect pour les femmes, le féminin, était en plein essor. *Eros,* notre besoin d'une union physique, s'unit à *agape,* l'amour spirituel de notre semblable, et devint *amour,* cette relation amoureuse profonde et infiniment personnelle.

Pour les troubadours, l'amour devint l'expérience religieuse ultime. Ils prétendaient qu'on pouvait découvrir l'âme dans la rencontre des yeux de l'autre, et que dans cette rencontre des regards se produisait une reconnaissance d'une identité mutuelle, une union spirituelle. Ce moment spirituel précédait

---

29. Joseph Campbell parle de ce point dans une entrevue avec Bill Moyers, *The Power of Myth.*

toute union physique. L'expression physique devint le sacrement qui confirmait le lien plus profond. Cette expérience est absolument le contraire de l'amour euphorique ou du dépendant sexuel, deux formes de relations pour lesquelles la recherche de sensations physiques passe avant tout. L'âme n'est pas impliquée dans ces relations, et l'amoureux dépendant reste vide, excepté pour un bref moment d'une union qui ne peut être soutenue. Plutôt que de se sentir vertueux et complet, la haine de soi, la colère, le dégoût, le dédain, la torpeur et l'ennui deviennent la règle.

Bien qu'il y ait beaucoup de personnes que nous pouvons aimer et que nous aimons, nous continuons à désirer des relations importantes qui seront en harmonie avec l'essence spirituelle de la vie entière tout en s'adressant à notre individualité. Plus nous nous éveillons et devenons conscients, plus il devient possible que nous invitions des amoureux spirituels dans notre vie. La conscience appelle la conscience. Quand cela se produit, nous accédons à un savoir mystique, une jubilation mystique, à l'intérieur de cette union. À l'instar de l'univers, l'amoureux spirituel suit un scénario et travaille afin de parvenir à un tout unifié. Quand les gens ont leur appartenance, tout semble se mettre en place, même dans des moments de chaos et de doute. Quelque chose en nous dit : *C'est ça.*

Caractéristiques de l'amoureux spirituel

Notre amoureux spirituel est un niveau au-dessus de l'amour sain et ordinaire. Alors que l'amour sain nous semble bien et honorable, l'accès à notre amoureux spirituel nous élève et est purement divin !

À quoi ressemble l'amoureux spirituel ? Comment s'exprime-t-il ? Bien que l'amoureux spirituel n'ait pas besoin d'être défini (il est ce qu'il est), il est utile de savoir à quoi il ressemble. En effet, nous pourrions découvrir que les caractéristiques qui suivent décrivent des expériences que nous avons connues mais négligées. Étant donné que nous passons la plupart de notre temps dans ce pour quoi nous avons été conditionnés, nous oublions de nourrir notre amoureux spirituel. Même s'il n'est pas toujours visible, il est toujours potentiellement présent. L'amoureux spirituel pénètre et circule en nous tous.

Selon mon expérience, je compte vingt caractéristiques qui se retrouvent dans l'amoureux spirituel. L'amoureux spirituel :

1. Sait ce que signifient amour et pouvoir.

2. Connaît le caractère sacré dans l'autre.

3. Accepte et exprime pleinement l'amour.

4. Expérimente la blessure du cœur.

5. Considère l'amour comme un moyen de se sortir de la souffrance.

6. Est d'une absolue honnêteté.

7. Se considère comme un étudiant et un professeur.

8. Éprouve le besoin profond de servir l'autre.

9. Ressent de la gratitude et de la bonté d'avoir été servi.

10. Accueille l'amour avec encore plus d'amour.

11. Considère l'union sexuelle comme une inspiration de l'amour.

12. Est lumineux et radieux.

13. Honore l'autre.

14. Exprime une tendresse profonde.

15. Ressent l'unité et la complétude.

16. Savoure le moment.

17. Accepte totalement le Moi humain.

18. Résout les conflits avec son cœur.

19. Partage avec son âme.

20. Se plie aux lois de la transformation.

Sait ce que signifient amour et pouvoir

Les amoureux spirituels ont non seulement découvert personnellement la relation entre amour et pouvoir, mais ils la vivent maintenant. L'amoureux spirituel comprend la relation divine qui existe entre le Saint-Graal et l'épée, la douceur et la dureté, la terre et le ciel, l'union de la matière et de l'esprit. Le mâle et la femelle intérieurs se sont mariés. L'amour auquel s'allie le pouvoir émerge en une douce confiance.

❖ L'HISTOIRE DE STAN ET MARGIE :　*« L'amour inconditionnel n'a pas besoin de jeux de pouvoir. »*

Fatiguée de se sentir impuissante, Margie commença à consacrer davantage de temps à son développement personnel. Ce faisant, elle découvrit en elle un irrésistible sens d'amour inconditionnel. Elle découvrit son propre professeur intérieur. Inutile de dire que cela changea la dynamique de sa relation avec son partenaire, Stan, lequel aimait contrôler. Habitué à ce que quelqu'un anticipe ses besoins et à être «celui qui domine», Stan commença à menacer de quitter la relation. Margie lui répondit par l'amour. Elle dit : «Je t'aime. Comment puis-je être avec toi d'une manière qui nous honore tous les deux?» Stan, se souvenant du lien spirituel profond qu'il avait connu avec Margie pendant les premières semaines de leur relation, fit preuve d'humilité et permit à son amoureux spirituel de s'exprimer. «Moi aussi, je t'aime», dit-il. «Les changements chez toi me désorientent, mais je suis disposé à faire ce que nous pouvons pour reconstruire notre relation.» Tous les deux ont appris que l'amour inconditionnel n'a pas besoin de jeux de pouvoir.

Connaît le caractère sacré dans l'autre

L'amoureux spirituel sait qu'être amoureux peut s'avérer l'expérience la plus importante dans sa vie et sent que chaque moment est un miracle. Les choses les plus simples deviennent source de joie — une promenade dans le parc, le rituel de la pizza du mardi soir. La communication se fait en partageant des expériences et non pas toujours par des mots. Dans l'amour spirituel, le silence lui-même devient sacré. Cela n'a rien à voir avec le silence tendu qui accompagne le refus de communiquer, lorsqu'un mur se dresse pour empêcher toute intimité. Les amoureux spirituels savent que, même si l'amour qu'ils ressentent a été déclenché par l'autre personne, il vient de leur propre caractère sacré — cet endroit paisible tout au fond d'eux.

J'ai vu ce sens du sacré en regardant un ami assister à la mort de la femme qu'il aimait. Leur relation, dans l'ensemble, était bonne et solide. Il arrivait bien sûr qu'ils soient en désaccord et se disputent — ils étaient des êtres humains. Mais, d'une façon ou d'une autre, ils surmontaient toujours leurs mésententes. Ils ne finissaient jamais une journée sans avoir renouvelé leur amour. Au lieu de se concentrer sur la douleur de l'ultime séparation, même si elle se manifestait souvent, ils se concentraient sur leur force, leur dignité et leur amour profond. Chaque moment était sacré et ressenti profondément. Chaque instant était un «pour toujours», et ce, même pendant les moments les plus difficiles.

En essence, leur amour disait : *Grâce à notre amour, je connais Dieu.* Il considérait sa femme comme un reflet sacré de l'univers et, en mourant, elle fit ressortir le caractère sacré en lui. Grâce à ce caractère sacré, ils ont pu, malgré leur chagrin, se libérer l'un l'autre — l'un vers la vie et l'autre vers la mort. Ils n'étaient pas attachés à la forme corporelle de l'autre. Ils savaient que leur intimité sacrée durerait, même au-delà de la mort.

Accepte et exprime pleinement l'amour

Une des plus grandes souffrances que nous pouvons vivre dans nos relations amoureuses est peut-être de voir notre amour rejeté. Le fait de ne pas pouvoir être libres de donner avec notre cœur nous blesse terriblement. Nous sommes aussi blessés quand nous ouvrons notre cœur à une autre personne, mais que cette dernière est incapable de le recevoir. La douleur de voir notre amour non accepté engendre une grande tristesse. L'amoureux spirituel a transcendé ses croyances négatives, ses peurs, ses décisions et ses dépendances qui le laissaient dans la peur et la solitude ; il est maintenant libre d'accepter totalement l'amour qui lui est offert. L'amoureux spirituel accepte non seulement l'amour qui lui est offert, mais il l'exprime pleinement. L'amour comble les deux personnes qui s'aiment. Les deux cœurs sont ouverts. L'amour, le pouvoir, la sagesse — tous trois présents, en même temps.

Un homme en recouvrance de nombreuses dépendances, y compris une dépendance sexuelle, me confia en hésitant qu'il vivait une nouvelle relation amoureuse. Il me demanda si ce n'était qu'un autre substitut, une autre quête d'autosatisfaction. Je lui demandai s'il était amoureux. Il me répondit : « Je ne sais pas. Je ne sais pas si je pourrais reconnaître l'amour. Mais dans cette relation, il y a quelque chose de très différent. Je ressens des sensations bizarres dans tout mon être, pas seulement dans tout mon corps. »

« Vérifiez si cette sensation commence par une sensation de richesse dans le cœur qui se répand vers l'extérieur », lui répondis-je. « Si tel est le cas, il est probable que ce soit de l'amour. Dans ce cas, acceptez-le et profitez-en. Maintenant que vous êtes sobre, vous êtes libre de ressentir ce que vous n'étiez pas libre de ressentir auparavant. Peut-être vous êtes-vous ouvert à l'amour. »

Expérimente la blessure du cœur

Les amoureux spirituels expérimentent la blessure du cœur. Ils savent que l'amour est plus grand que la douleur et la mort. Ils n'ont pas peur d'aimer profondément, complètement et mutuellement, même si un conflit pouvait les faire souffrir. Et dans cette volonté d'accepter la douleur, ils acquièrent, comme le révèle l'histoire de Linda et Joseph, le moyen de la transcender.

❖ L'HISTOIRE DE LINDA ET JOSEPH :   *« Ils ont abattu les murs qui les séparaient et se sont enlacés. »*

Linda et Joseph vivaient une période difficile. Linda s'ajustait à la naissance d'un autre enfant et avait abandonné son travail pour rester à la maison. Un fort sentiment de rage et d'être sans importance fit surface. Les souvenirs de son enfance, pendant laquelle elle n'avait pas eu de soutien émotionnel, ressurgissaient de plus en plus fréquemment.

De son côté, Joseph luttait pour survivre dans une entreprise familiale où il n'avait pas de mentor masculin, et où il était confronté à des personnes qui le critiquaient et essayaient de contrôler son destin. Linda demandait davantage d'attention; Joseph demandait à être compris. Chacun voulait que l'autre réponde à ses besoins. Tous deux étaient en compétition féroce pour que leurs besoins soient satisfaits. Ils utilisaient les jeux de pouvoir, le blâme, le retrait et la colère. Ni l'un ni l'autre ne se sentait écouté, ni ne comprenait vraiment l'autre.

Ce n'est qu'après avoir transcendé leurs natures compétitives et avoir commencé à examiner leur relation du point de vue de leur amoureux spirituel qu'ils comprirent deux choses : d'abord que l'amour et l'esprit de l'autre leur manquaient profondément; puis que chacun d'eux souffrait de blessures qui n'avaient pas été causées par l'autre. Parce qu'ils étaient tous les deux dans leurs propres besoins, ils ne pouvaient pas vraiment être présents pour l'autre. En comprenant cela, ils ont abattu les murs qui les séparaient et se sont enlacés. La joie et la peine se rencontrèrent à ce moment.

Considère l'amour comme un moyen de se sortir de la souffrance

Les amoureux spirituels savent qu'ils peuvent transcender la souffrance avec l'amour. Autrement dit, l'amour appelle à la tâche. Tous les jours, on nous demande de transcender notre souffrance, notre peur, nos conflits — de faire des choses difficiles parce que nous aimons, de faire ce que nous ne voulons pas faire parce que nous aimons. Paradoxalement, aussi vaste et absolu que soit l'amour, la voie qui y mène est très étroite. L'amour peut nous plonger dans un état de surexcitation comme il peut nous faire traverser les moments les plus pénibles. L'histoire de Joan nous le montre.

❖ L'HISTOIRE DE JOAN : *« Elle a vu dans cette crise une opportunité.»*

Joan souffrait beaucoup après avoir découvert que son mari avait une aventure. Elle avait perdu dix kilos, était désespérée et souffrait de crises d'angoisse. Jamais de sa vie elle n'avait connu une souffrance aussi intense. Des sentiments et des pensées familières refirent surface : *Je ne suis pas assez bonne. Je ne mérite pas d'être heureuse.* Elle se questionnait sur la confiance trahie par son mari et se demandait si elle pourrait surmonter un jour sa peine.

Au milieu de sa souffrance, elle a pu accéder à son amoureux spirituel, pour se rappeler que cet événement était nécessaire dans un cheminement de vie et ne devait pas forcément être une fin en soi. Elle découvrit qu'une partie de la crise avait été déclenchée par sa décision de lâcher prise face à ses vieux comportements pour suivre davantage son cheminement spirituel. «J'ai cessé d'être un paillasson, un sauveteur naïf, et de le mettre sur un piédestal», dit Joan. Elle a vu dans cette crise une opportunité de transformer une relation dépassée en une relation d'amour plus profond. En fait, certains jours, cette connaissance était la seule chose sur laquelle elle pouvait compter. L'amour spirituel est au travail même si la relation avec son mari évolue constamment. L'amoureux spirituel voit les problèmes d'en haut, du plus haut niveau possible, de la possibilité la plus élevée.

Est d'une absolue honnêteté

La confiance est le fondement de l'amour, la base première. L'amoureux spirituel est intègre et loyal; il se comporte comme s'il disait : «Je suis ici pour toi.» Un sentiment de sécurité est présent. Cette confiance absolue sanctifie la relation. Il n'y a ni mensonges ni côté sombre caché. La pureté et l'ouverture de l'amoureux spirituel cessent toute tromperie. Il est la vérité, il connaît la vérité, il appelle la vérité. L'amoureux spirituel sait quand quelque chose ne va pas et attire notre attention. Il dit : «Quelque chose ne va vraiment pas ici! Quand on dit la vérité, on ne fait de mal à personne.» Seul le comportement est mauvais. Curt et Kim ont appris l'importance de ce genre de vérité.

❖ L'HISTOIRE DE CURT ET KIM :   *«Dis-moi la vérité. Je peux faire face à la vérité.»*

Curt savait que quelque chose n'allait pas. Il soupçonnait Kim d'avoir une aventure avec un collègue. Quand il lui en parla, elle nia catégoriquement. Ce qui fit retourner Curt dans le déni. Mais les sentiments négatifs qu'il ressentait étaient trop forts pour lui. Il chercha en lui ce qui pouvait alimenter de tels sentiments — la paranoïa, la peur ou une connaissance plus profonde. Il constata qu'il s'agissait d'une connaissance plus profonde. À l'aide de cette connaissance, il confrontra Kim; et cette fois, il lui dit : «Je dois faire confiance à ce que je sais. Je t'aime. Dis-moi la vérité. Je peux faire face à la vérité. As-tu une aventure?» Kim reconnut qu'elle avait une aventure émotionnelle avec un collègue et fut soulagée de pouvoir en parler ouvertement. La vérité a mené à la guérison.

Se considère comme un étudiant et un professeur

L'amoureux spirituel se considère et considère les autres comme des égaux spirituels et émotionnels. Chacun est à la fois étudiant et professeur. Les amoureux sont des miroirs qui se reflètent l'un l'autre. Comme chaque gouttelette de pluie reflète l'immensité de l'univers, ainsi chacun de nous est un modèle réduit du merveilleux divin. Le sachant, l'amoureux spirituel ne cherche pas à critiquer et à trouver les fautes de l'autre, mais fait ce qu'il peut pour soutenir son partenaire en créant une signification personnelle, en réalisant le potentiel de cette personne. Si les amoureux spirituels n'aiment pas ce qu'ils voient, ils font quelque chose pour que cela change tout de suite. Car ils reconnaissent que la faute de l'autre personne est assurément une partie d'eux-mêmes également. Tel fut le cas pour Charlène.

❖ L'HISTOIRE DE CHARLÈNE :   *«C'est avec tristesse et joie qu'elle a lâché prise et quitté la relation.»*

Charlène se demandait pourquoi elle avait, une fois encore, attiré un partenaire narcissique dans sa vie. Cela n'avait aucun sens. Elle avait fait un important travail intérieur et mettait en pratique ce qu'elle apprenait. C'est alors qu'«il» est entré dans sa vie et a déclenché en elle un fort sentiment amoureux. Tous les jours, elle devait être patiente, gentille, complaisante, tout en soutenant son niveau de conscience à lui, lequel dépassait à peine la dépendance. *«Est-ce que je suis folle?»* se demandait-elle. *«Est-ce que je fais marche arrière?»* L'amoureux spirituel en elle lui dit simplement : «Vous êtes tous les deux des professeurs et, dans peu de temps, l'étudiant se montrera.» En même temps, elle devait lutter pour garder sa propre vérité, pour fixer ses limites. Elle découvrit en elle son propre narcissisme quand elle se démena pour que son partenaire s'élève à son niveau et serve ses besoins. En réponse, il sentit une tendresse spirituelle et découvrit une ouverture de son cœur comme jamais il n'en avait connu. Malgré tout, il décida de rester dans ses dépendances. C'est avec tristesse et joie qu'elle a lâché prise et quitté la relation. Elle découvrit qu'il avait été son amoureux spirituel et, par conséquent, un professeur. Elle vit pour la toute première fois son Moi narcissique. Elle était donc l'étudiante. Elle constata que tous les deux étaient à la fois le professeur et l'étudiant. Après avoir appris la leçon, elle devint libre de poursuivre son chemin.

Éprouve le besoin profond de servir l'autre

Poussé par l'amour, un amoureux spirituel ressent un désir profond de prendre soin de l'autre. Il dit : «Je t'aime et c'est pourquoi je te sers.» Le service est simple et direct, il n'y a pas de motifs cachés, aucune condition ne s'y rattache, aucun don dans le but de recevoir quelque chose en retour. Libre de toute compulsion codépendante, servir et offrir viennent du cœur. L'amoureux spirituel dit : «Je suis là pour toi.» Il donne de lui-même. Il éprouve de la joie à donner, et la joie est la récompense. L'amoureux spirituel considère que servir est l'amour en action.

Quand nous aimons profondément, nous commençons naturellement à servir. L'amoureux spirituel sait que ce n'est pas combien nous donnons qui est important, mais l'amour qu'il y a dans ce que nous donnons. Pour l'amoureux spirituel, la générosité est la base d'une relation harmonieuse. Donner jusqu'à en avoir mal, l'amoureux spirituel le sait, ne signifie pas donner pour autoriser ou pour sauver.

Ressent de la gratitude et de la bonté d'avoir été servi

Non seulement l'amoureux spirituel désire prendre soin de quelqu'un d'autre, mais il ressent aussi un profond sentiment de gratitude et de la bonté en réponse aux personnes qui le servent. Contrairement à l'amoureux humain qui mesure, qui se sent prisonnier d'obligations, manquant de dévouement et plein de culpabilité, l'amoureux spirituel reconnaît le cadeau que lui font les personnes qui le servent et il leur rend leur amour. Comme Ann et Steve l'ont découvert, ils ont vécu un sentiment de plénitude, et le cercle de l'amour s'est fermé.

❖ L'HISTOIRE D'ANN ET STEVE :   *«J'ai appris la vraie signification de l'amour.»*

Ann était en phase terminale. Au début, elle le niait et insistait pour continuer d'être la mère et la femme idéale, refusant de demander ce dont elle avait besoin. À un moment, son mari, Steve, qui était en contact avec son amoureux spirituel, l'arrêta et dit : «Ann, je t'aime tellement; s'il te plaît, laisse-moi m'occuper de toi.» Tous deux sortirent du déni, ouvrirent leur esprit et cessèrent de se plaindre. Il s'occupa d'elle avec son cœur. Elle accepta ses soins avec gratitude. Elle vécut plus de deux ans pendant lesquels, même avec la menace quotidienne de la mort, Ann et son mari devinrent plus forts, leur sagesse et leur amour l'un pour l'autre grandirent.

Au moment de son décès, leur mariage était complet. «C'est dommage que nous ayons besoin que la mort frappe à notre porte pour nous réveiller et comprendre comment deux âmes peuvent donner et recevoir si profondément, expliqua Steve. C'est en servant Ann et en l'accompagnant jusqu'à la mort que j'ai appris la vraie signification de l'amour.»

Accueille l'amour avec encore plus d'amour

Quelque chose se produit quand les amoureux spirituels aiment. La réciprocité de l'amour engendre encore plus d'amour. Cet amour ne cesse de grandir. Comment cela se produit demeure un mystère. Nous savons seulement que cela arrive. Les amoureux spirituels n'ont pas de murs ou de bords coupants — seulement un champ d'énergie. Quand cette énergie est amour, elle est en expansion. Chaque fois que l'amoureux spirituel aime, cet amour entre en contact avec l'esprit et l'âme de la personne aimée. Cet amour, qui vient du cœur, envahit d'abord le corps, puis s'étend vers l'extérieur. L'amour semble s'immiscer partout et ne pas avoir de fin. C'est le sentiment qui dépasse les émotions. La seule façon de l'arrêter, c'est d'élever un mur. Pour des personnes comme Brad, la plénitude de l'amour peut leur sembler si envahissante qu'elles prennent peur et se referment quelque temps.

❖ L'HISTOIRE DE BRAD :   *« La clé vers l'amour était en lui. »*

Brad, un homme d'affaires prospère et dynamique, savait comment gagner et faire fructifier l'argent. Il se fixait des objectifs qu'il atteignait. L'argent semblait attirer toujours plus d'argent. Il n'en allait pas de même en amour. Un échec en suivait un autre. Pas étonnant : la relation entre ses parents était mauvaise et, très tôt, il voulut à tout prix éviter de commettre la même erreur. Pour lui, l'amour était une quête, un idéal. Il devait être parfait ou pas du tout.

Brad apprit que tout l'amour qu'il désirait était à sa portée, dès maintenant. La seule chose qui l'empêchait de le connaître était sa volonté de le contrôler. Étudiant passionné, il plongea en lui et nettoya sa psyché du magma infâme qui l'encombrait pour découvrir l'amour. Il y découvrit d'abord l'amour de lui-même, un amour total qui l'enflamma. Il se sentit plus vivant et plus vibrant que jamais auparavant.

Puis vint le moment de s'ouvrir et de partager cette expérience. Son Moi appris le mit en garde : *Sois prudent — souviens-toi de ce qui est arrivé à ton père. Il s'approcha et fut blessé.* Il ignora cette mise en garde et essaya. Il aima, aima sincèrement. Ce fut une expérience si forte, dit-il, que j'ai eu «l'impression que l'univers passait en moi». Il apprit que la clé vers l'amour était en lui et que sa partenaire, même s'il était passionnément attiré par elle, n'était pas la raison de ses sentiments amoureux. Ces sentiments avaient toujours été là. Brad et sa partenaire devaient s'ouvrir complètement pour être des amoureux spirituels et percevoir la beauté et la profondeur de l'autre.

Considère l'union sexuelle comme une inspiration de l'amour

L'amoureux spirituel connaît bien la différence entre l'amour et la sexualité. L'amour inspire un désir de fusion sexuelle et cet amour vient en premier. Les amoureux spirituels entrent dans l'union à partir de l'essence de leur être. Dans sa forme la plus élevée de l'union sexuelle, l'orgasme peut être expérimenté dans l'immobilité complète, sans même ressentir d'avidité ou de besoin. Aucun mouvement n'est requis. L'amoureux spirituel s'ouvre totalement. L'énergie primaire est relâchée à la base de la colonne vertébrale, remonte vers le cœur et l'esprit, puis se libère hors du corps pour s'unir avec tous et tout. C'est une véritable libération, un véritable orgasme. L'expression totale de l'énergie sexuelle primaire et de la passion ouvre le cœur spirituellement vers un orgasme supérieur, qui dépasse le corps pour atteindre l'âme. Des maîtres spirituels ont écrit et parlé de cette expérience. Nous sommes peu nombreux à y parvenir, mais c'est possible. Des techniques et des «petits guides pratiques» n'aideront pas. Comme l'a appris Andy, seule une union spirituelle peut le garantir.

❖ L'HISTOIRE D'ANDY :   *« J'en suis resté stupéfait.»*

Après son divorce, Andy était sujet aux aventures sexuelles. Bien que plusieurs de ses expériences sexuelles le satisfaisaient physiquement, voire l'excitaient, il reconnaissait ressentir un sentiment de vide après chacune d'elles. Il devait fermer la porte à son cœur, s'interdire tout sentiment afin de justifier ses aventures. Quand il faisait part de ses conquêtes à ses amis, ces derniers l'admiraient d'être capable de ne pas s'engager. Il devint de plus en plus futile, de moins en moins aimant, parfois carrément dur dans ses relations.

Andy finit par ne plus aimer qui il était. Il se sentait étranger à lui-même. «Ce n'est pas ce que la partie éclairée en moi désire», admit-il. Cette révélation intérieure le poussa à cesser ses aventures. «J'ai compris que, la plupart du temps, je me vengeais des femmes qui m'avaient blessé. En agissant de la sorte, je me blessais.» Il lui fallut du temps pour retrouver le chemin de son cœur. Quand il y parvint, une nouvelle femme, une amoureuse spirituelle entra dans sa vie. À mesure qu'il partageait son amour avec son cœur, une amitié aimante se développa. Un soir, alors qu'ils étaient tous deux entièrement confiants et qu'ils s'enlaçaient tendrement, à sa grande surprise, il expérimenta un orgasme complet sans relation sexuelle. «J'en suis resté stupéfait, je ne comprenais rien de ce qui m'arrivait, se rappelle-t-il. Aucun mot ne peut décrire cette expérience.»

Est lumineux et radieux

Les amoureux spirituels rayonnent. Ils sont faciles à reconnaître, car leur présence suffit à illuminer une pièce. C'est une lumière qui éclaire à travers le Moi appris. Elle est présente en chacun de nous, mais notre scénario lui jette de l'ombre. Plus l'ombre du scénario s'étend, plus faible sera la lumière. Une fois allumée, cette lumière attire littéralement les autres personnes. Comme l'ont découvert Barbara et Tom, une fois que nous la reconnaissons, nous remarquons quand elle n'est plus là.

❖ L'HISTOIRE DE BARBARA ET TOM : *« Ils surent que la lumière n'était pas là et qu'elle leur manquait. »*

Barbara sentait que Tom se refermait. Le processus était lent, mais elle savait ce qui se passait. Tom n'était pas conscient qu'il se refermait et ne cessait de dire que tout allait bien, que rien n'était différent. Une nuit, à trois heures du matin, alors qu'elle était incapable de dormir, Barbara dit à Tom : « Tom, nous devons savoir la vérité sur ce qui se passe. » Ils discutèrent pendant quatre heures et finirent chacun par retrouver leur amoureux spirituel. La lumière se ralluma. Et ce n'était pas l'aube qui l'alluma. Une fois qu'ils eurent découvert la luminosité de l'amoureux spirituel, ils surent que la lumière était éteinte et qu'elle leur manquait.

Honore l'autre

> *L'avarice ne peut avilir un amoureux véritable. L'amour permet de distinguer pour sa beauté une femme brusque et fruste. Il peut doter une femme d'une noblesse de caractère. Il permet à l'orgueilleux de découvrir l'humilité. Ô, combien merveilleux est l'amour, car il fait briller une femme de si nombreuses vertus !*
>
> – ANDREAS CAPELLANUS

Un amoureux spirituel s'honore et honore les autres. Il pratique les vertus. Cela génère force, sagesse, compassion et franchise. Inspirés par la présence éclairée de l'autre, les amants spirituels découvrent des états élevés de conscience — même en pleine discorde. La confirmation de la présence de l'amoureux spirituel est la vie et le mouvement dans la relation. Les amoureux spirituels sont patients, gentils, doux, sensibles et humbles. Ils sont disciplinés dans l'art d'aimer et n'orientent pas le cours de l'amour.

L'amoureux spirituel apporte ces qualités dans la vie quotidienne, là où même le travail devient visiblement accompli par l'amour. Les mots « Tu es belle » sont inspirés par un esprit noble. Cette beauté est le doux murmure de l'âme. Lors des différends ou des discordes, cette beauté demeure toujours, inchangée. En partageant du fond de leur cœur, les amoureux spirituels sont capables de dire et de penser : « Je t'aime pour la personne que tu es véritablement et celle que tu peux devenir », comme l'a découvert Don.

❖ L'HISTOIRE DE DON ET CHARLOTTE :   *« Ils rirent tous les deux du fond de leur âme.»*

Don, qui revenait d'une conférence où il avait appris les qualités de l'amoureux spirituel, rentra chez lui pour trouver Charlotte d'une humeur massacrante. Elle faisait voler les casseroles et chaudrons, se plaignait et était irritée par un événement de la journée. Normalement, Don aurait été effrayé ou en colère, il se serait retiré ou aurait attaqué. Cette fois-ci, il s'ouvrit à son amoureux spirituel. Il s'approcha de sa partenaire, la serra dans ses bras, la regarda dans les yeux et dit : « Tu es la plus belle personne que je connais. » Et ainsi, Charlotte lâcha prise sur sa colère. Ils rirent tous les deux du fond de leur âme.

Exprime une tendresse profonde

L'amoureux spirituel affirme, se soucie et chérit la personne aimée. L'amoureux spirituel exprime avec force une tendresse profonde, une douceur et une gentillesse presque sacrées. Libres d'exprimer les meilleurs aspects d'eux-mêmes, les amoureux spirituels partagent leurs qualités réceptives et leurs qualités féminines. Le toucher consiste en une tendre exploration. Il est intemporel, et pourtant familier, de dire : «Je vois et j'assiste au miracle en toi. Tu es une merveille. Et à travers toi, je me vois et me découvre.» Ce contact dépasse les niveaux affectif et sensuel. Il s'agit de la rencontre de deux âmes qui se saluent. Ned et Lana en ont fait l'expérience.

❖ L'HISTOIRE DE NED ET LANA : *«Six semaines de contact aimant ont fait des merveilles.»*

Ned et Lana n'avaient pas eu d'intimité physique depuis des mois. Ils étaient en colère, tristes et déprimés. L'intimité avait une signification différente pour chacun d'eux. Pour lui, c'était sexuel. Le sexe était son droit. «Si on ne te le donne pas, tu le prends», lui disait son père. Pour elle, l'intimité était un désir ardent d'affection. Issue d'une famille nombreuse et entourée de frères et sœurs plus âgés et plus jeunes qu'elle, elle avait le sentiment de ne pas avoir reçu sa juste part d'affection. Ned et Lana avaient tous deux une définition erronée de la proximité. Ils furent encouragés à explorer l'intimité spirituelle pour se libérer afin de simplement aimer par un contact profond et affectueux. Six semaines de contact aimant ont fait des merveilles. Maintenant que leur relation n'était plus centrée sur le sexe ou sur la recherche d'affection, ils purent vivre ces réalités naturellement.

Ressent l'unité et la complétude

L'intimité spirituelle peut être décrite comme un festin sacré dans le cœur de Dieu, car c'est l'expérience ultime des amoureux spirituels. L'union est si profonde qu'ils ont un sentiment que *l'expérience a toujours été et sera toujours*. Ils ont une connaissance profonde de la signification des mots : *Ma place est avec toi*. Dans un mariage, les amoureux spirituels ne font que célébrer devant des témoins ce qui est déjà là. La soif de complétude de notre être est maintenant étanchée.

L'amoureux spirituel est passé de la certitude à l'incertitude pour retrouver de nouveau la certitude.

- *Certitude* — Bébés, nous ne faisons qu'un avec l'univers. Nous sommes *certains* de qui nous sommes.

- *Incertitude* — Dépourvus de frontières ou de moyens pour nous défendre, nous commençons à absorber les pensées, les sentiments et les comportements des autres et devenons *incertains* de qui nous sommes vraiment — où nous arrêtons et où commence l'autre.

- *De nouveau la certitude* — À mesure que nous revendiquons notre autonomie en libérant notre psyché des influences négatives, nous retournons à la *certitude* de qui nous sommes. Nous sommes maintenant libres de retourner au stade où nous n'avions pas de frontières, sans avoir peur de nous perdre.

L'amoureux spirituel sent qu'il fait un avec l'univers — conscience d'unité. Dans cette union, il transcende son humanité et complète le cercle. Son âme n'abrite aucun endroit vide, aucune ombre. En étant avec une personne ouverte, en vivant l'amour, l'amoureux spirituel découvre un éternel maintenant, l'unité avec la vie dans son ensemble. En partageant l'amour inconditionnel et l'achèvement, les besoins n'existent plus. Rien ne manque et rien n'a besoin d'être atteint. Rick explique cet achèvement.

❖ L'HISTOIRE DE RICK :   *« Nous nous sommes libérés de notre Moi appris. »*

L'amour n'est pas une technique, c'est une expérience partagée. Le bonheur ne peut être atteint qu'avec un cœur ouvert et prêt. Ma partenaire et moi avons dû examiner les blessures qui nous empêchaient de partager cœur à cœur. De mauvais gré, nous avons commencé nos processus de croissance personnelle. Nous avons été stupéfaits de découvrir à quel point nous avions été programmés pour nous fermer, nous isoler, utiliser des jeux de pouvoir. Au bout d'un long processus, nous nous sommes libérés de notre Moi appris et assez longtemps pour retrouver un sentiment profond d'appartenance et d'affection — une unité.

Savoure le moment

Notre conditionnement humain peut faire que la félicité et l'amour spirituel deviennent une exception et non la règle. Conscient de cela, l'amoureux spirituel conserve soigneusement et savoure chaque moment unique, tel des joyaux. Ces souvenirs précieux, qui ne seront jamais oubliés, sont enfermés dans la psyché. Les amoureux spirituels font appel à ces moments pour traverser des périodes difficiles, des tâches pénibles et des moments de doute. Souvent, ces souvenirs sont la seule chose qui peut nourrir une relation amoureuse. Tel fut le cas de Mark.

❖ L'HISTOIRE DE MARK : *«J'ai pu me libérer de mes souvenirs terrifiants.»*

Dans un moment de colère, ma partenaire me menaça de partir. Les souvenirs de trois relations amoureuses manquées m'effrayèrent. Quand, ma partenaire et moi, nous nous rencontrâmes, nos amoureux spirituels étaient actifs et présents. Nous avions discuté de deux choses sur lesquelles nous étions d'accord. Premièrement, nous allions chérir et exprimer notre appréciation pour le cadeau qu'était notre amour; deuxièmement, nous n'allions jamais oublier les moments spéciaux et nous rappeler que ces moments étaient ce qui comptait et représentaient vraiment notre amour. J'ai pu me libérer de mes souvenirs terrifiants et retourner une fois de plus à mon amoureux spirituel.

Accepte totalement le Moi humain

En reconnaissant l'importance de ses besoins humains, l'amoureux spirituel ne les nie et ne les ignore jamais. Au contraire, l'amoureux spirituel s'exprime à travers le Moi humain et l'accepte totalement. Il est important de le comprendre. Bien que l'amoureux spirituel connaisse le Moi humain à partir d'une autre réalité, il travaille avec le Moi appris et le Moi autonome.

Ce partenariat permet à notre énergie primaire, aux meilleurs aspects de notre humanité, de s'exprimer pleinement. Il reconnaît aussi quand il est important de laisser l'humain à l'avant-scène, quand nous donnons trop de place à la spiritualité, quand nous manifestons trop de compréhension, de compassion, de générosité, au détriment de l'enfant intérieur. Trop peut nous replacer dans le rôle du sauveteur, du facilitateur et nous rejeter dans la codépendance, là où l'esprit et l'enfant intérieur meurent. Quand nous arrêtons d'écouter notre professeur intérieur et d'exprimer notre propre vérité, notre amoureux spirituel saura reconnaître le moment où c'est assez. Il sait que l'humain peut avoir besoin de semer la pagaille pour apprendre des leçons afin de développer davantage sa spiritualité, et il le lui permet. Ce n'est pas l'amoureux spirituel *versus* l'amoureux humain, c'est vivre avec les deux. L'amoureux spirituel apprécie et vit pleinement dans le corps. Il apprécie le monde matériel et le comprend. Il sait que si nous étions destinés à être des anges, nous serions des anges. Mais nous ne le sommes pas. Il connaît la vie réaliste qui permet les expériences spirituelles et comprend que nous sommes en fait des amoureux spirituels ayant des relations humaines.

L'amoureux spirituel sait que l'amour a des cycles et des saisons. À certains moments dans nos relations, nous devons passer plus de temps dans le monde matériel — le monde du travail, de l'argent et des conflits interpersonnels. Si nous y restons trop longtemps, nous commençons à perdre contact avec l'amoureux spirituel, mais nous pouvons nous remettre doucement dans le bon chemin. Cet équilibre est délicat et nécessaire. Theresa le décrit de la façon suivante.

❖ L'HISTOIRE DE THERESA : *« Travailler ensemble nous permet plus d'occasions d'escapades avec nos amoureux spirituels. »*

Mon amoureux spirituel est une partie importante de ma relation amoureuse. Je savoure les moments où il est présent. Il est le fondement de la relation que je vis avec mon partenaire. Moi et mon partenaire vivons une multitude de relations. Nous sommes amis, mentors et nous avons entrepris l'imposante tâche de diriger ensemble une entreprise. Nous avons été confrontés à un tout nouveau défi. Le monde matériel fait pression sur nous de toutes ses forces. Notre temps et notre attention ont été réorientés. Pensée linéaire, structure, planification et longues heures sont requises. Et même si nous savons que ceci est nécessaire et temporaire et que nous l'avons accepté mutuellement, il arrive que nous franchissions la frontière et portions atteinte à l'amoureux spirituel en chacun de nous. Même si nous savons que le monde matériel et le monde spirituel sont aussi nécessaires l'un que l'autre, nous sommes ensemble dans un nouveau territoire et luttons pour trouver l'équilibre. Parfois, nous ne retournons pas sur terre en même temps.

L'image qui me vient à l'esprit est celle de nos amoureux spirituels volant haut et ayant beaucoup de plaisir. Le monde matériel les appelle et dit : «Il est temps de revenir sur terre. Il y a des choses importantes à faire au travail.» Mais mon partenaire continue de voler et, à l'occasion, descend sur terre et se présente. Je me sens alors prisonnière du monde matériel et surchargée, alors je lui lance un cri : «Descends ici, le fardeau est trop lourd!» Il n'aime pas les cris et il continue à voler. Quand j'arrête de crier et que je me contente de faire mon possible, il regarde en bas, voit la distance, se rappelle ce qu'il a accepté de faire et me rejoint. Travailler ensemble dans le monde matériel est gratifiant. Et, surtout, travailler ensemble nous permet plus d'occasions d'escapades avec nos amoureux spirituels.

Résout les conflits avec son cœur

> *La réponse à tous les problèmes, à la peur et à la souffrance, la grande victoire sur la mort, c'est l'amour.*
> — WHITE EAGLE

L'amoureux spirituel est un guerrier et n'a pas peur de défendre sa vérité. L'amour est l'épée qu'il utilise en cas de conflit. Où il coupe, il donne la vie et non pas la mort. L'amoureux spirituel sait à merveille utiliser l'amour avec le pouvoir pour résoudre les problèmes. Il y a un engagement spirituel à sortir des épreuves et des moments difficiles. La discorde, les mésententes et la confrontation sont résolues avec le cœur.

L'amoureux spirituel sait qu'il y a une zone d'ombre en chacun de nous, que l'esprit s'égare, que nous commettons des fautes et que nous devons les confronter si nous voulons que la relation guérisse et grandisse. Quand ils confrontent leurs fautes avec le cœur, les amoureux peuvent continuer à se sentir bien et en sécurité. Le pardon est inhérent à cette expérience. Quand il n'y a pas de pardon, une personne peut se sentir fatiguée, mesquine, inquiète, divisée.

Un guerrier s'attaque aux problèmes de la vie de tous les jours, de façons pratiques et aimantes. L'amoureux spirituel sait que les contacts quotidiens avec les gens ordinaires sont notre école spirituelle et que nous sommes des étudiants. Nous devons rester et faire face à ce qui est désagréable. Personne ne peut fuir les expériences de la vie. Le défi consiste à mettre tout son amour pour les surmonter.

L'amoureux spirituel est capable de regarder au fond des autres et de voir qu'ils ont un cœur et une âme. Il sait que ces personnes ne sont pas comme leurs comportements. Les faiblesses, les erreurs, les étiquettes, les jugements et les critiques laissent place à l'amour pour qui chaque personne est et peut encore devenir. Là où il y a de l'amour, un miracle est possible. Le conflit, la confrontation avec l'amoureux spirituel qui dirige, permettra de grandir. Peu importe la profondeur de la blessure, l'amertume des mots, l'amour spirituel peut l'effacer. L'offenseur peut souhaiter cesser de blesser, la victime peut désirer pardonner. Le conflit peut être considéré comme une des complications, un des tests de l'amour, comme ce fut le cas pour Barbara et Tom.

❖ L'HISTOIRE DE BARBARA ET TOM : *«Le conflit se transforma en un amour et un respect plus profonds.»*

Tom et moi en étions arrivés à une impasse lors d'un argu-
ment. Je ne voyais aucune façon de sortir de notre dilemme.
J'avais l'impression qu'il ne m'entendait même pas. Dans
mon désespoir, j'éclatai et dis : «Je veux que tu t'en ailles.»
Tom se retourna, me regarda droit dans les yeux et me dit fermement avec son cœur : «Non, je ne partirai pas. Je t'aime.
Je me suis engagé à rester.» Son regard pénétra mon cœur. Il
m'encouragea à abandonner ma colère et à découvrir que
mon vrai sentiment était de la peine devant l'affection perdue
dans notre relation. Tom me manquait. Cette découverte nous
permit d'avoir une discussion à cœur ouvert. Le conflit se
transforma en un amour et un respect plus profonds. Tom a
refusé ma demande de s'en aller — ce ne fut pas facile.

Partage avec son âme

Certains disent qu'il n'y a d'amour possible que si les âmes des
deux personnes se touchent. J'ai même entendu que, si après six
mois dans une relation amoureuse, les amoureux spirituels ne se
rencontrent pas et ne s'unissent pas, la relation ne durera pas. Pas
d'âme, pas de relation! Les couples qui sont faits l'un pour
l'autre trouvent la communication facile. Parfois, ils n'ont même
pas besoin de parler tellement le sentiment de partage est fort.
Les mots «Je t'aime» sont redondants. Ils ne font que confirmer
ce que le Moi humain aime entendre. Les amoureux spirituels
communiquent souvent par télépathie. Ils savent quand l'autre a
besoin d'eux et sentent sa présence même si une grande distance
les sépare.

Les amoureux spirituels se sentent à l'aise dans la proximité
et la tranquillité. Les tensions et les malaises sont absents. Il se
peut qu'il y ait eu un malaise, une tension quand les amoureux
humains se sont rencontrés pour la première fois. Peut-être ont-
ils même combattu l'inévitable parce que cela ne convenait pas à
leurs plans. Ou cela défiait les règles du système. Cela leur sem-

blait peut-être fou. Ou, peut-être, parce qu'ils savaient déjà au fond d'eux-mêmes qu'ils étaient faits l'un pour l'autre, mais leur Moi humain n'était pas encore prêt.

Comme vous le savez, le Moi appris choisit souvent des relations qui confirment ses croyances négatives. Quand il rencontre quelqu'un qui peut partager avec son âme, souvent il ne sait pas quoi faire. Pour les amoureux spirituels, rien ne se fait au hasard dans une relation. L'univers s'en occupe. Les amoureux spirituels se libèrent de toute attente, de tout contrôle et se préparent l'un pour l'autre. Quand les amoureux spirituels se rencontrent, le lien ne peut jamais être brisé par eux ou par qui que ce soit. Le lien peut s'affaiblir, les amoureux spirituels peuvent même se quitter, mais ce lien durera toujours. Ce partage comporte également un autre élément — quand les amoureux spirituels se touchent, il se produit une guérison physique, mentale, émotionnelle et spirituelle.

Ceci signifie souvent de rester ouvert à une nouvelle relation amoureuse même si ce n'est pas le «bon» moment. Cela peut aussi vouloir dire attendre patiemment que l'autre s'ouvre.

Se plie aux lois de la transformation

Vivre la vie d'un amoureux spirituel, suivre le chemin du cœur, signifie mettre l'*ego* de côté. Cela signifie que nous arrêtons de mesurer et de contrôler notre vie amoureuse. L'amoureux spirituel sait que l'amour nous est naturel, et que l'univers a mis en place des principes et des lois pour le guider et l'aider à s'exprimer. L'amoureux spirituel, en harmonie avec ces lois, s'ouvre à la possibilité constante d'honorer chaque moment d'une relation. Ainsi, honorer devient l'expérience d'embrasser et de donner l'amour. Les amoureux spirituels, en harmonie avec les lois et les principes, connaissent une intimité mystique profonde dans laquelle amour et pouvoir se fondent. Travailler selon ces lois est d'une importance telle que nous les examinerons plus en détail dans le prochain chapitre, comme une force directrice dans le processus vers un amour sain.

Votre amoureux spirituel est toujours présent

L'amoureux spirituel est toujours là. Il peut être actif ou bien latent et bloqué. Il est comme une lumière toujours allumée, dont l'éclat est atténué par les traumatismes d'omission et de commission : notre histoire, nos rôles culturels, nos scénarios personnels et peut-être même nos croyances religieuses.

Si vous n'avez jamais connu l'amoureux spirituel, il ne vous manque peut-être pas. Mais il suffit que vous en fassiez l'expérience une fois pour savoir avec certitude quand il n'est plus là. Et lorsqu'il est voilé, vous devez parler haut et clair, avec une conviction venant du fond du cœur, et dire : «Il y a vraiment quelque chose qui ne va pas ici.»

Nous n'avons jamais besoin de rappeler à l'amoureux spirituel comment il doit se manifester. Il le sait très bien. C'est notre Moi appris qui a besoin d'une liste des caractéristiques que nous venons de passer en revue. Nous pouvons utiliser ces caractéristiques comme indicateurs qui nous aideront à savoir quand nous sommes ou non sur la bonne voie. Elles pourraient nous aider à noter nos progrès, car nous semblons beaucoup plus attentifs à notre amoureux humain qu'à notre amoureux spirituel. Vous pouvez vous souvenir des nombreuses fois où votre amoureux spirituel a été le capitaine de votre bateau. Savourez ces moments. Ils sont réels et essentiels. Comme me l'a dit une femme : «Le souvenir de ces moments m'a permis de surmonter de nombreuses difficultés dans ma relation.»

Parfois, l'amoureux spirituel est si fort que nous prenons peur et nous éloignons. Combien de fois avons-nous dit : «Cette personne est si bonne que je ne me sens pas à l'aise avec elle.» Souvent, nous abusons des bonnes personnes que nous rencontrons dans notre vie, nous les négligeons ou nous ne leur accordons pas d'importance. À certains moments, le rythme trépidant de la vie endort notre amoureux spirituel.

Comme nous l'avons vu, c'est une lutte quotidienne pour le Moi appris de dépasser les contraintes qui nous sont imposées. Quand nous examinons toutes les influences qui ont contribué à des définitions erronées de l'amour et du pouvoir, devons-nous nous étonner que l'amoureux spirituel en chacun de nous soit perdu ou enfoui ?

Nous devons revendiquer la lumière de l'amour spirituel, vivre avec cette lumière et faire en sorte qu'elle nous éclaire et qu'elle éclaire les autres — notre famille, nos amis et la terre. En tant qu'amoureux spirituels, nous transformons l'amour en pouvoir et le pouvoir en amour, nous ne sommes ni saints ni mystiques. Nous vivons de manière ordinaire. Nous pouvons être de toute taille et de toute forme, homme ou femme. La religion ne nous crée pas automatiquement, et nous n'appartenons pas exclusivement à une seule religion.

L'amoureux spirituel est présent en :

* l'homme qui prend soin de sa femme invalide ;

* la femme qui accepte les ronchonnements et les plaintes de son partenaire et continue de voir sa valeur et sa dignité ;

* la personne qui défend sa vérité et prend le risque de voir partir son partenaire ;

* l'homme qui parle à d'autres hommes des atrocités qui se sont produites quand leur pouvoir ne s'accompagnait pas d'amour ;

* la femme qui parle à d'autres femmes, les incitant à regarder en elles, et à soigner les blessures et les croyances qui les empêchent d'apporter du pouvoir dans l'amour.

C'est possible pour moi, et pour vous aussi.

ACTIVITÉS

1. Reconnaître l'amoureux spirituel

Demandez-vous : *À quoi dois-je ressembler quand je suis un amoureux spirituel?* L'amoureux spirituel est en chacun de nous. Comme vous le savez, nous le perdons souvent dans le courant de la vie. Sa lumière s'affaiblit. Pour certains, identifier et allumer la lumière de l'amoureux spirituel a eu un extraordinaire effet de guérison sur leurs relations amoureuses.

Une liste des caractéristiques qui vous permettront de reconnaître l'amoureux spirituel figure à la page 167. Examinez la liste et indiquez le temps, en pourcentage, que vous consacrez à exprimer chacune d'elles dans vos relations amoureuses. Une fois de plus, soyez honnête. Faites-le pour une relation à la fois, puis évaluez la *relation* elle-même. Vous pouvez faire une évaluation pour chaque relation. Utilisez une feuille de papier séparée pour chacune d'elle, ou faites des photocopies de cette liste si cela vous convient mieux.

2. Donner de l'amour

L'exercice suivant peut être un excellent complément à la libération de votre souffrance, de vos blessures ou de la colère que vous avez ressentie envers un ami, un partenaire, un parent, voire un ennemi. À cet égard, quand vous êtes prêt à pardonner, l'ampleur de l'amour devient l'expression du pardon. En ressentant l'ampleur de cet amour pour l'autre, votre cœur guérit aussi.

Plongez en vous et voyez combien votre cœur est fort, plein et sain. Créez un sentiment d'amour profond, de chaleur, d'affection et de compassion. Visualisez l'amour comme une aura rose et douce qui flotte, qui émane de votre cœur et l'entoure. Laissez l'aura gagner tout votre corps jusqu'à l'entourer complètement.

Visualisez clairement la ou les personnes vers lesquelles vous souhaitez diriger votre amour. Concentrez-vous et envoyez votre amour sous forme d'un nuage rose et doux, voyez votre amour entourer la personne aimée. Si une guérison s'avère nécessaire, voyez comment l'amour offre une protection. N'ayez aucune attente face à l'issue, lâchez prise. Soyez confiant que vous avez fait votre part pour partager votre amoureux spirituel.

CHAPITRE 6

Les lois de la transformation

CR CR SO BO

*La première réponse à la question «Qu'est-ce que
la psychologie?» devrait être que la psychologie
consiste en une étude des principes, des lois et des
faits de l'évolution possible de l'homme.*

— P. D. OUSPENSKY

Transformer notre vie amoureuse n'a pas à être une tâche ardue.
En effet, si nous mettons de côté notre *ego* et si nous arrêtons
d'essayer de contrôler le changement ou de nous impliquer émotivement dans notre transformation, nous découvrirons que l'univers a prévu tout ce dont nous avons besoin. Des principes et des
lois guident cette transformation. Quand nous les suivons, le processus amoureux se révèle naturellement.

Le processus de l'amour se produit selon ces lois. Bien que
ces lois existent depuis plus longtemps que vous et moi, dans
notre ignorance ou notre arrogance, nous avons eu tendance à les
négliger ou à les combattre. Notre négligence flagrante nous
conduit à mettre la pagaille et à créer des souffrances inutiles
dans nos relations. L'amour dépendant, les comportements compulsifs et les jeux de pouvoir sont autant de tentatives d'enfrein-
dre ces principes universels alors que nous luttons pour remédier
à notre malaise intérieur, pour chercher le quelque chose ou le
quelqu'un qui nous manque. Un processus de dépendance ne
pourra jamais atténuer notre malaise, car, comme nous l'avons

vu, la dépendance n'atteint pas son but : nous n'avons pas encore découvert qui nous sommes vraiment.

L'antithèse de la dépendance est le processus dynamique de la transformation personnelle : devenir véritablement qui nous sommes vraiment. Dans ce processus, le désir prend une signification différente. Autrefois, notre vie était régie par le désir de satisfaire notre *ego*. Aujourd'hui, notre principe directeur est de suivre la voie du cœur. Nous faisons la connaissance de l'amoureux spirituel. Nous découvrons notre capacité à entretenir des rapports plus profonds avec les autres et avec le monde.

Examinons quelques-unes de ces lois. En les suivant, nous ouvrons nos relations amoureuses à de nouvelles possibilités. Chaque moment devient une possibilité pour le bien de s'exprimer. La spiritualité est présente à chaque instant, et nous pouvons vivre entièrement chaque minute. Ces lois permettent une intimité profonde et mystique dans laquelle l'amour et le pouvoir fusionnent.

Les lois universelles qui nous guident sont neutres, ce qui signifie qu'elles continuent d'opérer, que nous reconnaissions leur existence ou non. Examinons ces lois[30] :

- la loi du changement, la transcendance
- la loi des antipodes
- la loi de l'amour
- la loi du mouvement
- la loi de l'énergie
- la loi des relations

---

30. On ne peut attribuer ces lois à une seule source humaine. Elles ont été identifiées dans des écoles spirituelles traditionnelles et en physique. Elles ont été traitées dans de nombreux livres et par de nombreux professeurs et auteurs, parmi lesquels le *I Ching* (ou livre des changements et des transformations), l'Ancien et le Nouveau Testament, l'École de la quatrième voie de développement, Joseph Weed dans *Wisdom of the Mystic Masters, A Course in Miracles,* Fritjof Capra dans *The Turning Point,* Jacquelyn Small dans *Transformers — The Therapists of the Future.*

- la loi du plein gré

- la loi de l'attraction

La loi du changement, la transcendance

Une relation fluide et ouverte permet toutes les expériences humaines, des occasions de grandir individuellement et ensemble. Nous découvrons que, en raison de nos expériences de vie, l'endroit où nous sommes est le seul endroit où nous pouvons être à ce moment.

Cette loi reconnaît différents niveaux de développement. Elle stipule clairement que vous ne pouvez être que là où vous êtes et que vous ne pouvez en partir avant de l'avoir totalement accepté. Cependant, une fois que vous l'avez accepté, vous n'y êtes déjà plus; vous êtes un pas plus loin, regardant en arrière.

Il arrive souvent qu'une personne me dise : «Je n'aime pas qui ou bien où je suis, et je ne m'accepterai pas tant que je n'aurai pas atteint mes objectifs.» Ma réponse est : «Dans ce cas, vous ne les atteindrez probablement pas.» Nous ne pouvons passer à un niveau supérieur de conscience qu'après nous être autorisés à être complètement présents dans la souffrance, la confusion, ou dans une relation amoureuse malsaine. Car c'est ici que nous apprenons nos leçons.

Nous apportons notre caractère unique à chaque relation amoureuse. Avec notre partenaire, nous sommes tour à tour étudiants et professeurs. Il n'est pas nécessaire que nous nous bousculions ou bousculions les autres — il suffit d'inviter, d'encourager, de prendre du recul et d'observer. Parfois, nous voulons changer plus vite ou nous avons peur de faire marche arrière. Dans ces moments, il suffit de nous examiner et d'examiner les autres d'un œil attentif pour découvrir notre potentiel illimité et notre perfection. Il nous est alors possible d'accepter totalement ce qui est. Nous pouvons encourager, informer, créer des modèles et fournir des occasions qui stimulent ou invitent à la croissance. Nous «éclairons le chemin». Cependant, chacun de nous créera sa propre danse.

Aussi difficile que soit cette tâche, nous devons être patients et disposés à céder. Ce qui peut aider est de garder en mémoire qu'en transformant nos relations amoureuses, nous transformerons aussi notre compréhension du monde. Des idées qui nous apparaissent incompréhensibles au début deviendront intelligibles à mesure que nous changerons.

Par exemple, si on nous dit que la jalousie n'est pas un signe d'amour, nous serons nombreux à ne pas être d'accord. Mais à mesure que nous lâchons prise et arrêtons de chercher à posséder les personnes que nous aimons, nous découvrons le tort que cause la jalousie. Nous pouvons repenser à des moments où nous avons été jaloux et constater que cette émotion était simplement inutile. Toutefois, nous ne pouvons pas nous attendre à ce que ceux et celles encore aux prises avec la jalousie acceptent pleinement cette idée.

Une personne parvenue à un niveau supérieur peut comprendre une personne qui est à un niveau inférieur parce qu'elle y a été. Exactement comme un enfant de cinq ans peut comprendre le monde d'un enfant de trois ans. Mais celui de trois ans ne peut pas encore comprendre ce qui arrive à l'enfant de cinq ans. Cette loi a des dimensions difficiles à rendre par des mots. Dans certaines traditions spirituelles, il existe des dictons énigmatiques pour l'exprimer : le supérieur renferme l'inférieur et le connaît ; l'inférieur renferme ce qui est au-dessus de lui sans pour autant le connaître. Le nouveau renferme l'ancien.

Ken est une des personnes qui essaient de comprendre ce principe.

❖ L'HISTOIRE DE KEN : *«Quand je suis en équilibre avec moi-même, il est vraiment facile d'être là où je suis.»*

Cette loi est à la fois terrifiante et réconfortante. On y trouve la sécurité et l'intégrité. On n'y attend pas la perfection. C'est une évolution, une expérience évolutive. Je peux simplement être là où je suis et c'est très libérateur. Je peux voir que ce que je fais est ce que j'ai toujours eu besoin de faire. C'est gratifiant. Parfois, je trouve que je traîne, que je suis empoté, et j'ai peur d'entrer dans la danse de mon partenaire. J'apprécie l'encouragement et pourtant je dois faire le processus à ma façon. J'ai besoin d'inventer ma propre danse. J'ai peur parce que je sais que j'abandonne le familier sans savoir où je vais. Il n'existe pas de carte pour me montrer le territoire. Mais quand je suis en équilibre avec moi-même, c'est vraiment facile d'être là où je suis.

La loi des antipodes

Nous avons tendance à considérer la vie comme une dualité : noir ou blanc, bon ou mauvais, ceci ou cela. Plutôt que de considérer ces dualités comme des entités séparées, la loi des antipodes stipule que les contraires sont deux phases du même processus — les deux côtés d'une même pièce de monnaie. Tout positif a un potentiel pour le négatif, et tout négatif a une opportunité vers le positif. Si les opposés se séparent, ils perdent leur signification. Dans notre façon de penser ceci ou cela, un aspect domine généralement, et nous ne voyons pas l'image d'ensemble. Mais quand nous sommes ouverts à cette loi, nous voyons les choses différemment. Nous commençons à découvrir des aspects de nos relations amoureuses qui semblent travailler contre nous et qui finiront éventuellement par être exactement ce dont nous avons besoin pour passer au niveau suivant.

Nous avons déjà abordé plusieurs aspects de cette loi. Pour connaître le monde divin, nous devons comprendre le monde matériel. Pour découvrir notre nature sacrée, nous devons aussi reconnaître notre violence inhérente. La mort donne naissance à la vie, et la vie devient la mort. Notre amoureux dépendant nous enseigne ce qu'est l'amour spirituel. Pour connaître les sommets du bonheur, nous devons connaître les profondeurs de la souffrance et du chagrin. Pour avoir la foi, nous devons connaître le doute et le cynisme. Pour connaître le pouvoir, nous devons expérimenter le sentiment d'impuissance. Ce n'est qu'à travers l'expérience de nos antipodes que nous deviendrons unifiés. Par exemple, une personne qui ne cesse de dire non doit s'entraîner à dire oui. Ce n'est qu'alors qu'elle sera libre de dire non.

Dans les relations, le vieux professeur se manifeste pour nous mettre à l'épreuve. Et il peut se manifester plusieurs fois. Si, comme Kurt, nous vivons toujours nos relations à partir de notre antipode, notre amoureux spirituel, c'est que nous avons appris notre leçon, et le professeur n'a plus besoin de revenir.

❖ L'HISTOIRE DE KURT :   *« J'ai découvert l'antipode. »*

J'avais travaillé dur pendant un an pour me libérer d'une relation amoureuse dépendante et me préparer à vivre un amour sain. Au cours de cette année, j'ai découvert qui j'étais et j'ai appris à m'aimer pour la première fois. Une autre personne est entrée dans ma vie et en est ressortie rapidement. Je me suis alors demandé : *Pourquoi n'ai-je pas encore rencontré l'amour de ma vie ? J'ai fait tout ce qu'il fallait.*

J'ai été surpris quand quelqu'un m'a suggéré que j'étais exactement là où j'avais besoin d'être et que je traversais une période nécessaire de mon processus d'évolution. Avant, quand les gens me quittaient, je vivais l'expérience sans amour pour moi-même. J'avais des croyances négatives en pensant : *Je ne mérite pas l'amour.* Lorsque j'ai découvert l'antipode, mon défi a été de continuer à m'aimer en sachant que je méritais l'amour — même quand quelqu'un me quittait. Après avoir fait la connaissance du professeur de mon antipode, j'étais en équilibre.

La loi de l'amour

L'amour est expansion totale — qui part du cœur, de l'âme, du corps, de l'intelligence et de l'esprit. La *contraction* retient et bloque l'amour, elle dresse un mur. La loi de l'amour nous considère tous comme des égaux, tant sur le plan émotif que sur le plan spirituel. Dans la loi de l'amour, nous ne cherchons plus l'amour : nous sommes l'expérience de l'amour et nous sommes libres de l'exprimer dans toute sa richesse. Nous sommes déjà un amoureux spirituel.

Les relations amoureuses dans lesquelles nous vivons cette expérience comportent une synergie, une unité. L'amour va au-delà du Moi émergent et des autres, et devient un amour de la vie, un amour de la vérité et un amour de Dieu ou du divin. L'amour nous accueille tels que nous sommes, et fait la différence entre qui nous sommes et ce que nous ressentons, pensons, faisons et choisissons. Dans l'amour, nous sommes un spirituellement; dans la peur, nous restons divisés. La loi de l'amour exige que nous examinions tout ce qui, dans notre conditionnement, nous empêche d'aimer.

Une fois libre d'aimer, vous aurez accompli tout ce qui est nécessaire dans cette vie.

Si tout le monde faisait un travail personnel qui le rendait libre d'aimer, chaque action dans le monde serait une extension de notre amoureux spirituel. L'amour nous transforme naturelle-ment et nous invite à être qui nous sommes. Il n'ajoute rien, il ne fait que libérer.

Sans l'expérience de l'amour, nous ne sommes pas pleine-ment en vie. Nous ne faisons qu'exister. Dans notre état de con-traction, des murs nous empêchent d'évoluer. Nous ne découvrons pas la signification du moment, de l'autre, de la vie.

Debbie nous raconte comment la loi de l'amour a agi dans sa vie.

❖ L'HISTOIRE DE DEBBIE : *« C'est en elles [mes cicatrices] que j'ai trouvé la paix.»*

J'ai déjà entendu dire qu'une personne a besoin de connaître les ténèbres pour découvrir la lumière, que la lumière est con-tenue à l'intérieur des ténèbres.

Il y a plusieurs années, je me sentais désespérée dans un mariage où j'aurais dû me sentir bien. J'avais un sentiment de vide et je cherchais *quelque chose* pour combler ce vide. La nourriture était une chose sur laquelle j'avais le contrôle et elle me faisait me sentir bien quand ces malaises faisaient surface. La boulimie est devenue mes ténèbres. Pendant des années, elle m'a détournée de l'objectif de ma vie.

À un certain moment, je me suis demandé : *Qu'est-ce que je cherche ?* La réponse a été : le bonheur et la paix. Je me suis alors demandé : *Comment parvient-on à ce bonheur ou à cette paix ?* La réponse m'est venue : par l'amour de moi-même.

L'amour de soi est difficile à décrire. Je m'attendais à un sentiment de bonheur. Pas vraiment. Souvent, c'est un sentiment neutre, comme un lieu de paix, de calme, de sérénité, de tranquillité.

Pour arriver à m'aimer, je devais d'abord me pardonner. Quand je me suis pardonné d'avoir abusé de moi, j'ai compris que je m'étais refoulée moi-même — personne d'autre ne l'avait fait.

Mon mari m'avait profondément blessée. Je devais affronter la barrière que j'avais érigée pour survivre. Pour me libérer, je devais l'abattre. Quand je l'ai fait, j'ai découvert qui j'étais véritablement : pur amour. Je suis devenue consciente de ma force. J'ai retrouvé quelque chose que je pensais avoir perdu : mon pouvoir. J'ai senti le pouvoir de la source dont j'étais issue. Je me suis sentie comme un aigle s'élançant dans les vents de mon âme.

Je suis à la fois séparée et partie intégrante de mon mariage. Je suis à la fois séparée et partie intégrante de l'essence divine. J'existe dans la complétude que je découvre dans toute ma vie et en dehors de cette complétude.

Ceci me permet de voir que la Trinité est en chacun de nous : l'Esprit — notre pouvoir spirituel ; le Fils — notre humanité ; le Père — notre âme, notre maison imprégnée d'amour. L'essence est la combinaison des trois.

La situation douloureuse que je vivais avec mon mari m'a donné l'occasion de me libérer de comportements qui me limitaient et de m'éveiller à qui j'étais.

Une profonde vérité a toujours été au fond de moi. Maintenant, elle peut rayonner à travers moi. Mon monde extérieur est un reflet de mon monde intérieur. Il y a beaucoup de sagesse dans le processus de la vie. Je regarde la peur et elle est une illusion, elle est vide. Quand j'ai lâché prise sur ma peur de l'abandon, je me suis libérée.

Je remercie mes cicatrices, car c'est en elles que j'ai trouvé la paix que je cherchais — l'amour de moi, l'amour des autres, l'amour de la vie.

La loi du mouvement

Parfois, nous nous accrochons à l'uniformité, à la prévisibilité et à l'illusion de l'immuabilité. En réalité, nous sommes en mouvement. La vie est mouvement, et il n'y a aucun moyen de l'arrêter malgré nos efforts. Soit nous avançons, soit nous reculons — évolution ou régression. Ces deux mouvements sont nécessaires. La désintégration de l'ancien est le fertilisant nécessaire au nouveau. Les feuilles deviennent le compost qui nourrit la nouvelle vie. La vie se compose de saisons, de cycles, de phases, et nous devons être prêts à les traverser tous.

Cette vie trépidante fait partie de nous à tous les niveaux, jusqu'aux cellules de notre corps. Les physiciens ont découvert que toutes les particules réagissent au confinement par le mouvement. Chaque particule, incluant celles qui sont subatomiques, ne peut être comprise qu'en termes de mouvement et d'interaction, car la matière est toujours en mouvement et en transformation. Ainsi, quand nous luttons contre le changement qui se produit en nous-mêmes ou dans nos relations amoureuses, nous défions la loi du mouvement. La stabilité consiste en un équilibre dynamique.

Combien de fois vous êtes-vous senti confiné dans votre vie, dans votre relation amoureuse? Et quelle action avez-vous entreprise pour lutter contre ce confinement? La bonne nouvelle de cette loi est que la souffrance est temporaire. Si vous êtes prêt à vous en détacher, vous suivez la loi du mouvement. Si vous vous accrochez à la souffrance, vous défiez la loi et vous pouvez être certain que la souffrance dans votre vie amoureuse s'intensifiera.

Parfois, cette loi nous sert de professeur et nous enjoint de quitter une relation pour continuer notre vie. C'est ce qu'a exprimé Ann dans une lettre à son partenaire :

«Ceci est une lettre d'adieu et j'ai beaucoup de chagrin en l'écrivant. J'ai fini par accepter que nous sommes à des endroits différents concernant notre amour. Mon amour pour toi est profond et vient de mon âme, alors que tu m'as dit que le tien ne l'est pas. Je te rends ta liberté… gentiment… et avec amour. C'est trop douloureux pour moi de rester. Pour rester, je devrais faire taire des sentiments. Je ne veux plus le faire. Je pense avoir fait tout ce que je pouvais pour te témoigner mon amour et mon affection… et le cercle de l'amour n'est pas complet. Aujourd'hui, je choisis de lâcher prise et de poursuivre ma vie.

«Avant de partir, je veux te remercier pour tous les cadeaux que j'ai reçus durant notre relation amoureuse. Le plus important est d'avoir accepté les différences plutôt que d'essayer de les changer et, lorsque les différences deviennent trop douloureuses, à lâcher prise. J'ai aussi appris ce qu'était l'essence de l'amour. Ce n'est pas porter un enfant ou avoir un contrat de mariage. C'est être disposé à grandir dans une relation amoureuse et à fermer le cercle dans un sens spirituel. Je ne me contenterai de rien d'autre.»

La loi de l'énergie

La loi du mouvement est étroitement liée à la loi de l'énergie : toute masse est une énergie qui attend d'être transformée. Il en est de même pour nous.

L'énergie est le pouvoir d'accomplir ce pour quoi nous sommes sur terre, que ce soit une fleur ou une personne. En tant qu'êtres humains, nous sommes des systèmes d'énergie. Nous pouvons utiliser cette énergie pour créer notre vie et notre signification. Mais quand l'énergie est bloquée, nous implosons dans la maladie et la dépression, ou nous explosons avec des mots et des actions incontrôlés. Tel est le cas dans l'amour dépendant où nous bloquons notre pouvoir, notre énergie vitale. Nous devons utiliser l'énergie pour répondre à nos besoins et aux besoins des autres. Les comportements compulsifs sont des moyens erronés de libérer cette force vitale créatrice.

La loi des relations

Peut-être que la loi la plus fondamentale est que nous sommes tous en relation les uns avec les autres. L'univers n'est pas une machine, mais un tout harmonieux. Nous n'avons pas de signification en tant qu'entité isolée et nous ne pouvons être compris que dans le contexte de nos relations. Séparés, nous sommes une chose ; en relation avec les autres, nous sommes autre chose. Par conséquent, ce que nous faisons avec l'amour et le pouvoir a des répercussions sur les autres.

Toutes les entités de l'univers, des molécules aux nations, sont des structures intégrées qui sont constituées de touts et de parties. L'écrivain britannique Arthur Koestler les appelle «holons»[31]. Chaque holon a deux tendances complémentaires et pourtant opposées : remplir sa propre fonction et servir un objectif plus large. Nous pouvons en voir un exemple dans notre propre corps. Chaque organe — cœur, foie, poumons, reins — a une fonction propre. Pourtant, chacun d'eux fait partie d'un système plus grand destiné à permettre la vie.

Dans l'amour sain, deux personnes distinctes et séparées, le «Je» et le «Tu», se réunissent dans une relation qui est unique,

---

31. Fritjof Capra, *The Turning Point* [Le temps du changement], p. 41 et allusion à *Janus* par Arthur Koestler.

un «Nous». Chaque personne est alors un holon qui doit affirmer son individualité tout en désirant concéder du terrain et coopérer à une relation plus vaste, le «Nous». Cette interaction dynamique garantit à la fois la flexibilité et l'ouverture nécessaires à toute vie. Partout, il y a un équilibre délicat entre l'intégration (appartenance) et l'affirmation de soi (autonomie).

En physique, la loi des relations stipule que tous les systèmes doivent équilibrer individualité et communauté de manière ordonnée. L'amour dépendant défie cette loi par les comportements qu'il entraîne : l'individualité est exprimée au détriment de la relation, où l'identité personnelle est perdue alors que la relation dévore tout. Dans l'amour dépendant, la relation amoureuse définit les individus comme dépendants ou antidépendants. Ce système perd son équilibre, se flétrit et meurt.

L'amour mature a une unité de conscience. Il stimule la croissance des individus tout en permettant l'évolution de la relation amoureuse elle-même. Alors le tout existe et devient toujours plus que la somme de ses parties.

Une implication de cette loi est que nous ne pouvons pas éviter *les relations*. Le seul fait que nous soyons vivants implique que nous soyons en relation. Les relations sont notre destinée. Certaines personnes, cependant, veulent défier cette loi, et souvent les expériences vécues pendant l'enfance jouent un rôle clé dans ce comportement. Keith a examiné son enfance afin de découvrir pourquoi son Moi appris avait si peur d'entrer dans des relations.

❖ L'HISTOIRE DE KEITH :   *«Mes pieds et mon cœur ont été brûlés.»*

J'avais trois ans. Je m'étais réveillé en plein milieu de la nuit, j'avais froid et peur. J'avais besoin de ma maman — de son réconfort et de sa chaleur. Alors que je me dirigeais vers sa chambre en trébuchant dans le noir, j'ai marché sur une grille brûlante qui couvrait une bouche de chauffage. J'ai hurlé. Mon père, que je connaissais à peine parce qu'il revenait de la guerre, m'a accueilli d'une voix retentissante, m'a réprimandé pour *les* avoir interrompus et m'a poussé dans ma chambre comme si j'étais une peste. Mes pieds et mon cœur ont été brûlés. J'ai décidé de ne plus aller vers les autres, surtout vers maman.

Keith pensait que, s'il ne les dérangeait plus, il pourrait rentrer de nouveau dans les bonnes grâces de son père et de sa mère. En fait, il essayait de défier la loi des relations. Il a grandi en cessant d'avoir besoin de quoi que ce soit et en prenant garde de ne pas déranger. Son message *Je n'ai pas besoin de réconfort* l'a accompagné jusqu'à l'âge adulte, et lui a permis de cacher avec succès la peur qu'il ressentait au fond de lui. Aller vers les autres, pensait-il, signifiait se faire «brûler». Il évitait la vraie intimité.

Enfant, cet homme avait fait sa part pour aller chercher un contact avec les adultes, comme le font tous les enfants. Même dans nos relations adultes, nous allons vers les autres, nous nous brûlons et avons recours au repli sur nous-mêmes, dressons des murs, contrôlons et disons ne plus jamais commettre la bêtise de faire confiance. La loi des relations nous rappelle que c'est là une quête futile.

La loi du plein gré

Grandir est un choix. Tout le monde ne fera pas ce choix. Grandir signifie devenir davantage qui nous sommes déjà, et non pas ce que les autres veulent que nous soyons. Grandir signifie évoluer et s'éveiller, et non rester endormis dans les illusions du Moi appris.

Nous ressentons des tensions, un signal qu'il est temps de grandir. Nous résistons aussi au changement. Nous contenons ces antipodes, ces coréalités. Nous nous efforçons de connaître la sérénité, de voir nos tensions disparaître. Et pourtant, une personne qui entreprend un processus de transformation sait que la tension fait partie de notre évolution normale. Cette tension peut se manifester dans nos relations et notre travail, et quand nous voyons ce qui se passe dans le monde. Quotidiennement, nous sommes appelés à répondre à cette forte envie de grandir, ou à choisir de ne pas y répondre. Pour ne pas y répondre, nous devons renforcer notre déni, nos illusions, nos dépendances. Mais y répondre nous apporte le potentiel pour devenir des amoureux spirituels, même quand nous ne comprenons pas où nous allons. Le choix nous revient.

La loi de l'attraction

Cette loi épouse une vérité fondamentale basée sur la théorie du «rapport d'intention à 100 %» selon laquelle nous parvenons exactement à obtenir dans notre vie ce que nous voulons avoir. Ce qui signifie que nous avons dans notre vie ce que nous voulons avoir. Ce que nous n'avons pas, nous ne l'avons jamais voulu, psychologiquement parlant. Remarquez que ceci n'inclut pas les cas où nous sommes victimes d'événements en dehors de notre contrôle — inceste, viol, guerre, inondations et maladie grave.

Il est probable que nous attirions vers nous ce qui correspond à nos images intérieures. Notre niveau de conscience influence profondément les gens et les événements que nous rencontrons sur notre chemin. Par exemple, si un homme a une mère intérieure saine, il est plus probable qu'il attire une femme saine émotivement. Si sa mère intérieure est manipulatrice, il attirera plutôt une femme manipulatrice. Ceci est aussi vrai pour les femmes et leurs pères intérieurs.

Cette loi nous dit combien il est important de créer la femme et l'homme intérieurs sains en nous. En le faisant, nous attirons des hommes et des femmes qui correspondront davantage à notre idéal.

Si vous attirez une personne de mérite et que vous rejetez cette relation amoureuse, vous n'êtes pas prêt pour ce que vous dites vouloir. Quand vous attirez une personne sans grand mérite, regardez en vous.

Les étapes vers la transformation

*Toute chose s'accomplit en six étapes, et la
septième vous accorde votre récompense.*

– TIRÉ DU *I CHING*

Le mystère de la complétude est notre pèlerinage, notre voyage
et au cours de ce voyage, nous ne renonçons à rien. Nous nous
transformons et transcendons. Nous ne pouvons pas parler
d'esprit avant de nous approprier entièrement notre insatisfaction
intérieure.

En nous ouvrant aux lois de la transformation, nous découvrons qu'il y a sept étapes qui se déroulent naturellement. J'ai
conceptualisé ce modèle à partir de mes réflexions sur mon propre cheminement et celui des personnes avec qui j'ai travaillé. La
connaissance des étapes de la transformation peut vous aider à
savoir où vous êtes à tout moment. Rappelez-vous que ce processus n'est pas une ligne droite. D'un point de vue holistique, nous
sommes dans toutes les étapes, et toutes les étapes sont reliées les
unes aux autres. Une chose est cependant certaine, nous ne sau-
tons pas d'étapes. Nous les traversons dans un ordre donné, que
ce soit en quelques instants ou sur plusieurs années.

Étape un : le déni

À l'étape du déni, nous fonctionnons d'après notre plan de vie,
notre Moi appris. Les relations amoureuses sont surtout des relations dépendantes, codépendantes et immatures. Le pouvoir est
déséquilibré. Nous travaillons fort pour défendre notre vie d'illusions. Nous paraissons normaux. Nos dépendances, nos rôles et
nos habitudes compulsives nous gardent dans nos illusions. Nous
rationalisons, intellectualisons. Nous pouvons avoir une religion,
mais nous n'avons pas de spiritualité. Nous pouvons nier
l'importance de la spiritualité ou la considérer superficielle : «Je
vais prier au cas où il y aurait un paradis ou un enfer.» Nous ren-
forçons les événements extérieurs. Nous restons rigides, vani-
teux, machinaux. Nous sommes d'accord avec des systèmes

religieux compétitifs. Nous faisons tout et n'importe quoi pour éviter d'être éveillés, y compris marcher dans notre sommeil.

Étape deux : le malaise

Parce que notre psyché renferme la semence de notre nature profonde, nous commençons à ressentir des grondements intérieurs, un mécontentement. L'agitation rend alors le déni impossible. Les dépendances et la codépendance ne fonctionnent pas très bien. Les relations amoureuses n'apportent plus la même signification. Les possessions du monde extérieur, les prétentions et les rôles échouent. Notre Moi vrai et notre Moi spirituel veulent émerger. Il se peut que nous ne soyons pas prêts, alors nous nous accrochons désespérément à ce qui nous est familier. Nous pouvons nous enfoncer dans des dépendances, des comportements compulsifs ou des relations malsaines. Ou, au contraire, nous pouvons écouter notre appel intérieur et avancer. Nous pouvons avoir le courage de chercher de l'aide. Sans un choc, un traumatisme, un problème majeur, nous resterons sur place ou retournerons au déni.

Étape trois : la confrontation

Nous avons reconnu notre désir de grandir. La vie a peut-être frappé à notre porte avec un cadeau de douleur pour nous sortir de notre vie d'illusion et éveiller suffisamment longtemps notre conscience pour voir clair. L'événement important de notre vie peut être une dépression, une séparation, un viol, la mort, un accident, le traitement d'une dépendance chimique, un livre, une confrontation affectueuse ou la sagesse de l'âge. Peu importe. Ce qui est important, c'est que nous écoutions. Notre Moi appris continue de guider en grande partie notre vie et nous essayons tout d'abord de blâmer les autres et les institutions pour notre mécontentement et notre stagnation, notre incapacité à progresser. Cette étape se caractérise par un état de crise. Les jeux de pouvoir sont de plus en plus nombreux et forts. Nous pouvons même quitter prématurément une relation amoureuse, combattre le système, décrocher de la société, cesser de fréquenter notre église, chercher un gourou, retourner dans notre inconfort et notre déni. Ou bien, nous pouvons écouter l'impulsion intérieure qui nous pousse à grandir, nous pouvons aller de l'avant et réconforter notre Moi.

Avec peur et inquiétude, nous nous arrêtons ! Nous arrêtons de chercher en dehors de nous pour satisfaire notre désir bien humain de sécurité, de sensations, de pouvoir, d'identité, d'un sentiment d'appartenance et d'un sens à notre vie. Nous cessons de calmer notre souffrance avec la colère, la projection, la volonté, des comportements compulsifs ou en cherchant du réconfort dans les bras de quelqu'un d'autre. Nous arrêtons et nous confrontons notre peur. Nous trouvons des moments de calme dans le chaos. Nous capitulons. Nous faisons preuve d'humilité. Nous ressentons un vide et une distance entre nous et les autres. Nous ne savons pas où nous allons et qui nous rencontrerons le long de notre chemin. Nous répondons à cette impulsion intérieure qui nous pousse à être tout ce que nous pouvons être.

Dans *Alice au pays des merveilles,* Lewis Carroll a écrit un passage qui ressemble beaucoup à cette étape :

> «Je me demande si j'ai été transformée pendant la nuit? Laissez-moi réfléchir. Étais-je la même quand je me suis levée ce matin? Je crois presque que je me rappelle m'être sentie un peu différente. Mais si je ne suis pas la même, la question suivante est : "Qui puis-je bien être dans ce monde? Ah, c'est la grande question!"»

Étape quatre : la division psychologique

Le temps de la connaissance de soi est arrivé. Nous devons nous pencher sur les questions suivantes : Qui suis-je? Comment suis-je arrivé là? Pourquoi est-ce que je fais les choses que je fais? Qu'est-ce que je pense de l'amour, du pouvoir, des hommes, des femmes? Que signifie être humain? Le moment est venu de faire notre ménage spirituel, de nous débarrasser des excès et du désordre que nous avons accumulé au fil des années. C'est le moment de la mort — la mort de notre psyché comme nous l'avons connue.

Notre vie d'illusions nous appartient, et nous sommes entièrement responsables de notre souffrance. Nous accueillons la souffrance comme si elle était un professeur. Nous nous engageons à grandir. Nous faisons le voyage intérieur pour découvrir notre Moi réel. Nous expérimentons un conflit intérieur, un malaise et nous nous sentons divisés pendant que nous dialoguons avec les aspects de notre inconscient que nous avions niés auparavant. Parfois, nous sommes entraînés vers un déséquilibre par ces forces primaires qui cherchent à s'exprimer, sans se soucier des effets qu'elles ont sur les autres. Cela peut être une période douloureuse pendant laquelle nous vivons la mort de l'ancien et donnons naissance au nouveau. Nous avons besoin de foi, d'espoir et de beaucoup d'aide des autres pour plonger dans les ténèbres du Moi. Nous affrontons la peur avec la conviction du guerrier, même si nous n'en sommes pas encore un. Il se peut que nous nous accrochions à nos vieux comportements alors que nous plongeons dans le passé et soignons les blessures laissées par les traumatismes infligés à notre enfant intérieur. Nous demandons à notre enfant intérieur de reconsidérer les décisions qu'il a prises et qui nous empêchent aujourd'hui de connaître des expériences de vie enrichissantes. Nous apprenons la différence entre la solitude et être seul. Parfois, nous ressentons les deux à la fois. Nous luttons pour ne pas retourner dans nos vieilles habitudes. Nous nous sentons divisés. Ne connaissant pas ou étant trop bloqués pour savoir qui est le «Moi», nous continuons à chercher. Nous contrôlons toujours nos dépendances et nos comportements négatifs pour les tenir à distance, mais nous sommes passés d'un monde extérieur à un monde intérieur. Nous commençons à examiner notre âme pour voir quelles conséquences les démons ont eu sur nous. Nous commençons à dévoiler notre amoureux spirituel qui nous permettra de nous ouvrir plus pleinement à l'amour et au pouvoir.

Étape cinq : la résolution du Moi

Quelque chose d'important s'est produit. Nous avons trouvé notre Moi réel. Nous n'essayons plus d'être des guerriers. Nous sommes des guerriers. Nous avons intégré une éthique à notre processus. Notre conduite, comme nos instincts à l'état brut, est en accord avec nos valeurs les plus profondes. L'amour et un sens des responsabilités tempèrent les archétypes. Il ne s'agit plus d'une recherche du Moi. Nous sommes nous-mêmes. Nous synthétisons, nous mélangeons les meilleurs aspects de la nature humaine pour construire une personnalité intégrée et forte qui nous permet d'exprimer notre essence spirituelle. Nous avons fait le tri et conservé les meilleurs aspects de notre conditionnement, qui maintenant nous servent au lieu de nous freiner. Nous avons lâché prise sur ce qui n'est plus utile. Nous avons remercié le Moi appris pour ce qu'il a fait pour nous. Nous connaissons un réveil. Nous reconnaissons les trois amoureux dans nos relations. Nous nous autorisons à faire ce que nous avons besoin de faire. Nous avons confiance que nous allons apprendre les leçons qui s'imposent. Nous nous engageons à rester ouverts, même quand ce sera douloureux. La transformation est désormais un mode de vie et n'est plus quelque chose vers quelque part.

Avec un cœur ouvert, nous commençons à ressentir pour nous-mêmes un amour profond qui s'étend aux autres. Notre personnalité n'occupe plus la première place. L'essence, l'authentique, règne. Nous transformons nos dépendances et connaissons des sommets, l'émerveillement et la félicité. Nous développons une capacité de penser, nous prenons nos décisions à partir de notre connaissance intérieure et nous posons des questions plus profondes.

Étape six : une appartenance saine

Nous nous sommes engagés à laisser notre amoureux spirituel s'exprimer dans tous les aspects de la vie et dans nos relations amoureuses. Nous nous sentons poussés à découvrir l'essence des autres et n'avons plus peur de perdre notre Moi en nous liant

avec une autre personne. Nous relevons le défi de vivre notre
vérité et nous reconnaissons toute la pagaille que nous créons
dans notre vie amoureuse et dans notre vie en général. Nous ne
sommes pas meilleurs que les autres, nous sommes seulement
différents. Nous ressentons le désir de fusionner avec quelque
chose de supérieur à soi. Nous n'avons plus besoin de foi, nous
sommes la foi. Nous reconnaissons et apprécions le Moi humain
et nous en prenons soin quotidiennement. Consciemment, nous
nous libérons de nos dépendances, de nos comportements compulsifs, de nos rôles et de nos prétentions en réponse à un profond besoin existentiel. Le matérialisme n'est pas considéré
comme mauvais, mais seulement comme la moitié de la vérité.
Le processus de devenir est une tâche révolutionnaire. Nous
n'avons plus besoin d'amour, car nous sommes l'expérience de
l'amour. Nous reconnaissons comment notre vie intérieure détermine notre expérience extérieure. Nous aimons les autres librement et restons en dehors du mélodrame. Nous partageons le
pouvoir. Nous savons que la meilleure chose que nous puissions
faire dans nos relations amoureuses est simplement d'être qui
nous sommes et de faire des choix en fonction de cela. Notre travail est de savoir qui nous sommes et de le montrer avec confiance au monde. Nous découvrons que nous sommes le miroir
de quelqu'un d'autre, et que quelqu'un d'autre est notre miroir.
En amour, nous ne faisons qu'un. En reconnaissant les trois
amoureux que nous apportons dans chaque relation, nous travaillons vers l'harmonie et une intimité profonde.

Si nous avons besoin d'attention dans nos relations amoureuses, nous savons qu'il s'agit simplement d'une tentative de l'*ego*
pour nous dire qu'un besoin non satisfait tente de s'exprimer.
Nous développons une compréhension, mêlée de compassion, de
notre Moi et des autres. Nous demandons à notre amoureux spirituel de résoudre les problèmes que nous avons dans nos relations.

Étape sept : tendre la main

Est enseignant de Dieu quiconque choisit de l'être.

– UN COURS SUR LES MIRACLES

En découvrant notre authenticité spirituelle et en nous engageant à laisser notre amoureux spirituel guider notre vie, nous sommes appelés à connaître notre caractère unique dans tous les domaines de notre vie. Nous savons maintenant ce que signifie réellement être dans le monde et non en être issus. Nous contribuons, nous servons à partir de l'intérieur. Nous avons appris qu'il peut être facile d'être spirituel quand nous sommes seuls en haut d'une montagne, mais notre défi consiste à le rester sur une base quotidienne. Chaque jour, nous devons relever le défi d'être un amoureux spirituel, tout en faisant face à nos relations amoureuses, à nos enfants, aux autoroutes encombrées, à l'argent et à nos relations professionnelles. Tout en apprenant cela, nous enseignons ce que nous savons, non pas pour changer qui que ce soit, mais parce que nous savons que le professeur et l'étudiant sont les deux éléments de notre nature humaine. Nous avons besoin des mondes matériel et spirituel pour vivre en harmonie. C'est particulièrement visible dans le processus d'un amour sain, le sujet du prochain chapitre.

CHAPITRE 7

L'amour, un processus

 C3 C3 ෨ 80

> *Nous devons être prêts à laisser nos relations*
> *amoureuses se révéler à nous. Si nous sommes en*
> *accord avec nous-mêmes, si nous nous faisons*
> *confiance, et nous nous exprimons entièrement et*
> *honnêtement avec notre partenaire, la relation se*
> *révélera de sa propre façon, unique et fascinante.*
>
> – SHAKTI GAWAIN

Personne ne vit *la* relation amoureuse parfaite. L'amour n'a rien à voir avec la perfection. Les chances que les relations nous nourrissent spirituellement sont au mieux à cinq pour cent du temps. Souvent, elles sont neutres pendant que nous vaquons à nos activités quotidiennes et accomplissons les tâches exigées par notre vie sur cette terre. Les relations amoureuses sont souvent dépendantes quand nous luttons et rivalisons pour obtenir de l'amour. Peut-être que le mieux que nous puissions espérer serait d'utiliser ces cinq pour cent quand nous en avons le plus besoin — au milieu d'une crise relationnelle afin de nous détacher de la scène du drame pour examiner d'un œil perspicace la situation, et laisser l'amoureux spirituel prendre la situation en main. Nous pouvons, si nous en faisons le choix, apporter un état de conscience dans tout ce que nous faisons, y compris dans notre vie amoureuse.

L'amour est vivant

Pourquoi semble-t-il plus facile de nous sentir sereins sur une montagne ou dans une communion méditative avec la nature que dans notre vie amoureuse? Pourquoi est-ce si difficile d'être un amoureux spirituel? Peut-être que, lorsque nous sommes en haut d'une montagne ou en communion avec la nature, l'intimité de notre âme est pure, en harmonie avec nous-mêmes et le monde, et consciente. Mais en raison de notre conditionnement, un nuage masque notre divinité et nous voyons l'imparfait, le négatif. Il nous est difficile de voir la grandeur en nous et dans les autres. Peut-être que dans nos propres ténèbres, notre imperfection, nous sentons-nous mal à l'aise et peu méritants.

Notre besoin humain compulsif de perfection nous fait poser cette question : Qu'est-ce qu'une relation amoureuse idéale? Notre besoin compulsif de nous empresser nous fait demander : Comment pouvons-nous y arriver tout de suite? Une réponse est que l'amour sain idéal est un *processus vivant*. Il affiche les caractéristiques de la vie : vitalité, évolution, animation, vigueur, mouvement, énergie et pouvoir inhérent. En tant que processus, il va de l'avant même si, par moments, il peut sembler stagner. Il est permanent. Jamais il ne s'arrête. Il est fluide. Il ne se préoccupe pas du contenu, des résultats ou de la forme, car il est en mutation continuelle pour devenir autre chose que ce qu'il est déjà.

Considérer une relation amoureuse comme un processus nous libère de notre approche des problèmes axée sur les ceci ou cela, bien ou mal. Cette perspective nous aide à voir tout ce qui se passe, bon ou mauvais, comme vital et nécessaire à l'évolution d'une relation.

Vous savez déjà que vous avez des difficultés dans votre relation amoureuse. Certains de vous sont dans de nouvelles relations amoureuses, d'autres dans des relations anciennes et d'autres recommencent. Parmi vous, certains prévoient un nouveau départ et ne veulent pas répéter ce qu'ils ont déjà vécu dans d'autres relations. Vous êtes à la fois effrayé et excité. Vous avez beaucoup d'outils pour nuire à vos relations et pas suffisamment pour leur faire du bien. Dans la réalité, il n'existe aucun moyen garanti de faire ce qui est «bien», aucun chemin tout tracé qui vous conduira facilement à une destination. Bien faire consiste à considérer une relation amoureuse comme un processus qui ne cesse de se révéler et, par conséquent, est unique à chaque personne. La seule destination sur laquelle vous pouvez compter est une issue positive.

Caractéristiques du processus

L'amour, en tant que processus vivant, ne peut être réduit à un ensemble de petits concepts bien ordonnés. Le mouvement de fluidité qui accompagne ce processus permanent n'est pas un hasard. Il obéit aux lois de la transformation. De plus, il existe des caractéristiques clés qui décrivent la vie des relations amoureuses. Étant donné que la plupart des gens font leur travail sur eux-mêmes pendant qu'ils sont dans des relations amoureuses, comprendre ces caractéristiques peut être crucial à la survie des relations. Nous allons nous pencher sur chacune des caractéristiques ci-dessous :

- Amour de soi
- Frontières saines
- Responsabilité personnelle
- Création de dénouements plus heureux
- Grandir au-delà de la souffrance
- Résolution des conflits
- Avoir confiance et faire confiance
- Engagement envers le processus continu
- Partage du pouvoir

Amour de soi

Le processus de l'amour commence avec vous. Le véritable amour n'est pas égoïste, pourtant il est «rempli du Moi». Il ne cherche pas ou ne demande pas de gratification. Il se contente d'être.

Parfois, nous trouvons difficile de nous aimer, ou nous agissons comme si nous nous aimions plus que nous n'aimons les autres. Nous devenons narcissiques, centrés sur nous-mêmes. Pour avoir une meilleure vision de ce qu'est l'amour, nous pouvons nous souvenir de nos trois amoureux : l'amoureux dépendant qui cherche à répéter l'histoire, l'amoureux sain qui cherche à évoluer, et l'amoureux spirituel qui cherche des relations éclairées.

À partir de votre amoureux spirituel, devenez un observateur. C'est cet amoureux qui fait preuve de compassion, de sagesse et qui a un grand sens de l'humour pouvant vous aider à tout comprendre. Il vous aide au-delà de votre conditionnement humain ou de vos dépendances. Il sait que vous avez dû développer un faux *ego* pour survivre. Il sait aussi combien il est difficile d'abandonner ce qui est familier et prévisible. Il est patient.

L'amour de soi inclut, sans y être limité, ce qui suit : accepter «l'être que nous sommes», peu importe ce que nous pensons, ressentons ou faisons ; accepter nos erreurs comme des leçons à apprendre ; prendre soin de l'enfant naturel et innocent qui nous habite ; être notre meilleur ami ; prendre bien soin de notre corps ; encourager et affirmer les meilleurs aspects de notre personne ; accepter nos limites ; renouveler notre engagement à nous traiter tous les jours avec respect et estime ; nous en remettre aux autres et leur faire confiance, lesquels feront de même ; et parler franchement quand les autres ne le font pas.

L'amour de soi vous permet de vous accepter là où vous êtes. Peut-être n'aimez-vous pas où vous êtes, mais vous pouvez quand même vous aimer du mieux que vous le pouvez, là où vous êtes. Vous ne pourrez aimer les autres plus que vous vous aimez vous-même, et vous ne pourrez prendre plus dans l'amour que l'amour que vous vous portez. Le dicton «Aime ton prochain comme toi-même» reconnaît que les relations ne débutent pas en dehors de nous, mais en nous. Votre amour pour un voisin n'est que le miroir de votre amour pour vous-même. Le manque d'amour de soi engendre la jalousie. Quand il est venu me voir pour me dire qu'il aimait sa femme, Nelly, plus que lui-même, Abe ne s'aimait pas beaucoup.

❖ L'HISTOIRE D'ABE : *«Je suis vraiment heureux que Nelly ne soit pas venue à mon secours.»*

J'ai ressenti un fort sentiment de jalousie en voyant Nelly donner aux autres pendant un atelier de fin de semaine. Je me suis replié sur moi, un comportement appris quand j'étais enfant. J'ai commencé à m'apitoyer sur moi, en espérant que Nelly viendrait à mon secours. Elle ne l'a pas fait. J'avais donc plusieurs choix : être un martyr, me fâcher et me répandre en invectives, lui dire ce que je ressentais, ou parler au petit garçon en moi que je ne connaissais pas très bien et lui dire qu'il va bien et que je l'aime. Je suis vraiment heureux que Nelly ne soit pas venue à mon secours. Cela m'a permis de passer du temps dont j'avais vraiment besoin avec moi-même, et d'apprendre à connaître le petit garçon en moi. Je pouvais commencer à lui accorder du temps et de l'attention.

Frontières saines

À l'origine, le mot *frontière* faisait référence à un repère terrestre qui délimitait un territoire d'un autre. Dans nos relations, cette définition suggère l'importance d'autoriser notre caractère unique à démarquer notre territoire de celui d'une autre personne, à créer notre espace psychologique.

Une limite en tant que division physique est facile à reconnaître, mais du point de vue psychologique, c'est beaucoup plus complexe. Les gens parlent d'«ériger un mur» pour se protéger et de «dresser des barrières». D'autres disent «se sentir envahis» ou «ne pas savoir où ils s'arrêtent et où commence l'autre». Nous sentons que les gens «nous ferment leur porte» ou nous sentons «l'ouverture des gens, laquelle nous invite à entrer».

L'osmose, un des processus essentiels de la vie, nécessite une membrane semi-perméable pour un échange sain des éléments nécessaires à la vie. Imaginez que votre frontière consiste en une enveloppe semi-perméable autour de vous. Étant donné qu'elle est semi-perméable, elle peut prendre ce dont elle a besoin et laisser dehors ce dont elle ne veut pas. Elle peut respirer! Ce qu'elle prend devient une partie de ce qui existe déjà. Elle peut rejeter ce qu'elle ne veut pas.

Les frontières devraient être semi-perméables de manière à échanger facilement et par choix notre amour, notre pouvoir et notre intuition. Il peut y avoir une ligne de démarcation claire-ment définie selon laquelle chaque personne possède ses pen-sées, ses sentiments, ses valeurs et ses actions, qui sont respectés et partagés. Si les frontières sont trop perméables ou trop floues, nous commençons à nous définir en fonction des pensées, des sentiments et des actions des autres. Nos frontières s'effondre-ront, trop de choses y entreront et trop de choses en sortiront. Mais si nos frontières sont imperméables, nous adoptons une position antidépendante et refusons d'aller vers les autres, de prendre ou de donner. Nous nous durcissons, rendant notre amoureux spirituel incapable de s'exprimer ou d'être partagé.

Dans le processus d'une relation amoureuse, nous pouvons être conscients et respectueux des frontières et en accepter l'entière responsabilité. Si nous érigeons un mur, nous en som-mes responsables et nous savons pourquoi nous le faisons. Si quelqu'un pénètre à l'intérieur de nos frontières avec des pen-sées, des besoins, des sentiments et des actions dont nous ne vou-lons pas, nous parlons franchement et disons «arrête», sinon nous acceptons de coopérer.

La clé pour des frontières saines consiste à connaître nos besoins et nos limites, et à en parler aux autres. Nous savons et déterminons ce qui est bon pour nous. Nous sommes responsa-bles de nos frontières : «J'entends ce que tu dis, et mon expé-rience est différente.» «Je sais que tu penses que c'est bon pour moi, mais j'ai besoin de prendre mes propres décisions.» «C'est correct que je me sente bien, même quand tu es triste.»

Diane nous explique comment elle est parvenue à établir des frontières saines.

❖ L'HISTOIRE DE DIANE : *«J'ai choisi de dire clairement à mon ami ce dont j'ai besoin.»*

Je sais plus clairement quelles sont mes frontières et je suis davantage capable de les respecter. Pour moi, avoir des frontières et les respecter signifie que je suis capable de ressentir et d'agir sur mes sentiments, mes besoins et mes désirs de manière respectueuse plutôt que de m'adapter à ce que je perçois être ceux de quelqu'un d'autre. C'est particulièrement clair en ce qui concerne mes relations amoureuses avec les hommes.

À une époque, j'ai fréquenté un homme qui m'a dit : «Le véritable amour est rare. Une fois que tu l'as trouvé, tu dois t'y accrocher, sinon tu risques de ne jamais avoir une autre chance.» J'ai aussi entendu un autre message derrière ces paroles : *Ignore tes sentiments, tes besoins et tes désirs. Apprends à t'adapter aux miens. Si tu ne le fais pas et que tu décides de partir, il se peut que tu n'aies pas une autre chance de rencontrer l'amour.* Ce message a eu un puissant effet sur moi et je l'ai accepté comme étant vrai. J'ai pris son affirmation comme étant ma propre réalité. Ce fut la fondation de mon acceptation à de graves abus psychologiques et sexuels qui ont duré plus de neuf ans.

J'apprends que je suis importante et que mes sentiments, désirs et besoins sont également importants. Actuellement, je fréquente un homme très amoureux et respectueux de qui je suis. Il a aussi des désirs et des besoins qui sont très différents des miens. Parfois, c'est douloureux. Mais ça me fait du bien de savoir que je *ressens quelque chose,* même s'il arrive que ce soit désagréable. Et plutôt que de renoncer à mes désirs et à mes besoins pour m'accrocher à cette relation amoureuse, j'ai choisi de dire clairement à mon ami ce dont j'ai besoin. Qui sait comment évoluera cette relation? Une chose est certaine : je commence à accepter et à respecter qui je suis. Avoir et maintenir des frontières respectueuses est la manifestation de ce processus dans ma vie.

Responsabilité personnelle

Il est crucial pour le processus amoureux que nous acceptions la responsabilité de ce que nous vivons. N'oubliez pas que rien n'est un hasard, et que la vie nous donne ce que nous avions l'intention d'avoir. Ce que nous n'avons pas, nous n'en avons jamais voulu. Notre vie n'a été qu'une série de choix et continue de l'être.

Il est vrai que, enfants, nos choix étaient limités, ou nous étions fortement influencés à choisir ou croire d'une certaine manière. Certains d'entre nous sont victimes de grandes catastrophes : un détournement d'avion, une guerre, un viol, un inceste. Mais même quand nous sommes des victimes innocentes, nous avons des options face à notre manière d'agir. Nous pouvons toujours choisir *notre réaction* à un événement donné. Nous pouvons aussi continuer à nous sentir, penser et agir comme une victime de situation. Dans ce cas, il est possible que nous continuions à attirer des personnes et des situations qui feront de nous des victimes. Nous n'agissons pas, nous réagissons et nous laissons les événements de la vie définir qui nous sommes ou nous conditionner.

La *responsabilité personnelle* est cette acceptation de revendiquer nos pensées, nos actions et nos sentiments, bons ou mauvais. Le blâme est absent. Nous reconnaissons que, dans une certaine limite, nous avons choisi nos expériences ou que, si tel n'est pas le cas, nous pouvons apprendre de ces expériences. En transcendant la position de victime, nous sommes libres de progresser.

La responsabilité personnelle signifie reconnaître que nous apportons dans chacune de nos relations une histoire, un conditionnement, des illusions et des peurs. Nous avons semé la pagaille dans le passé, et il est probable que nous recommencerons ces mêmes dégâts de temps à autre. Nous apportons avec nous nos faiblesses et nous choisirons probablement les partenaires qui correspondent à nos vulnérabilités. *La responsabilité personnelle signifie nettoyer la pagaille que nous avons causée.* Elle nous appartient. Et si elle a fait souffrir les autres ou notre Moi, nous faisons amende honorable. La responsabilité personnelle signifie que nous acceptons notre part de responsabilité dans la relation amoureuse, mais pas plus que notre part. Nous pouvons reconnaître lorsque les autres se débarrassent de leurs vulnérabilités sur nous ou nous invitent à nettoyer leurs dégâts.

Chacun de nous a reçu des messages négatifs ou inhibiteurs, qui font partie de notre scénario. *Ne sois pas proche* en est un que nous retrouvons souvent. Une personne qui a intégré ce message quand elle était enfant a des chances de trouver un partenaire qui, lui aussi, a peur du rapprochement, et qui repousse les gens ou se replie sur lui-même. À mesure que se crée la distance émotive, chaque personne développe une dépendance malsaine envers l'autre. Le manque d'intimité est nié, justifié ou considéré comme étant la faute de l'autre : «Tu m'en demandes trop.» «Tu es trop sensible.»

Dans le processus amoureux, le message *ne sois pas proche* peut demeurer un facteur important. Alors qu'un des partenaires se retire émotivement et est engagé envers sa responsabilité personnelle, il peut dire : «J'ai eu toute l'intimité avec laquelle je peux être à l'aise pour le moment.» Ou l'autre partenaire peut dire : «Je constate la distance que tu mets entre nous et j'ai besoin de savoir ce qui se passe avec toi.» De telles reconnaissances exposent le problème et en font un élément du mouvement conscient de la relation.

Création de dénouements plus heureux

Quand nous considérons une relation amoureuse comme un processus vivant, ce n'est pas grave si l'histoire se répète. Nous sommes différents. Nous sommes conscients et responsables. Nous avons un amoureux spirituel. Nous disposons de nouveaux outils, ou nous savons où les trouver. Nous avons des options, des choix. Nous travaillons pour obtenir des résultats différents et plus positifs. Quand l'histoire se répète, nous considérons qu'il s'agit d'un cadeau, d'une occasion de régler un événement du passé qui n'était pas résolu. Familiers avec notre histoire, nous pouvons faire preuve à la fois de subjectivité et d'objectivité. Nous pouvons participer à notre propre scénario et nous observer en train d'agir.

Chaque relation est un professeur. Si nous n'apprenons pas la leçon, le professeur reviendra. Cette pensée peut nous motiver à apprendre de nos erreurs et à résoudre les problèmes en utilisant les meilleurs aspects de nous-mêmes. Beth partage avec nous ce que sa relation amoureuse lui a enseigné.

❖ L'HISTOIRE DE BETH : *«Je voulais faire ma part pour obtenir une issue plus saine.»*

J'ai ressenti un bouleversement émotionnel intense quand j'ai remis en question le comportement d'un ami qui représente beaucoup pour moi. Même si je n'avais pas éprouvé un tel sentiment depuis longtemps, j'ai eu l'impression de retrouver un vieil ami familier. Je me suis souvenue de scènes similaires par le passé où ce désespoir était bien présent. Chaque fois, j'avais été abandonnée. Il ne serait pas intéressant de parler ici de la manière dont mon amoureux dépendant a fait face à ces situations. Je voulais faire ma part pour obtenir une issue plus saine. Je me suis donc détachée de ce que je vivais, je suis devenue mon amoureux spirituel et j'ai écrit ce qui suit à mon intention : «Aie confiance en ton instinct. Ce que tu demandes est bien. Cesse de pousser. Travaille pour la paix intérieure et l'harmonie que tu as déjà connues. Fais ce que tu peux pour te libérer de ta souffrance. Il n'est pas prêt à te donner ce que tu demandes. Il a beaucoup de peine qu'il doit d'abord ressentir. Arrête de retenir ton amour. Pardonne et aime son humanité, aussi difficile que cela puisse être. Cesse de personnaliser son comportement. Ce n'est que son comportement, ce n'est pas qui il est.»

Votre amoureux dépendant et votre Moi blessé, de même que vos amoureux sain et spirituel sont avec vous dans vos relations. Le Moi appris veut souvent prouver que son histoire et ses croyances négatives sont la vérité. En considérant votre engagement dans vos relations amoureuses comme un processus vivant, vous êtes assuré que, lorsque l'histoire semblera se répéter, vous resterez pour établir des dénouements plus heureux.

Grandir au-delà de la souffrance

Un aspect significatif des relations comme processus vivant est d'utiliser la souffrance pour grandir. Notre amoureux dépendant peut éviter la souffrance, infliger de la souffrance, essayer de contrôler avec la souffrance ou refuser de parler de la souffrance. En considérant l'amour comme un processus, nous reconnaissons entièrement que la douleur est un indicateur que quelque chose ne va pas ici. Nous pouvons commencer par vérifier si le sentiment est exagéré ou si, en effet, il se produit un véritable «dénigrement».

Dans les relations, le *dénigrement* signifie qu'un aspect de ce que je suis, de ce que je ressens, de ce dont j'ai besoin, de ce que je pense ou de ce que je fais est nié, minimisé ou considéré comme sans solution. Chaque fois que nous découvrons que nous sommes victimes de *dénigrement* et que nous ne réagissons pas, nous coopérons à l'abus dont nous sommes l'objet. Reconnaître et confronter les dénigrements dont nous sommes victimes est peut-être la leçon la plus importante que nous avons à apprendre[32].

Nous identifions les dénigrements à travers une souffrance émotive. La souffrance peut être très faible, comme un malaise ou un état de confusion, ou elle peut être plus profonde. Dans les

---

32. J. L. Schiff, auteur de *The Cathexis Reader,* a identifié quatre niveaux de dénigrement qui appuient quatre comportements passifs : 1) ne rien faire, 2) se suradapter aux autres, 3) s'agiter et 4) se sentir incapable ou devenir violent. Dans les quatre niveaux de dénigrement, nous pouvons ignorer le problème en niant son existence, en minimisant son importance, en croyant qu'il est insoluble ou en faisant peu de cas de qui nous sommes ou de qui sont les autres, en faisant d'une personne quelqu'un de mieux ou de pire qu'elle ne l'est en réalité. Remarque : chaque fois que nous reconnaissons et acceptons un dénigrement dont nous sommes victimes, nous entrons dans une relation de dépendance ou de codépendance — une symbiose malsaine.

deux cas, nous devons nous poser la question : Qu'est-ce qui se passe ? La souffrance n'est jamais personnalisée, seulement ressentie. Elle sert à identifier le dénigrement et à le confronter. Nous pouvons ensuite travailler pour y remédier plutôt que de le nier ou de vivre avec une blessure ouverte. Ceci nous permet de reconnaître que nous méritons d'être bien traités.

Quand quelqu'un me manque de respect et que je me dis *Je dois avoir quelque chose qui ne va pas* ou *J'aurais dû faire mieux,* j'ai personnalisé et doublé le dénigrement. Si, au lieu de cela, je me dis *Je ne me sens pas bien avec ce comportement, j'aimerais qu'il cesse,* je suis responsable de moi et je confronte le dénigrement.

La souffrance est le moyen qu'utilise la nature pour nous dire que nous avons trop, ou pas assez, de quelque chose. Nous pouvons avoir confiance en la capacité de notre enfant intérieur à identifier les besoins à travers la souffrance. Quand nous adoptons un comportement non abusif, nous découvrons que ressentir la douleur est un moyen rapide pour nous d'obtenir de l'information importante et d'affirmer nos frontières. Il se peut que nous ne sachions pas tout de suite ce qui se passe, mais, avec le temps, nous pouvons le découvrir.

Il est particulièrement utile d'examiner les modèles de dénigrement dont nous sommes victimes. Bien que vous puissiez souffrir rapidement de ce qui se passe, vous pouvez choisir de ne pas agir tout de suite et d'accepter que les autres commettent des erreurs. Mais si le dénigrement continue, le temps est venu de faire face à cette situation.

Une fois que vous identifiez le dénigrement et parlez de ses répercussions sur vous et votre relation amoureuse, il est important d'identifier le besoin. Cela peut prendre du temps — des heures, un jour, une semaine — pour le découvrir. Une fois que vous y êtes parvenu, vous pouvez dire franchement et respectueusement ce dont vous avez besoin.

Notre amoureux dépendant a une attitude paranoïaque face à la souffrance. Il anticipe les blessures, les déceptions et les problèmes. Notre amoureux sain s'engage à être conscient que la souffrance et les problèmes existent, et à prendre soin de nous quand ils se présentent. Notre amoureux spirituel transcende la souffrance. Dan avait de la difficulté à faire confiance aux gens. Ayant été victime de violence physique et d'abandon dans son enfance, il avait pris la décision de «ne jamais aller vers les autres, car il était certain d'être blessé.»

❖ L'HISTOIRE DE DAN :   *« Ce fut l'enfer de m'ouvrir.»*

Adulte, j'ai commencé à travailler afin de retrouver la confiance que j'avais perdue. J'étais dans un groupe de soutien depuis un mois quand j'ai enfin pu m'ouvrir. Quand je l'ai fait, j'ai constaté à quel point j'avais peur de révéler mes sentiments, puis j'ai pris le risque de partager une période de transition douloureuse que j'étais en train de vivre. À la fin d'une séance, un autre membre du groupe m'a dit qu'elle était en colère contre moi parce que je ne travaillais pas assez. Je me suis senti blessé et j'ai été en colère. J'ai vu à quel point la honte était un besoin chez moi et j'ai entendu une voix intérieure me dire : *Quel idiot tu es. Tu sais que tu ne peux pas faire confiance aux gens et tu en as la preuve. Tu demandes de l'aide et tu es rejeté, même dans un groupe où tu pensais trouver du soutien.* J'ai examiné tous mes sentiments et j'ai découvert que la souffrance était le plus légitime de tous. J'avais bel et bien été dénigré. J'ai dit à l'autre membre : «Je sais que tu te préoccupes de moi, mais ce que tu viens de dire ne semble pas m'apporter beaucoup de soutien. Ce fut l'enfer de m'ouvrir ce soir. En ce moment, j'ai besoin d'être accepté et encouragé dans ce que j'ai fait.»

Il existe trois catégories de sentiments, et l'histoire de Dan fournit un excellent exemple de chacune des trois. Il s'est tout d'abord senti blessé, c'était son *sentiment réel* face à la situation qu'il vivait. La colère était un *sentiment élastique,* hors de proportion avec la situation parce qu'il était relié à un événement passé chargé émotivement, en fait une colère envers son père qu'il n'avait jamais exprimée[33]. La honte était un *sentiment d'escroquerie,* un sentiment manipulateur créé pour justifier l'histoire passée. Quand nous confrontons le dénigrement, nous devons faire face au *sentiment réel.*

Joanne nous décrit comment elle a découvert que l'amour est «la joie de ressentir».

❖ L'HISTOIRE DE JOANNE :   «*Les sentiments nous disent qui nous sommes.*»

À une époque, je ne pouvais pas imaginer trouver de la joie à ressentir quelque chose. Pour moi, ressentir semblait consister principalement à ressentir la *souffrance* de vivre, avec quelques brefs moments d'excitation ou de plaisir par-ci, par-là pour me tourmenter.

Comme beaucoup d'autres, j'ai grandi dans une famille alcoolique. J'ai été abusée sexuellement et abandonnée par mon père quand j'étais très jeune. Ensuite, je suis devenue un jouet entre les mains d'une mère codépendante et d'un beau-père tyrannique. Celui-ci était déterminé à mener une guerre sans merci, et ses armes étaient le blâme, les accusations et les déceptions cruelles. Nous n'étions pas une famille heureuse. Souvent, j'avais peur et j'étais en colère.

La force physique et les menaces émotives étaient utilisées pour m'enseigner que la seule manière de me faire accepter était de montrer un extérieur docile, aimable et «gentil». Étant une petite fille intelligente, j'ai donc appris à faire très bien ce qu'on me demandait. Avec le temps, j'ai découvert un raccourci intéressant pour maintenir la façade avec laquelle je devais me débrouiller. J'ai découvert que si je ne m'ouvrais jamais à mes sentiments et m'interdisais de les ressentir, cela me demandait moins d'efforts pour essayer de les cacher aux adultes qui m'entouraient.

---

33. David Kupfer et Morris Haimowitz ont été les premiers à parler de la théorie de l'élastique dans le *Transactional Analysis Journal,* n° 1 :1 (1971), p. 10-16.

Avec résolution et zèle, j'ai travaillé à me transformer en pierre. Et cela a fonctionné — une partie de moi est devenue une pierre, froide et imperturbable, sans compassion pour moi-même et les autres. J'étais fière de pouvoir contrôler l'image extérieure que je projetais de moi au monde et j'ai cru que j'avais trouvé la solution pour survivre.

Toutes sortes de dépendances m'ont permis de fuir mes sentiments — la nourriture, les drogues, les dépenses, les relations sexuelles, le travail et même la lecture. Tout peut devenir une dépendance quand on l'utilise régulièrement et de manière compulsive pour fuir ses sentiments. J'ai même été dépendante du yoga, qui semble apparemment une pratique saine — je passais jusqu'à trois heures par jour à pratiquer le yoga en solitaire. À la même époque, mes troubles alimentaires, l'abus de drogues et d'alcool menaçaient dangereusement ma santé.

Finalement, cependant, la digue de colère, de désespoir et d'autodestruction qui émergeait quand j'étais sous l'influence de l'alcool était si effrayante que je n'ai pas eu d'autre choix que de me faire soigner si je voulais vivre.

Ce que je sais aujourd'hui, et que je ne savais pas alors, c'est que les sentiments ne peuvent pas simplement «disparaître» de notre vie parce que nous n'aimons pas qu'ils soient là. Les sentiments nous disent qui nous sommes — ce que nous aimons et n'aimons pas, ce qui nous fait du bien et ce qui nous fait du tort, quelle voie peut aider à nous réaliser et quelle voie nous mène à la souffrance. Nous avons beau les étouffer, les repousser dans un coin exigu et poussiéreux, les sentiments sont toujours vivants. Cela ne fait que les pousser à agir comme des prisonniers qui creusent un tunnel pour s'échapper quand les couloirs qui leur permettraient de s'exprimer sont fermés à clé. Si les sentiments ne sont pas exprimés, le problème ne sera jamais résolu.

En résumé, faire votre part signifie utiliser vos sentiments pour reconnaître les dénigrements, demander ce dont vous avez besoin, lâcher prise et faire confiance au processus. Un parte-naire qui est attentif au processus vous entendra, et la souffrance vous permettra enfin de grandir. Si, pour une raison ou une autre, les comportements blessants continuent, songez à aller chercher une aide extérieure.

Résolution des conflits

> *Les problèmes ne s'en vont pas. Nous devons les assumer, sinon ils resteront à jamais une barrière qui empêchera notre esprit de grandir et de nous développer.*
>
> – M. SCOTT PECK

Confrontez-vous les conflits dans le processus amoureux? Bien sûr! Tandis que l'amoureux spirituel souligne l'importance d'une acceptation totale du Moi et des autres, jamais il ne tient pour acquis que tous les comportements, toutes les pensées et toutes les manières d'exprimer des sentiments sont bons ou nous plai-sent. Il sait seulement que nous devons encourager ce qui est bon en nous et confronter ce qui est négatif. Il sait que nous avons un sens spirituel plus profond de notre valeur. L'amoureux dépen-dant se sert de la confrontation pour blesser, agir à sa façon, con-trôler les résultats ou, au contraire, évite la confrontation. L'amoureux sain se sert de la confrontation pour mettre un terme à ce qui fait souffrir, même quand il a peur.

L'amoureux sain se confronte lui-même ainsi que les autres chaque fois que des pensées, des comportements ou des senti-ments sont en contradiction avec le respect mutuel, la responsa-bilité personnelle, l'honnêteté et la croissance. Il confronte toutes les formes d'abus de manière convaincante et affectueuse. En réponse à tout cela, l'amoureux spirituel ne fait qu'observer les leçons que nous sommes en train d'apprendre.

Quand ils décident de considérer l'amour comme un proces-sus vivant, les partenaires s'engagent à rester ouverts plutôt qu'à adopter une position de défense, à rester plutôt qu'à partir, et à s'approprier plutôt qu'à blâmer. La discussion, l'écoute et le respect remplacent les disputes, les bagarres et les abus. *Le processus, ou la façon dont on le fait, est plus important que le contenu, les conséquences ou les résultats.*

Un *conflit* signifie un combat pour surmonter la mésentente. Il signifie que les partenaires s'opposent l'un à l'autre. La *résolution* signifie passer de la discorde à l'harmonie. La discorde à l'origine du conflit est effacée par l'harmonie et la croissance qui s'ensuivent. *Avec l'engagement de votre amoureux spirituel à rester honnête, il est probable que vous vivrez davantage de conflits.* Vous pouvez même espérer les conflits, car votre histoire prouve qu'ils sont un moyen important de vous connaître et de connaître les autres. La grande récompense est de grandir dans l'amour.

Cela ne commence pas forcément de cette façon. Les premiers pas de danse du conflit nous sont familiers. Quand nous nous sentons menacés, notre instinct de survie nous dit de combattre, fuir ou ne rien faire. Parfois, nous n'avons pas le choix et devons nous livrer à ces comportements immatures avant de pouvoir nous retrouver et résoudre nos différends avec amour. «Combattre, fuir ou ne rien faire» nous aide à nous libérer de notre charge émotive pour que l'amoureux spirituel puisse entrer en scène.

La question qui se pose est de savoir comment faire marche arrière lors d'un conflit et se recentrer de nouveau. Voici la réponse apportée par un couple.

❖ L'HISTOIRE DE DAVID ET LISA :   *«Cette déclaration…m'a permis d'exprimer ma souffrance en toute sécurité.»*

DAVID : Je sais qu'il est beaucoup plus facile de prendre du recul quand vous avez une ou un partenaire qui reconnaît ce qu'elle ou il ressent et le fait sans vous blâmer. Pour moi, il est important de pouvoir dire en plein conflit «Attends une minute» et d'expliquer ce que je ressens. De cette manière, ma partenaire cesse ses attaques. L'engagement est là. Parfois, j'ai l'impression d'être tombé dans la fosse aux lions alors que je voulais simplement les nourrir. J'ai besoin de prendre le temps de m'arrêter et de parler de ce que je ressens.

D'une part, je dois être prêt à m'arrêter quand je suis au beau milieu de mes absurdités. J'ai investi beaucoup d'énergie pour arriver à régler mes émotions, comme si j'avais des jetons de poker sur la table. Je dois être prêt à me dire : «Attends une minute, c'était un investissement malhonnête — je ne vais pas récupérer ce que j'ai misé.» C'est vraiment difficile d'y arriver quand on a appris à simplement partir et rester seul, et surtout j'ai beaucoup travaillé pour justifier cette attitude. Ce fut réellement important pour moi de me dire et de dire à ma partenaire : «Je ne pars pas, j'ai juste quelque chose à résoudre.»

LISA : Pour moi, c'est être consciente que l'autre manière ne fonctionne pas. Je l'ai vécue, et j'ai même été jusqu'au drame. Je ne veux pas d'un dénouement négatif. Je suis prête à le faire d'une autre façon, même si c'est difficile. Peut-être qu'au début je ferai comme d'habitude : attaquer, fuir et ne rien faire. Maintenant, je suis capable de le reconnaître et je m'en sers pour me ressaisir. Je sais que je vais revenir. Je peux avoir besoin de marcher ou d'écrire d'abord. Souvent, pendant ces moments de conflit, j'ai besoin de me rappeler que j'ai eu raison de prendre ce risque, même si mon partenaire n'a pas aimé ce que j'avais à lui dire. Parfois, je lutte et je me demande si je ne devrais pas arranger les choses, mais j'attire mon attention sur le fait que je dois rester honnête, peu importe ce qui arrive, et croire en des résultats positifs. Certaines fois, je me suis demandé si nous allions réellement passer à travers un conflit. Avoir un partenaire disposé à rester et à régler les choses est tout nouveau. Je me souviens d'une fois où je me suis comportée comme une enfant et où j'étais en colère. Je lui ai dit de partir. Il a répondu : «Non, je ne partirai pas, parce que je me suis engagé à rester.» Cette déclaration m'a obligée à abandonner ma grandiose croyance selon laquelle j'avais le pouvoir de faire partir les gens et m'a permis d'exprimer ma souffrance en toute sécurité.

Une fois, un interviewer m'a demandé : «Est-ce que l'amour sain n'est pas ennuyeux?» Absolument pas. Étant donné que les individus se sont engagés à être honnêtes, d'abord envers eux-mêmes puis envers les autres, le processus invite à plus d'action et d'excitation, à plus d'intensité, et offre plus d'occasions d'explorer de nouveaux territoires que jamais auparavant. De plus, nous ne connaissons jamais le résultat à l'avance, surtout quand nous tentons de régler des conflits.

Avoir confiance et faire confiance

L'amour sain est basé sur la confiance. Pas sur la perfection — mais sur la confiance. Cela signifie avoir confiance en soi, avoir confiance que l'autre personne est là pour nous, et avoir confiance dans le processus. Avoir confiance signifie être totalement vulnérable. Avoir confiance, c'est accepter l'existence de lois universelles sur lesquelles nous pouvons compter. Nous avons confiance que tout ce dont nous rêvons est là.

Il y a eu un moment où la confiance était quelque chose de facile, un état naturel. Pour certains d'entre nous, ce n'est plus vrai. Nos expériences de vie y ont veillé.

Le plus grand défi que nous devons relever dans une relation amoureuse considérée comme un processus vivant est d'avoir confiance et de faire confiance. Pour notre Moi humain, c'est le plus grand des défis, le processus de déconditionnement le plus difficile auquel nous devons faire face : nous ouvrir de nouveau, puis rester ouverts à notre amoureux spirituel au milieu de, ou avec un potentiel de, la souffrance et du rejet. Si nous le faisons, nous confirmerons les paroles de Khalil Gibran qui nous rappelle : «Le chagrin sculpte le cœur pour qu'il puisse contenir plus de joie.»

Il est beaucoup plus facile de faire confiance à l'autre quand nous grandissons et que nous croyons que nous pouvons prendre bien soin de nous-mêmes dans nos relations amoureuses. Nous savons alors que la seule chose qui puisse empêcher quelqu'un de nous aimer sont ses propres limites face à l'amour et non le fait que nous sommes désagréables.

Une relation de confiance peut devenir une thérapie vivante quand un partenaire accepte de laisser l'enfant blessé chez l'autre partenaire s'exprimer et demander ce dont il a besoin mais qu'il n'a pas eu pendant son enfance.

Un couple qui était venu assister à un atelier de fin de semaine souffrait de la distance qui s'était installée entre eux et envisageait une séparation définitive. À un moment, j'ai demandé aux participants de présenter leur enfant intérieur à leur partenaire et de demander à ce dernier d'en prendre soin pendant une période de temps déterminée. Les partenaires devaient agir comme des parents substituts. Ensuite, ils sont revenus et ont parlé de leur expérience. Le couple qui était distant avait ressenti un amour intense pour l'enfant intérieur de l'autre, et avait découvert l'éducation aimante que leur partenaire avait apportée à cet enfant intérieur. Alors qu'un lien était créé entre l'innocence et l'amour, et que la confiance était rétablie, le couple a ressenti un espoir et une joie qu'il avait oubliés depuis longtemps.

Quand nous considérons une relation amoureuse comme un processus, nos trois amoureux sont présents, compris et partagés dans une atmosphère de confiance. En nous engageant à être le parent l'un de l'autre, nous pouvons identifier ce dont nous avons besoin. En disant quand nous en avons assez, nous guérissons notre enfant intérieur. Quand nous validons et soutenons l'expérience de l'enfant intérieur, nous avons davantage confiance en nous-mêmes et dans les autres, et l'amoureux spirituel devient plus évident. Tout ceci est tellement plus sain que de chercher compulsivement d'autres personnes pour répondre à nos besoins insatisfaits.

Engagement envers le processus continu

L'engagement est le fondement, la base de toute
relation amoureuse authentique.

— M. SCOTT PECK

Pour l'amoureux spirituel, il est facile d'avoir confiance en notre lien et en notre sens d'appartenance parce que nous sommes tous un. Notre amoureux humain a besoin d'être davantage rassuré à cause de la complexité que nous apportons dans la relation amoureuse. Dans les relations, un engagement dans le processus d'être avec une personne apporte la sécurité qui permet de rester liés quand les problèmes font surface.

Beaucoup de problèmes dans nos relations amoureuses viennent d'une trahison que nous avons vécue dans des engagements précédents. Les blessures que nous a laissées cette trahison peuvent être guéries avec un nouvel engagement. Cet engagement n'est pas pris envers une personne, n'est pas centré sur des résultats, et ne donne aucune garantie. Nous nous engageons plutôt à nous transformer et nous misons sur la transformation des personnes que nous aimons. Chaque personne dit : «Je m'engage dans le processus d'être avec toi et de devenir ce que je peux devenir de mieux. Je partagerai ce nouveau Moi avec toi de façons qui nous valorisent et nous honorent tous les deux. Je ferai pleinement ma part pour continuer à grandir, évoluer et apprendre à connaître et vivre ma vérité intérieure. Je m'engage à prendre la responsabilité de mon histoire et de mes faiblesses; à parler en mon propre nom; à m'approprier mon amour, mon pouvoir et mon amoureux spirituel; et à les partager même quand j'ai peur. Je m'engage à faire ma part pour maintenir le lien, même quand la forme de notre relation change. Je m'engage à m'aimer et à t'aimer.»

Une relation amoureuse grandit dans l'amour quand chaque partenaire s'engage dans sa transformation continue et dans la relation. Dans les vœux que nous échangeons traditionnellement quand nous nous marions, nous nous engageons souvent à quelque chose qui nous semble être une institution immobile. C'est pour cela que, souvent, nous craignons l'engagement ou nous en abusons. Il est rare que nous assumions la responsabilité de la croissance personnelle qui soutient les relations amoureuses. Dans l'amour spirituel, nous nous engageons dans le processus *d'être avec* l'autre personne, non *d'être à* la personne.

Dans la tradition catholique, le mariage est un sacrement. Je connais un couple catholique, Marie et Lou. Marie m'a dit : «Nous venons de découvrir que notre mariage est supposé être un sacrement différent de celui auquel nous pensions. Nous pensions qu'un sacrement signifiait une période de temps bien déterminée, une jolie petite boîte que nous pourrions déposer sur une étagère et sur laquelle nous pourrions compter. Il vous déclarait mariés et vous garantissait le bonheur et l'amour pour toujours. Ce n'est pas du tout ça!» Ce que Marie et Lou apprennent, c'est que ce sacrement ne garantit pas les amoureux spirituels. Il ne fait qu'affirmer la possibilité de l'amour spirituel. Le sacrement du mariage doit devenir un mot d'action où chaque amoureux est considéré comme un participant à l'acceptation et au don de l'amour. Tous deux occupent une place d'honneur. Chaque moment devient l'opportunité d'un moment sacré lorsque les partenaires créent l'amour inconditionnel. Puis, ils honorent ce moment avec Dieu. L'état de grâce devient ce sentiment d'unité.

Paradoxalement, quand nous nous concentrons sur le processus changeant de l'amour, nous sommes plus présents pour l'autre. Chaque personne prend la responsabilité de son histoire personnelle, qu'elle apporte avec elle, et recrée parfois terriblement mal.

Marie et Lou, qui étaient mariés depuis dix ans et avaient besoin de renouveler leur engagement l'un envers l'autre, illustrent bien ce concept.

❖ L'histoire de Marie et Lou : *«Leurs Moi appris répétaient leur histoire en fuyant l'intimité.»*

Depuis plusieurs années, Marie voulait retourner faire des études universitaires pour préparer une carrière professionnelle. Ils commencèrent à parler de leurs inquiétudes au sujet des prêts et de leur relation qui changeait. Leurs trois Moi se manifestèrent : le Moi appris avait peur des changements qui se produisaient; le Moi autonome encourageait favorablement ces changements et le Moi spirituel recherchait l'expression créatrice.

Il devint clair, quand Marie parla à Lou, que le problème venait de l'enfant effrayée qui l'habitait : «En tant qu'aînée de dix enfants, je devais être responsable et je me sentais seule. Mon père avait besoin de mon aide, mais il n'encourageait ou n'appuyait jamais mes succès. Cette partie de moi avait peur que tu te retires, Lou, alors que je commençais à poursuivre mon rêve. Et lorsque tu t'es réellement retiré, j'ai eu encore plus peur et je me suis sentie encore plus seule. J'ai décidé que je ne te demanderais rien. Je prendrais soin toute seule de moi, comme je le faisais quand j'étais enfant.» C'est alors que Marie a pris conscience du côté humoristique dans la répétition de ce comportement enfantin.

«Même si je déteste l'admettre, répondit Lou, moi aussi j'ai peur d'être abandonné. J'avais seize ans quand ma mère s'est suicidée. Je pensais que j'avais réglé ça, mais il semble que non. Même quand tu pars pendant une semaine ou deux, j'ai peur. Alors je me retire, parce que je crois que, de cette façon, je souffrirai moins.»

Leur Moi appris, anticipant chacun la blessure et la trahison, répète l'histoire en fuyant l'intimité.

Ils renouvelèrent leur engagement au processus d'être ensemble et déclarèrent clairement que, s'ils devaient se retirer, ce ne serait que temporaire. Ils parleraient ouvertement de leurs peurs ou de leurs souffrances. C'était agréable de voir leur comportement changer alors que tous deux ressentaient une nouvelle confiance en eux-mêmes et en l'autre.

Marie et Lou promirent que, si les contrats devaient ne pas être respectés, ils en parleraient ouvertement. Leur histoire met en évidence l'importance du processus de la relation plutôt que son contenu. En ayant confiance et en faisant

confiance, des résultats positifs s'ensuivirent tout naturellement. Ils commencèrent à honorer davantage de moments de
leur amoureux spirituel respectif.

Partage du pouvoir

En considérant l'amour comme un processus, nous admettons
que nous ne sommes pas seuls sur une île, mais que nous entretenons des liens profonds avec les autres. Nous sommes appelés à
nous aider mutuellement dans ce travail de transformation personnelle. En permettant à notre amoureux spirituel de se manifester, nous découvrons un sens plus profond de l'amour et du
pouvoir. Nous n'avons plus besoin d'exercer le contrôle. Nous
prenons nos responsabilités en faisant notre part, et en partageant
l'amour et le pouvoir avec les autres et avec le monde. Ainsi,
nous sommes à la fois professeurs et étudiants. Partager le pouvoir au lieu d'exercer des jeux de pouvoir devient un mode de
vie. Nous apprenons à partager le pouvoir au lieu de nous com-
plaire dans des jeux de pouvoir. Cette caractéristique revêt une
telle importance qu'elle sera le sujet du chapitre suivant.

Les défis de l'amour

Nous pouvons maintenant comprendre combien une relation
amoureuse est difficile. Il existe trois formes de dépendance dans
lesquelles nous pouvons tomber et dont nous pouvons sortir : la
dépendance primaire, la dépendance qui devient accoutumance
et l'interdépendance. Trois amoureux cohabitent en nous :
l'amoureux dépendant, l'amoureux autonome et l'amoureux spirituel. Ajoutons à cela le caractère unique de chaque individu, et
nous pouvons commencer à comprendre pourquoi une relation
amoureuse n'est pas une jolie petite boîte.

Quand vous acceptez vraiment la complexité d'une relation
amoureuse, elle cesse d'être difficile. Vous verrez la relation telle
qu'elle est et vous n'essaierez plus d'en faire quelque chose
qu'elle n'est pas. Nous sommes nombreux à vouloir une relation

invariable sur laquelle nous pouvons compter. La chose sur laquelle vous pouvez compter, cependant, c'est le changement; et si vous restez avec lui, vous grandirez.

Si vous voulez des résultats sûrs et prévisibles, le processus d'un amour sain n'est pas pour vous.

Nous avons à la fois une forte envie de grandir et aussi de garder les choses telles qu'elles sont. Nous devons faire un choix. Choisir de grandir exige de gros efforts et beaucoup de détermination. La peur se manifestera. Alors que la relation commence à changer, nous devons continuer à nous montrer aimants et à rester en contact, même quand les résultats sont incertains.

Pour résumer l'idée que l'amour est un processus qui vaut la peine d'être vécu, je dois dire que mes relations amoureuses ne sont pas parfaites. Parfois, c'est la pagaille. Ayant promis de faire ma part pour apporter autant de lumière que possible dans mes relations, je crois en des résultats positifs parce que les lois de l'univers sont là pour moi. J'ai appris que tout en faisant ma part et en lâchant prise, il y a en effet des richesses qui dépassent l'imagination. J'ai dans ma vie de nombreuses relations riches d'intimité, d'honnêteté, de défis, de passion, de confrontation, de nouveauté et de vitalité.

ACTIVITÉS

1. Rappels pour maintenir un amour sain

Nous avons appris qu'une relation amoureuse n'est pas une jolie petite boîte. C'est un processus qui nous défie quotidiennement. Voici douze idées qui peuvent nous aider à maintenir des relations amoureuses saines. Vous pouvez les photocopier et les afficher comme aide-mémoire.

1. S'engager dans le processus de devenir un partenaire aimant et d'être avec une autre personne.

2. Se concentrer sur le processus de la relation plutôt que sur le contenu, la forme ou les résultats.

3. Reconnaître les trois amoureux que vous apportez dans toute relation : l'amoureux dépendant qui cherche à répéter l'histoire, l'amoureux sain qui cherche son autonomie, et l'amoureux spirituel qui cherche des relations constructives.

4. Apprendre à distinguer les trois systèmes de dépendance qui sont présents en même temps dans vos relations : dépendance primaire, dépendance qui devient accoutumance et interdépendance.

5. Identifier l'histoire personnelle des peurs, des blessures et des sensibilités que vous apportez dans chaque relation.

6. Assumer la responsabilité de toute pensée négative, sentiment négatif et comportement négatif que vous apportez dans vos relations.

7. Dire clairement par contrat que vous vous engagez à rester avec votre partenaire, à confronter et à résoudre les conflits.

8. Confronter les contrats et les engagements rompus, et les renégocier.

9. Confier vos points vulnérables aux personnes qui partagent avec vous un amour sain.

10. Faire amende honorable envers vous-même et envers les autres quand le besoin s'en fait sentir.

11. Réparer tout gâchis que vous créez dans vos relations et essayer d'y mettre un terme.

12. Avoir confiance en des résultats positifs.

2. Résolution des conflits

Plus on étudie la vie, plus il devient évident que tous les organismes de la nature sont associés, reliés, vivent en coopération et partagent des caractéristiques essentielles. Dans cet état d'équilibre se combinent la compétition et une dépendance mutuelle. Cette compétition se situe cependant dans un contexte plus vaste de coopération. Les relations n'échouent que lorsqu'une agression excessive, une compétition et un comportement destructeur (y compris abandonner et renoncer) prédominent. Ceci n'est pas fréquent dans le cas du Moi autonome, ce qui suppose que le comportement négatif est *appris* plutôt qu'acquis naturellement.

Résoudre un conflit d'une manière saine signifie résoudre d'abord le conflit intérieur — en séparant ce que nous avons appris de notre état naturel. N'oublions pas que trois amoureux cohabitent en nous. Quand les choses vont bien ensemble, nous connaissons l'amour et le pouvoir, et nous résolvons les conflits extérieurs avec facilité et lucidité. Quand ces aspects de nous ne sont pas en harmonie, nous nous sentons déchirés, tiraillés dans différentes directions, anxieux et confus. Les risques sont plus grands que nous nous blessions ou blessions les autres.

Servez-vous de cet exercice pour vous aider à résoudre les conflits, internes et externes, pour vous aider à sortir des innombrables problèmes de relations.

1. Identifiez un problème de relation qui crée en vous présentement un bouleversement intérieur.

2. Séparez votre amoureux dépendant, votre amoureux sain et votre amoureux spirituel. Vous pouvez le faire par écrit, l'imaginer ou utiliser la technique des trois chaises. Chaque chaise symbolise un de vos amoureux. Changez de chaise chaque fois que vous devenez un de vos trois amoureux et parlez de son point de vue.

    a) Demandez à chaque amoureux de définir sa position — son point de vue sur le problème ; ce qui est nécessaire pour résoudre le conflit de façon coopérative.

b) Parlez avec chaque amoureux jusqu'à ce que tous les trois travaillent ensemble. Rappelez-vous que c'est vous qui avez créé votre amoureux dépendant pour que votre vie reste prévisible et sûre. Il est loyal à son héritage. Vous irez plus loin en le remerciant pour ce qu'il a fait, en l'éduquant et en lui trouvant une place dans votre vie.

3. Laissez votre amoureux spirituel être le porte-parole quand vous parlez à la personne avec qui vous êtes en conflit.

CHAPITRE 8

Partager le pouvoir

ଔ ଔ ଐ ଐ

Que faisons-nous de notre pouvoir quand nous passons de l'état de victime à l'état de maître?
— RICHARD BACH

Comment nous développons le pouvoir personnel

Dans le premier chapitre, nous avons traité de la véritable signification du mot *pouvoir*. Nous avons appris que le pouvoir n'est pas un produit en dehors de nous, c'est notre force vitale. D'un point de vue humain, le pouvoir est notre puissance personnelle, une énergie qui a son origine en nous et qui se propage à l'extérieur pour tenter de satisfaire nos besoins de base. Le pouvoir est la capacité d'engendrer le changement. En termes de spiritualité, le pouvoir est la vérité fondamentale qui circule à travers nous alors que nous nous autorisons à être la voie d'une sagesse supérieure. C'est ce qui nous définit comme des guerriers qui n'ont pas peur de confronter leurs peurs. Être vivant est une expression de notre pouvoir.

Il existe un mot finlandais, *sisu*, qui réfère au pouvoir actif. On m'a dit qu'il n'existe pas d'équivalent français. Enfant, on m'a dit que j'avais du *sisu*. Je ne connaissais pas le finlandais, mais le mot était agréable à mes oreilles. Avoir un pouvoir actif signifie que nous avons du courage, de la ténacité, de la détermination, de la verve, de la crédibilité, du dévouement et de l'engagement.

Partager le pouvoir suppose que nous ayons une perception saine du pouvoir personnel. Développer le pouvoir personnel commence dès le berceau. Si nous avions reçu tout ce dont nous avions besoin de la manière dont nous en avions besoin, notre enfance aurait pu ressembler à ceci :

- *Dans le ventre de notre mère et pendant les six premiers mois de notre vie,* notre seule responsabilité consiste à être ou à exister. Le monde tourne autour de nous. Il nous suffit d'être vivants pour obtenir l'attention du monde. Nous nous sentons merveilleusement bien, sûrs de nous et importants — nous ne pensons pas, nous ne faisons rien, nous nous contentons d'être et d'exprimer qui nous sommes. L'expérience nous le montre : je suis omnipotent.

- *À six mois,* nous associons notre omnipotence à nos sens pour explorer le monde qui n'a qu'une chose à faire : assurer notre sécurité. Nous avons le droit de décider quand et quoi explorer, de voir pleinement, de sentir, d'entendre, de toucher, de respirer, de bouger, de goûter et de décider quand cela nous suffit. Jamais on nous dit d'explorer ou sommes-nous punis pour avoir exploré. Nous utilisons notre pouvoir pour plaire à nos sens et pour avoir confiance en notre capacité d'aller chercher ce dont nous avons besoin.

- *Quand nous avons deux ans,* nous commençons à avoir une mémoire et nos capacités de langage se développent. Nous pouvons penser, créer et agir sur nos pensées. Ces progrès apportent une nouvelle à la fois bonne et mauvaise. L'aspect négatif est qu'on nous demande de nombreuses façons de grandir et de partager notre omnipotence avec toutes les autres personnes omnipotentes. Contrairement à ce que nous pensions, nous ne sommes pas le centre de l'univers. Bien que nous soyons importants, nous ne sommes ni plus ni moins importants que les autres. Nous devons apprendre à partager notre pouvoir avec les autres, à attendre, à faire attention à nos manières, à vivre en coopération. L'aspect positif est qu'en partageant, nous remarquons que la vie est plus facile ; nous ne sommes pas moins importants, et nous avons plus, non pas moins, de liberté et de pouvoir.

- *À l'âge de quatre ans,* nous commençons à remarquer que nous appartenons à un sexe particulier, mâle ou femelle. En vivant dans un monde où le pouvoir est partagé, nous remarquons que les hommes comme les femmes ont du pouvoir et sont tendres. Ils se traitent les uns les autres avec un respect mutuel, et partagent sans difficulté le pouvoir à la maison, en dehors de la maison, et dans toutes les relations amoureuses.

- *À l'âge de six ans,* nous apprenons que nous avons du pouvoir en étant qui nous sommes, que le monde nous procure la sécurité et nous autorise à explorer la façon d'utiliser le pouvoir. Nous apprenons aussi que grandir et partager le pouvoir avec les autres est une joie. Les hommes et les femmes ont le même pouvoir personnel. Une fois cette expérience acquise, nous allons dans le monde pour partager aisément le pouvoir avec les autres.

Les mythes du pouvoir

Ce qu'aurait dû être la réalité ressemble davantage à un mythe ! Cela serait humoristique si ce n'était pas aussi tragique. Peu de personnes ont eu ce dont elles avaient besoin pour pouvoir partager facilement le pouvoir. Peut-être n'ont-elles jamais vraiment connu l'omnipotence. Les parents ont fait attention de ne pas traiter l'enfant comme je l'ai décrit ci-dessus, de peur qu'il «ait la tête enflée».

Bébés, peut-être avons-nous souvent été laissés seuls et avons-nous appris que de tendre vers les autres était inefficace. Des limites inutiles nous ont empêchés de vraiment explorer le monde. On nous a dit quoi explorer ou quoi ne pas toucher. Nous avons appris à dominer ou à être dominés. Nous avons regardé nos modèles de comportement, les hommes et les femmes, se débattre avec le pouvoir et l'amour.

À l'âge de six ans environ, nous avions perdu contact avec notre identité et avions une liste de mythes concernant le pouvoir, qui nous dirigea vers le recours à des jeux de pouvoir. L'histoire de Jim l'illustre bien.

❖ L'HISTOIRE DE JIM :   *«Partager le pouvoir demande sans aucun doute beaucoup moins de travail.»*

En grandissant, j'ai eu l'impression d'avoir le choix, contrôler ou être contrôlé. Je n'aimais pas être contrôlé, alors j'ai choisi de contrôler. Ma mère essayait de tout contrôler. En dominant et en contrôlant, elle supprimait toute individualité, toute imagination et tout trait exceptionnel ou unique. «Fais ça.» «Ne fais pas ça.» «Ne pleure pas.» «Ne sois pas un bébé.»

Les signaux de contrôle ou de pouvoir n'étaient pas toujours verbaux : elle roulait les yeux, faisait non de la tête, mettait les mains sur les hanches ou affichait un air de dégoût.

Pour être reconnu, j'ai senti que je devais être performant et jouer le rôle. Si ce n'était pas fait comme elle le voulait, elle me faisait payer le prix d'être en disgrâce. Je me sentais, de plusieurs façons, comme une marionnette dont elle tirait et contrôlait les ficelles à sa guise.

Puis, je me suis marié et j'ai eu une famille. J'ai utilisé ce que j'avais appris. Le pouvoir consistait à faire faire aux gens ce que je voulais. Je pensais que les jeux de pouvoir me permettraient de ne pas être contrôlé, de ne pas être blessé, m'apporteraient la certitude, la liberté. Cela n'a fait que m'éloigner de ma femme, de mes enfants et, encore plus important, de moi-même. Une fois, j'ai exercé un jeu de pouvoir presque physique qui a attiré mon attention. J'ai décidé de changer.

Le changement le plus remarquable au cours de ce processus a été de prendre conscience que je me sentais très petit. Je suis stupéfait de voir le peu de connaissance que j'avais de ce phénomène et du peu d'attention que j'y accordais. J'étais fermé, coupé.

Il n'y a pas seulement un choix entre contrôler et être contrôlé, il y a d'autres alternatives. Partager est inhabituel pour moi. Je n'y suis pas habitué, mais cela me fait du bien. En partageant le pouvoir, j'ai eu plus de temps pour apprendre à connaître le petit garçon en moi, plus de joie, plus d'intimité, plus de respect.

Je vais continuer à grandir et à travailler pour apprendre d'autres alternatives, de nouveaux concepts et de nouvelles idées.

Une leçon importante que j'ai apprise et qui était inacceptable dans le passé est que *je peux être en colère et le montrer, et aimer en même temps*. Dans le passé, c'était la colère ou l'amour, l'un ou l'autre, jamais les deux. En changeant, j'ai pu accepter et aimer ouvertement et librement mon petit-fils et ma fille, mère célibataire. Je ne l'aurais pas toléré quand je fonctionnais dans l'ancien système. Parfois, j'ai peur et je trouve que c'est difficile. Mais, en bout de ligne, partager le pouvoir exige beaucoup moins de travail.

Comme Jim, nous entretenons tous des convictions inconscientes en ce qui concerne le pouvoir. Voici quelques mythes courants sur le pouvoir. Peut-être pouvez-vous vous identifier à un ou plusieurs d'entre eux.

- Le pouvoir, c'est se taire et se replier sur soi-même.
- Le pouvoir est terrifiant.
- Le pouvoir, c'est crier et se taire.
- Le pouvoir, c'est ce que possèdent les hommes dans une relation amoureuse.
- Les hommes peuvent montrer du pouvoir, mais pas les femmes.
- Les hommes sont supposés être puissants; mais en réalité, ce sont les femmes qui ont le pouvoir.
- Les femmes utilisent la manipulation pour exercer le pouvoir.

- Le pouvoir peut être utilisé contre moi, je dois donc l'ébranler ou y être indifférent.

- Le pouvoir sert à contrôler.

- Le pouvoir signifie violer les règles parce que c'est la façon de lutter contre la personne qui les établit.

- Le pouvoir, c'est l'argent.

- Les hommes ont tout le pouvoir, et les femmes ne peuvent l'obtenir que par le sexe.

- Les hommes ont le pouvoir parce qu'ils sont grands et parlent fort. Les femmes ont le pouvoir parce qu'elles sont douces et font semblant d'être timides.

- Si vous êtes puissants, les gens vous quitteront.

- Les hommes exercent le pouvoir en évitant de s'impliquer. Les femmes exercent le pouvoir en ayant peur.

- Les hommes utilisent la force brutale; les femmes utilisent les sarcasmes, les larmes et la colère pour exprimer le pouvoir.

Comprendre et arrêter les jeux de pouvoir

Il devrait être clair pour nous maintenant pourquoi le chemin vers l'amoureux spirituel n'est pas facile, pourquoi il exige que nous soyons des héroïnes et des guerriers, pourquoi nous passons autant de temps dans la position des amoureux dépendants. Aucun de nous ne pourrait jamais avoir tout ce dont il a besoin pour son développement humain.

En plus de notre histoire et des rôles que nous avons appris, les expériences du passé avec l'amour et le pouvoir pendant notre enfance nous ont laissés désemparés. Il nous est plus facile d'exercer des jeux de pouvoir que de partager le pouvoir.

En agissant de la sorte, nous créons les tragicomédies qui font la une des informations, alimentent nos téléromans et sont omniprésentes dans nos interactions quotidiennes : «Un milliardaire rejette sa femme parce qu'elle a un nouvel amant.» «Jonathan vivra-t-il pour dire à Carolyn qu'il l'aime? Soyez à l'écoute demain.» Notre drame se transforme en insulte psychologique où nous sommes tous joueurs et tous perdants, où nous recevons et infligeons tous des blessures qui laissent des cicatrices à nos cœurs et à nos âmes. «Je ne peux pas te supporter une minute de plus, alors je m'en vais.» «Avec toi, je ne peux pas grandir comme je le voudrais.»

Malheureusement, la plupart de nos transactions dans nos relations amoureuses nous invitent à exercer des jeux de pouvoir. Quelqu'un m'en a fait la description suivante : «Les jeux de pouvoir sont la danse qu'exécutent les gens, les uns avec les autres, quand ils ne savent pas qu'ils dansent. Ceci est suivi du sentiment horrible qu'ils ressentent une fois qu'ils ont fini de danser.»

Une autre personne m'a dit : «Les jeux de pouvoir, c'est quand vous essayez d'obtenir ce que vous voulez, mais que vous ne savez pas comment le demander ou vous avez peur de le demander.» Quelqu'un d'autre a dit : «C'est ce que je fais pour me protéger, pour obtenir ce que je veux ou lorsque je m'ennuie. C'est une conversation vide qui ne mène nulle part.»

Les jeux de pouvoir méritent notre attention. Car si un jour nous voulons aimer de manière saine, si nous voulons laisser notre amoureux spirituel s'exprimer, nous devons comprendre ce qu'est l'abus de pouvoir et y mettre un terme.

Entrer dans le triangle du drame

Le triangle du drame, tel que conçu par le Dr Stephen Karpman, est une des façons les plus claires de comprendre les rôles dans nos drames pour le pouvoir[34].

Triangle du drame*

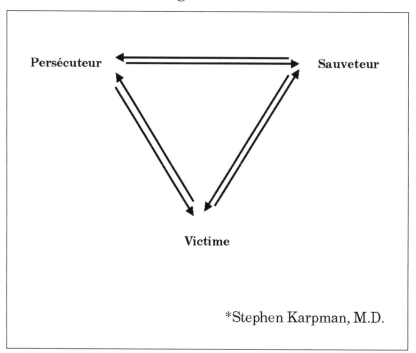

Persécuteur   Sauveteur

Victime

*Stephen Karpman, M.D.

---

34. Stephen Karpman, M.D., est membre enseignant de l'International Transactional Analysis Association. Il a reçu le Eric Berne Memorial Award en 1972 pour son modèle de Triangle du drame. La simplicité et la clarté de ce triangle peut être utile pour reconnaître les jeux en cours de processus. Dans ce livre, j'ai utilisé les jeux de pouvoir pour faire référence aux jeux qui représentent une lutte pour obtenir le pouvoir. Selon moi, tous les jeux indiquent une croyance en des inégalités en matière de pouvoir. Référence : «Fairy Tales and Script Drama Analysis» [Contes de fées et analyse dramatique des scénarios], *Transactional Analysis Bulletin* n° 7 : 26 (avril 1968), p. 40 et 41.

Le triangle du drame propose de comprendre tous les rôles que nous adoptons dans la tragédie en fonction de trois termes : *persécuteur, sauveteur, victime*. Plusieurs d'entre nous reconnaîtront ces positions. En voici un exemple.

FEMME : « Tu dois emmener le chien dans une école de dressage ! » (Le *persécuteur* cherche un *sauveteur*.)

MARI : « Je ne veux pas de ce chien, je n'en ai jamais voulu. Et maintenant, tu me demandes de le dresser ! » (Le *persécuteur* cherche une *victime*.)

FEMME : « Ce chien se moque complètement de moi. J'ai vraiment besoin que tu travailles avec lui. Tu as une si belle voix grave que je n'ai pas. Il ne veut pas m'obéir. Je ne suis pas assez convaincante. » (La *victime* cherche un *sauveteur*.)

MARI (en colère) : « Non ! Laisse-moi tranquille, j'ai autre chose à faire. C'est toi qui as voulu de ce foutu chien. » (Le *persécuteur* cherche une *victime*.)

FEMME : « C'est toi qui te plains toujours du chien. C'est toi qui veux qu'il se comporte bien. Si ce n'était pas pour toi, le chien serait très bien sans un cours de dressage. J'ai une maison et des enfants dont je dois m'occuper. » (Le *persécuteur* cherche une *victime*.)

MARI (il se sent coupable) : « Bon, je suppose que ça ne me fera pas de mal. » (La *victime* est devenue le *sauveteur*.)

Ce scénario démontre comment, au début, les rôles sont complémentaires, avec l'accord des deux parties. Puis, le changement dramatique s'opère et les jeux de pouvoir commencent. La tragédie va en *crescendo*. Une chose est certaine : peu importe le rôle que vous jouez le plus souvent, à un moment ou à un autre, vous vous sentirez victime.

Nous n'avons pas commencé notre vie en jouant des jeux. Nous étions innocents. Nous faisions entièrement notre part. Nous identifiions un besoin, le communiquions directement avec une figure parentale et demandions ce dont nous avions besoin.

Trois possibilités se présentaient alors : nous n'obtenions pas de réponse, nous obtenions une réponse inadéquate ou nous obtenions une réponse négative. C'est quand nous tendions vers les autres sans succès que nous avons perdu notre innocence.

Enfants, nous avions besoin que quelqu'un nous réponde. Nous étions incapables de prendre soin de nous-mêmes, nous avions besoin de soins et de protection. Nous avions besoin de parents sages et informés pour nous écouter et prendre soin de nous.

Prenons un exemple : Jimmy, trois ans, rentre à la maison et dit qu'il est tombé, qu'il s'est blessé au genou et qu'il a besoin d'attention. La mère est au téléphone et répond avec irritation : «Ne me dérange pas pour le moment. Tu vois bien que je suis occupée!» Elle persécute Jimmy. Elle peut aussi réagir de façon démesurée et le séduire avec les mots : «Oh! Mon amour, laisse maman embrasser ton bobo et s'occuper de toi. Elle va tout arranger.» Ici elle joue le rôle du sauveteur. Parfois, parce qu'elle est fâchée ou déprimée, elle ne répond pas du tout à Jimmy qui devient une *victime*. Jimmy apprend rapidement à atteindre sa mère et à devenir un *persécuteur*; il pleure de manière excessive quand sa mère le frappe et apprend à devenir une *victime*; ou il cesse d'avoir des besoins pour prendre soin de la dépression de sa mère — il est un *sauveteur*.

Ce que nous dit notre drame

Après avoir étudié et observé les jeux de pouvoir, j'en suis venue aux conclusions suivantes :

- Les jeux de pouvoir sont une tentative peu judicieuse d'établir une relation amoureuse saine.

- L'amour sain consiste à fournir la nourriture, la sécurité et la connaissance qui garantissent une croissance.

- Nous n'aurions pas besoin de persécuter ou sauver si, enfants, nous n'avions pas été des victimes.

- Nous ne sommes persécutés que par des personnes qui ont elles-mêmes été persécutées.

- Les problèmes dans nos relations amoureuses sont dus au fait que nous avons manqué de quelque chose quand nous étions enfants.

- Nous sommes invités à exercer des jeux de pouvoir quand nous sommes violentés ou humiliés, rejetés en raison de notre sexe, ridiculisés pour avoir commis une erreur, ou quand nous sommes la cible des plaisanteries de quelqu'un.

- Les jeux de pouvoir dénotent que nous pensons qu'il y a une inégalité de pouvoir.

- Chaque rôle que nous jouons indique que nous avons un besoin non satisfait. Si nous choisissons d'être *victimes,* nous n'avons pas été aimés inconditionnellement. Si nous sommes *sauveteurs,* nous n'avons pas bien appris en quoi consiste donner et recevoir de l'amour. Lorsque nous agissons en *persécuteurs,* il est probable que nous cherchions la sécurité et la protection qui nous permettraient d'avoir de nouveau confiance.

- Pour arriver à partager le pouvoir, nous devons accepter d'être de nouveau totalement vulnérables et de prendre des risques. Une tâche qui n'est pas facile !

En résumé : bébés, nous faisons bien notre part. Nous utilisons librement notre énergie, notre pouvoir personnel, pour demander aux autres de satisfaire notre besoin légitime de soins, de protection et d'informations. Si les personnes qui s'occupent de nous sont averties, disponibles, sages et attentives, notre besoin est satisfait et nous sommes contents. Nous nous sentons en sécurité et aimés. Notre pouvoir personnel est affirmé. Nous exprimer fait une différence. Si le besoin n'est pas satisfait, nous devenons une victime pour la première fois. Dans notre victimisation, nous commençons à douter de notre droit d'être aimés, d'exprimer notre pouvoir. Nous abandonnons ou nous commençons à exiger.

Ensuite, avec le sentiment d'être incomplets, déséquilibrés et désirant trouver la complétude, nous faisons appel à notre créativité et concevons des stratagèmes manipulateurs pour demander aux autres de prendre soin de nous. En regardant nos modèles, nous découvrons les jeux de pouvoir et, trop terrifiés, trop blessés ou trop inconscients, nous les apportons avec nous dans notre vie adulte, et nous les considérons comme normaux.

En examinant l'histoire suivante de Mary, nous pouvons comprendre comment tout cela fonctionne dans la vie adulte.

❖ L'HISTOIRE DE MARY :   *« La lumière trouva son chemin jusqu'à moi. »*

Je ne bois plus depuis sept ans et ne fume plus depuis trois mois. Je deviens une nouvelle personne et j'ai besoin d'aide pour me reconstruire émotivement et revendiquer mon pouvoir personnel.

Mon Moi profond, qui était emmuré par mes différentes dépendances, a monté la garde pendant que la lumière trouvait son chemin jusqu'à moi. Le processus de transformation, qui me paraît très lent, me permettra de découvrir mon vrai Moi, avec compassion et patience, ainsi qu'avec l'aide des autres. Une partie de ce processus a consisté à reconnaître ma part de responsabilité dans mes relations malsaines. Ce fut particulièrement douloureux, car j'ai dû faire face au rôle de martyre-victime que je jouais pour contrôler la plupart de mes relations.

Je pense que je me suis sentie comme ça pendant la plus grande partie de ma vie. Aussi loin que je me souvienne, j'ai senti cette pression de mes parents et de mes amis : « Sois qui je veux que tu sois. » Je me souviens aussi du conflit en moi pour satisfaire leurs demandes ou résister.

Je suis surprise de découvrir qu'une autre option est de revendiquer mon pouvoir, être en désaccord et être moi. La plupart du temps dans ma vie, je partage le pouvoir sur ce que je considère un « cercle extérieur ». Au travail, dans ma vie sociale et avec des gens que je ne connais pas très bien, je me sens plus à l'aise pour être directe et pour m'affirmer. Plus les gens sont proches de moi, plus grand est le risque d'être vraiment moi. C'est bien de partager le bonheur, la joie, ce qui est positif. Mais il m'est si difficile de me risquer à partager et à exprimer les autres émotions, celles qui ne sont pas associées au positif mais au négatif. Il m'est difficile de dire franchement : «Je suis en colère, je suis triste, je suis déçue à cause de ça.» Et alors, en position de victime, je manipule.

Je lutte pour reconnaître la réalité que souvent je suis celle qui hésite, qui freine et qui refuse mon affection et ma compassion. C'est moi qui suis non seulement une martyre-victime, mais aussi une persécutrice et parfois un sauveteur.

Je pense que le partage du pouvoir se produit entre des personnes qui se considèrent d'égale valeur, qui voient le monde rempli de richesses et de promesses, qui s'impliquent activement à vivre leur vie du mieux qu'elles le peuvent. Cela se produit entre des personnes qui voient la vie telle qu'elle est et l'acceptent entièrement, et qui peuvent encore rire, pleurer et ressentir.

Le triangle du partage du pouvoir

Quelque chose en nous s'agite et nous appelle. Profondément enterré sous les stratagèmes se trouve quelqu'un qui veut davantage d'amour. L'amoureux spirituel recherche l'aide de notre Moi appris pour aller au-delà du drame des jeux de pouvoir, vers l'authenticité et l'intimité. Nous sommes appelés vers un autre niveau d'amour où le pouvoir est partagé. Finis les mélodrames avec leurs hauts et leurs bas. Au lieu de cela, l'amoureux spirituel nous appelle vers l'égalité émotionnelle et spirituelle.

Nous aurons beau essayer, sans structure saine, notre Moi appris retourne souvent aux anciens comportements relationnels familiers, qui font davantage de mal que de bien. Bien que notre amoureux spirituel n'ait pas besoin de modèles, notre Moi appris en a besoin.

En travaillant avec mes clients, j'ai mis au point la théorie suivante qui propose une alternative aux jeux de pouvoir : le Triangle du partage du pouvoir[35] (à la page suivante).

Cette alternative aux jeux de pouvoir offre une ouverture vers l'amoureux spirituel. Nous ne jugeons pas une personne qui nous a invités à exercer des jeux de pouvoir, nous ne personnalisons pas non plus son comportement. Ce qui est, est. Cette approche nous invite à partager le pouvoir en sortant de nos rôles habituels pour en choisir un différent. Tout le monde est destiné à gagner. Le triangle du partage du pouvoir comporte trois positions de réponse qui nous invitent à découvrir l'amour sain :

- *Réponse à un besoin légitime*

- *Réponse nourrissante*

- *Réponse structurée*

Nos réactions visant à partager le pouvoir invitent une autre personne à sortir des jeux de pouvoir. Nous parlons un langage familier mais différent. Nous sommes en accord avec la vision du monde de la personne et répondons à ses besoins inconscients de prévisibilité. Nous offrons une appartenance saine. Les besoins sont OK. La discussion est directe. Les comportements blessants sont confrontés avec sensibilité et fermeté. L'égalité est affirmée. La confiance est établie. L'ouverture, l'acceptation mutuelle, la fiabilité et la conformité offrent des bases à l'enfant intérieur. Le partage du pouvoir nous guide vers notre sagesse intérieure. En nous sentant en sécurité, nous sommes encouragés à explorer et à risquer d'aimer à nouveau. À mesure que cela se produit, l'étincelle intérieure, l'amoureux spirituel, commence à se manifester plus souvent.

---

35. Je suis à l'origine de la théorie du partage du pouvoir et de ses trois positions. C'est un étudiant et collègue, David A. Larson, psychologue agréé, qui a eu l'idée de superposer le triangle du partage du pouvoir au triangle du drame.

Triangle du partage du pouvoir *

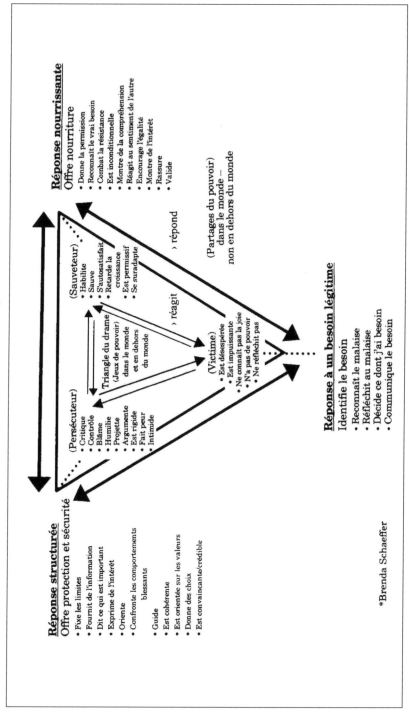

Réponse nourrissante
Offre nourriture
• Donne la permission
• Reconnaît le vrai besoin
• Combat la résistance
• Est inconditionnelle
• Montre de la compréhension
• Réagit au sentiment de l'autre
• Encourage l'égalité
• Montre de l'intérêt
• Rassure
• Valide

Réponse structurée
Offre protection et sécurité
• Fixe les limites
• Fournit de l'information
• Dit ce qui est important
• Exprime de l'intérêt
• Oriente
• Confronte les comportements
   blessants
• Guide
• Est cohérente
• Est orientée sur les valeurs
• Donne des choix
• Est convaincante/crédible

Réponse à un besoin légitime
Identifie le besoin
• Reconnaît le malaise
• Réfléchit au malaise
• Décide ce dont j'ai besoin
• Communique le besoin

(Sauveteur)
• Habilite
• Sauve
• S'autosatisfait
• Retarde la croissance
• Est permissif
• Se suradapte

(Persécuteur)
• Critique
• Contrôle
• Blâme
• Humilie
• Projette
• Argumente
• Est rigide
• Fait peur
• Intimide

(Victime)
• Est désespérée
• Est impuissante
• Ne connaît pas la joie
• N'a pas de pouvoir
• Ne réfléchit pas

Triangle du drame
(Jeux de pouvoir)
dans le monde
et en dehors
du monde

› réagit

› répond

(Partages du pouvoir)
dans le monde –
non en dehors du monde

*Brenda Schaeffer

Réponse à un besoin légitime

Nous utilisons d'abord les jeux de pouvoir parce que nous n'avons pas pu obtenir quelque chose dont nous avions besoin. Maintenant, nous pouvons *identifier* et exprimer nos *besoins*, simplement et directement. Nous les faisons connaître au monde. Nous *sentons notre malaise,* nous *déterminons le besoin,* nous *formulons le besoin* et nous *lâchons prise face au résultat attendu.*

L'amoureux sain sait que nous avons quatre possibilités :

1. Aller vers la personne qui peut nous aider à satisfaire notre besoin et obtenir un soulagement.

2. Si cette personne n'est pas disponible, nous pouvons nous adresser à une autre personne-ressource qui peut satisfaire notre besoin.

3. Entrer en nous et nous materner.

4. Accepter que notre besoin ne puisse être satisfait pour le moment, et faire le deuil de notre perte avec dignité.

Parfois, nous n'avons pas d'énergie à nous donner et personne n'est là pour nous en offrir. Le défi est alors de trouver des moyens de nous réénergiser. En choisissant une de ces quatre options, nous retrouvons un état d'équilibre et d'harmonie biologique, psychologique et spirituelle. Bien que nous puissions être déçus quand un besoin n'est pas satisfait, nous n'en avons pas moins de valeur pour autant. Contrairement à l'état de tension et de vide que nous avons connu quand nous étions enfants, nous savons maintenant que nous pouvons attendre ou chercher des solutions de façon créative.

Réponse nourrissante

Inutile de nous mentir : notre confiance trahie et l'abandon émotif dont nous avons été victimes sont à l'origine de nos insécurités et de nos problèmes. Par conséquent, essayer de rester dans une relation amoureuse plutôt que de quitter notre partenaire peut être essentiel et source de guérison. Mais, plutôt que du secours, nous offrons une saine *réponse nourrissante*. Cela peut inclure *donner la permission* d'avoir des besoins et d'agir sur eux; *reconnaître le besoin* quand il est exprimé; *répondre avec empathie* à la vision de la vie de notre partenaire; *prendre soin* avec détachement; exprimer un intérêt *authentique; encourager une égalité* dans les sentiments, les pensées et les actions; *encourager les risques; confirmer* le droit qu'a toute personne d'être traitée avec respect sans les habituels comportements protecteurs, complices, destinés à empêcher la personne de grandir.

Réponse structurée

Plutôt que de critiquer, de blâmer, d'humilier, de contrôler et d'intimider notre partenaire, nous pouvons offrir *conseils, protection* et *sécurité*. Plutôt que les prévisibles tentatives de «manœuvrer» ou «réprimer» notre partenaire pour lui dire quoi faire ou comment se comporter, nous *avons une réponse structurée qui fixe les limites* sans porter de jugement. Nous *donnons des informations* sur la manière dont les actions font souffrir et blessent. Nous *mentionnons ce qui est important* et qui nous honore. Nous *exprimons un intérêt sincère*. Nous *donnons des directives*. Nous affirmons ce qui est acceptable et ce qui ne l'est pas, et pourquoi. Nous *confrontons les comportements blessants*. Nous *guidons*. Nous offrons des *valeurs* profondes. Nous suggérons des choix sains et acceptables. Nous prévoyons les *conséquences*. Nous montrons le chemin à suivre pour avoir nos *besoins satisfaits*. Nous sommes *cohérents, convaincants* et *crédibles* — en bref, nous offrons un amour solide !

Sortir du triangle du drame

Il est possible d'examiner notre scénario antérieur quand les participants sortent du triangle du drame et réagissent plutôt à partir du triangle du partage du pouvoir.

FEMME : «Tu dois emmener la chienne à une école de dressage! Elle ne m'écoute pas.» (La *victime*, qui cherche un sauveteur, invite l'autre personne à participer à *un jeu de pouvoir.*)

MARI : «Il semble que tu aies de la difficulté avec la chienne. J'en suis désolé.» (*Réponse nourrissante.*) «Il semble aussi que tu me demandes de m'occuper d'un problème qui n'est pas le mien.» (*Réponse constructive.*) «J'ai besoin que tu me demandes, et non que tu me dises, et que tu me laisses la possibilité de choisir.» (*Réponse à un besoin légitime.*)

FEMME : «J'ai bien de la difficulté à me faire obéir par notre chienne. Est-ce que tu pourrais envisager de l'emmener à une école de dressage?» (*Réponse à un besoin légitime.*)

MARI : «Merci de me le demander franchement. J'aimerais t'aider, mais j'ai accepté que tu achètes la chienne avec l'entente que je ne m'occuperais pas de son dressage. En plus, je me suis engagé à construire la terrasse et je ne peux pas faire les deux. Par conséquent, ma réponse est non. Mais je suis disposé à t'aider à essayer de trouver une solution.» (*Réponse structurée.*)

Après avoir examiné les problèmes reliés à la famille d'origine, il nous est facile de voir comment nous essayons de faire en sorte que quelqu'un réponde à nos besoins insatisfaits en entrant dans le triangle du drame. La femme veut la permission d'être compétente, d'avoir du pouvoir, de résoudre les problèmes. Le mari veut la permission d'avoir des besoins, d'être traité en égal et de dire non. En partageant le pouvoir, ils ont pu parler franchement et affirmer leur égalité.

Drames du pouvoir — Une invitation constante

Chaque jour, nous sommes invités à plusieurs reprises à participer à des jeux de pouvoir. Pour nous respecter, nous devons sortir et rester en dehors du triangle du drame. Ce n'est pas une tâche facile. Nous devons nous réveiller, voir, sentir et entendre les invitations à agir, sans pouvoir ou avec plus de pouvoir. Une fois cela fait, nous devons travailler pour arriver à des dénouements plus heureux, des choix plus sains.

Les jeux de pouvoir donnent l'illusion de rapprochement. Par opposition, le partage du pouvoir vous donne la possibilité d'expérimenter un rapprochement qui vous permet de rester sur votre voie.

Cela soulève un fait important : nous avons besoin à la fois de notre énergie masculine et de notre énergie féminine. Le partage du pouvoir est une *réponse structurée* qui reflète notre énergie masculine, l'utilisation positive de notre épée de la confiance en soi. Nous faisons en même temps une *réponse nourrissante,* notre côté féminin qui encourage la vie et la créativité. Nous avons besoin d'allier les deux de manière saine. Le partage du pouvoir est un modèle de partenariat; les jeux de pouvoir sont un modèle de compétition. En exerçant des jeux de pouvoir, il est probable que nous revivions et renforcions les traditions négatives qui nous ont été transmises et l'autorité contraignante du passé. En partageant le pouvoir, nous créons des partenariats qui mêlent l'amour avec le pouvoir et le pouvoir avec l'amour.

Conclusion

Aucun d'entre nous n'a reçu tout ce dont il avait besoin pour partager facilement le pouvoir. Pour y parvenir, nous devons d'abord nous donner à nous-mêmes du pouvoir, nous connaître et nous aimer. Ceci nécessite une honnêteté qui pourrait nous déplaire parce que cela exige que nous examinions notre conditionnement humain et que nous nous libérions des fausses croyances au sujet du pouvoir. Nous devons admettre notre impuissance face aux gens et aux événements qui possèdent leur propre pouvoir.

À la lumière de tout ceci, vous pouvez encore accepter l'entière responsabilité de la souffrance que vous vous êtes infligée à vous-même ainsi qu'aux autres en vivant votre vie d'illusions. Les récompenses viendront quand vous remplacerez le contrôle par la confiance, les jeux de pouvoir par le partage du pouvoir. Vous commencerez à découvrir l'incroyable énergie vitale qui vous était destinée, et le pouvoir spirituel circulera ensuite en vous. Avec la pratique, partager de manière à vous assumer et à affirmer le pouvoir des autres deviendra naturel et libérateur.

Voici dix techniques qui pourront vous être utiles pour passer des jeux de pouvoir au partage du pouvoir. Utilisez-les sagement et courageusement chaque jour.

1. Célébrez les forces de l'autre quand vous êtes avantagé; célébrez vos forces quand vous êtes désavantagé.

2. Croyez que vous êtes égal aux autres émotivement et spirituellement. Les seules différences sont vos expériences et votre niveau de développement subséquent.

3. Rappelez-vous que la personne que vous êtes réside dans votre être spirituel et transcende vos rôles et vos possessions.

4. Portez des jugements sans vous ériger en juge et revendiquez-en la propriété.

5. Refusez les incitations que vous rencontrez chaque jour d'être avantagé ou d'être désavantagé.

6. Sachez qu'être avantagé et être désavantagé ne restent que des états d'esprit, et non des réalités, jusqu'à ce que vous collaboriez.

7. Arrêtez de personnaliser les pensées, les comportements et les sentiments des autres.

8. Admettez qu'une personne ayant un niveau de connaissances plus élevé est égale à celle ayant moins de connaissances, et doit être patiente et plus complaisante avec celle qui a moins de connaissances. Un enfant de cinq ans sait ce que signifie avoir deux ans, mais un enfant de deux ans ne peut pas savoir ce que signifie avoir cinq ans.

9. Pensez abondance. Les jeux de pouvoir reposent sur un manque de réflexion. Partagez ce que vous possédez et ce que vous faites bien.

10. Reconnaissez que le pouvoir personnel est une ressource intérieure que vous utilisez pour être avec assurance qui vous êtes vraiment et pour accomplir ce pour quoi vous êtes dans ce monde. Ce n'est pas une marchandise que quelqu'un vous donne ou reprend, ou qui vous permet d'obtenir les choses.

Pour vous rapprocher de ce but qui est de vous éloigner des jeux de pouvoir vers le partage du pouvoir, répétez-vous chaque jour l'affirmation suivante : *Je suis un enfant radieux de l'univers. L'amour divin, la sagesse et le pouvoir, exprimés à travers moi, m'apportent tout ce dont j'ai besoin pour que ma vie soit complète.*

Et maintenant, émerveillez-vous, plutôt que de vous inquiéter, de la manière dont le partage du pouvoir se manifestera dans votre vie. Si vous vous engagez dans le processus amoureux, vous pouvez être certain qu'il se manifestera.

Vous découvrirez alors que le partage du pouvoir ne se limite pas à votre autosatisfaction ou à améliorer vos relations amoureuses. En partageant le pouvoir, nous amenons naturellement notre amoureux spirituel vers un monde qui en a fort besoin. Ce sera le sujet du prochain chapitre.

ACTIVITÉ

Signes du partage du pouvoir

Le partage du pouvoir est signe d'un amour sain. À cause des expériences de vie qui nous ont influencés, il nous est plus facile d'exercer des jeux de pouvoir que de partager le pouvoir. De ce point de vue, les jeux de pouvoir peuvent nous enseigner quelque chose. Il ne fait pas de doute que plusieurs d'entre nous sont devenus des experts dans l'exercice des jeux de pouvoir, et il ne fait pas de doute non plus que nous pouvons nous en libérer.

Voici une liste de façons de partager le pouvoir qui encouragent un amour sain. Cochez les qualités qui se manifestent facilement dans votre vie. Écrivez un X devant les caractéristiques qui nécessitent une attention spéciale dans votre vie.

❑ Être libre d'exprimer ses croyances, ses valeurs et ses pensées, puis d'être écouté et respecté.

❑ Être libre d'exprimer ses besoins, ses désirs et ses sentiments, et de demander du soutien et de l'amour.

❑ Être libéré des attentes et des résultats soutenus par votre *ego*.

❑ Participer et collaborer pour permettre aux autres de s'assumer de façon positive.

❑ Célébrer l'intelligence, les connaissances et les dons d'une autre personne ; se libérer de la jalousie de ce qu'une autre personne possède.

❑ Être désireux de sortir de son Moi profond et interagir avec l'intimité. Trouver un lieu de rencontre où chaque personne est disposée à donner et à recevoir.

❑ Exprimer son pouvoir personnel avec constance et sérieux. Être digne de confiance et tenir ses promesses.

❑ Donner de soi-même de façon à soutenir l'autre émotivement, sans étouffer. Il suffit d'être là.

❑ Faire des compromis. Accepter que nous sommes égaux émotivement, et que chacun de nous peut prendre les rênes.

❑ Résoudre les problèmes et prendre les décisions mutuellement. Examiner ensemble comment faire les choses plus efficacement.

❑ Accepter et partager les erreurs sans culpabilité ; faire amende honorable envers soi et les autres.

❑ Donner des réponses directes et claires aux questions et aux demandes.

❑ Agir de manière à encourager l'égalité, et adopter une position gagnant/gagnant. Ne pas créer de situations d'avantage ou de désavantage. Tout le monde est un gagnant.

❑ Accepter les autres où ils sont. Respecter l'être de l'autre quand vous êtes confronté à des comportements qui ne sont pas OK.

❑ Traiter les autres avec respect et sensibilité, en particulier quand ils sont vulnérables.

❑ Avoir une solide connaissance de qui nous sommes, et reconnaître le besoin de nous partager avec les autres.

❑ Écouter, discuter, proposer et inviter plutôt que dicter, soudoyer ou menacer.

❑ Exprimer la colère et la déception sans s'attendre à des changements. Lâcher prise.

❑ Arrêter les abus verbaux, émotifs et physiques de manière respectueuse et convaincante.

❑ Être assertif, et non passif ou agressif.

❑ Partager les prises de décision et vivre avec les conséquences.

❑ Être prêt à accommoder ou attendre, et accepter de ne pas toujours avoir ce que je veux.

❑ Dire clairement sa position et lâcher prise avec respect, avoir confiance en des résultats positifs.

CHAPITRE 9

Transformer le monde

ᑳ ᑫ ᑏ ᑐ

Pour que le caractère humain révèle des qualités vraiment exceptionnelles, on doit avoir la chance de pouvoir observer pendant de nombreuses années comment il fonctionne. Si ces accomplissements sont exempts de toute forme d'égoïsme, si le motif qui le guide est une générosité sans égale, si avec une absolue certitude il n'attend aucune récompense et si, en plus, il a laissé une marque visible sur terre, alors il n'y a pas d'erreur possible.

– JEAN GIONO

Les récits de l'écrivain Jean Giono sont pleins de héros remarquables : un berger, un vénérable ivrogne, un conteur, un journalier. Ils sont escortés par des animaux et connaissent l'agriculture. Dans leur solitude, ils entendent la voix de Dieu. Ils découvrent la créativité, la liberté d'expression, le remords d'avoir détruit la vie. Dans leur sagesse, chacun a exalté la façon dont les êtres humains et la nature vivent en harmonie. La vie est préservée et enrichie, alors que l'humanité renouvelle son affinité ancestrale avec la terre[36].

---

36. Jean Giono, *The Man Who Planted Trees* [L'homme qui plantait des arbres], tel que décrit par Norma L. Goodrich, Claremont, Californie, mai 1985.

Cet attribut d'affinité avec la terre est au cœur de l'amour spirituel. Ici, l'amour spirituel allié au pouvoir grandit pour s'étendre non seulement à notre partenaire, mais à toute la famille humaine. En pénétrant cette impression de séparation les uns des autres, nous découvrons que toute l'humanité pense avec un seul esprit et ressent avec un seul cœur. L'amoureux spirituel affirme la première vérité noble du bouddhisme — que toute chose souffre et désire se libérer de la souffrance.

Nous cherchons tous la santé, le bonheur, la complétude. Ce processus transcende les limites du temps, de l'espace, de la nation et de la race.

Il est possible de grandir, même à partir d'ici. L'amoureux spirituel peut ressentir ce lien de parenté avec toute chose vivante et avec la terre elle-même, berceau de tout être vivant. L'amoureux spirituel parvient à cette croissance sans effort. C'est pourquoi je ne peux pas tracer une ligne bien nette entre les relations amoureuses et l'action sociale, les services communautaires et l'écologie. Tous sont des manifestations de l'amoureux spirituel qui cherche à contribuer à la guérison, là où celle-ci est nécessaire sur la planète.

Aujourd'hui, la nature demande des personnes transformées, des êtres d'un nouveau genre, des amoureux spirituels de la terre. Si nous sommes vivants, la nature considère que nous sommes aptes, car nous avons notre propre source de pouvoir. La nature s'efforce de trouver l'équilibre et l'harmonie. Il a même été suggéré que les êtres humains peuvent utiliser ce pouvoir pour vivre dans un état de paix. Dans cet état, nous traitons les plantes et les animaux comme des «égaux» et nous les remercions avec respect de vivre au lieu de massacrer et de piller les formes humaines, et de les traiter comme des objets.

L'amour spirituel n'est plus un luxe. Si l'humanité doit survivre, si la terre doit survivre, nous devons agrandir nos cercles de compassion. Ceci est la perspective première des années quatre-vingt-dix et au-delà — une perspective qui transcende le thème de toutes les décennies que nous avons vécues jusqu'ici.

Les thèmes des cinq dernières décennies

Les années cinquante : l'adaptation. Les années cinquante ont été celles pendant lesquelles l'humanité s'adaptait après deux guerres mondiales et une grave crise économique.

Les années soixante : la rébellion. Dans nos efforts pour ne pas recréer la première moitié du vingtième siècle, nous avons donné naissance à une période de rébellion. Nombreuses étaient les choses contre lesquelles nous pouvions nous opposer. Les rassemblements «anti» étaient partout. Dans notre phase antiguerre, nous avons abandonné nos vétérans du Vietnam — qui vivaient en toute loyauté une vie d'illusions —, persuadés de bien agir et plongés dans un monde de déni. Ils furent choqués de revenir chez eux dans un monde qui non seulement ne leur souhaitait pas la bienvenue, mais prétendait que la guerre n'avait pas existé ou les punissait pour y avoir participé. Ce n'est qu'aujourd'hui que certains d'entre eux sont prêts à faire confiance et à raconter leurs histoires d'horreur.

Les années soixante-dix : l'indépendance. Les années soixante-dix nous ont poussés vers une phase moins mouvementée, mais plus centrée sur l'individu, la phase de l'indépendance. Nous avons commencé à nous concentrer sur notre Moi : par exemple, nous avons cherché le bon gourou ou thérapeute. Les livres de croissance personnelle abondaient. Bien qu'elle dût être temporaire, cette phase, pour certains du moins, s'est transformée progressivement en un mode de vie. Le «je» est devenu plus important que le «tu» ou le «nous», comme le reflètent les partenaires multiples, les nombreux divorces, la peur de l'engagement et la codépendance. L'alcool, d'autres drogues, le sexe et l'excitation — tous sont devenus des dépendances. Les mouvements de femmes et les mouvements d'hommes sont devenus plus nombreux.

Les années quatre-vingt : des relations meilleures et plus saines. Les gens étant las du bruit et de la solitude, la quête des années quatre-vingt fut vers des relations meilleures et plus saines. Les enfants-adultes de parents alcooliques, la famille d'origine, l'enfant intérieur, les familles dysfonctionnelles, la dépendance amoureuse et toutes nos autres dépendances sont devenus des thèmes importants. Les gens disaient : «Je veux un amour plus sain et je le mérite.» Le but devint l'interdépendance.

Ces cinq phases ont été nécessaires et importantes dans le schéma de la vie. Chacune d'elles nous montrait des exemples et des extrêmes. Chacune affirmait quelque chose. Nous avions besoin de la rébellion pour dépasser le stade de la dépendance. Cependant, comme un enfant de deux ans, nous avons vite découvert que les crises de colère et la force ne menaient à rien. Alors, les hommes comme les femmes ont commencé à examiner leur vie et à se libérer psychologiquement d'influences limitantes du passé, une étape nécessaire vers l'autonomie. Cette indépendance a permis de progresser naturellement vers des relations saines avec les autres.

Les années quatre-vingt-dix : la transformation. En entrant dans les années quatre-vingt-dix, de nouveaux thèmes sont apparus : les relations à l'échelle mondiale, créer un monde meilleur, prendre contact avec la terre avant qu'elle ne meure. Le mode de pensée mécanique, l'esprit avant la matière, de même que la mentalité «dominer ou être dominé» ont échoué. Nous avons demandé à l'amour accompagné du pouvoir de passer à l'action.

Nous avons des raisons de nous inquiéter. Les forêts de la planète disparaissent. Notre eau, notre air et notre terre sont pollués. Des espèces disparaissent. Il y a des déversements de pétrole, des sites d'enfouissement qui empoisonnent notre eau potable, les pluies acides et les trous dans la couche d'ozone. Les promoteurs immobiliers pillent les habitats naturels des oiseaux et des animaux avec l'assentiment des autorités «responsables».

Les faits sont troublants. Quinze millions de personnes, la plupart des enfants, meurent de faim chaque année. Les pays en voie de développement dépensent trois fois plus d'argent pour l'armement que pour les soins de santé. Les pays les plus pauvres détournent les fonds dont ils ont besoin pour leur développement afin de lutter contre les narcotrafiquants. Un tiers de l'humanité manque d'eau potable. Nous utilisons un arbre de douze mètres pour produire un ballot de papier journal d'un mètre vingt.

Devant ces faits, demandons-nous pourquoi nous devons nous réveiller, dépasser le stade des connaissances acquises, revendiquer notre vraie nature et la vivre. Car si nous arrêtons la recherche de notre Moi après nous être contentés d'examiner nos relations amoureuses personnelles, alors nous retombons trop facilement dans le narcissisme et passons à côté de l'essentiel.

La conscience nous met en communication avec toute la vie

Nous avons besoin de trouver notre équilibre, à l'aide de nos relations qui fonctionnent, pour connaître le vrai sens de l'amour et du pouvoir et se l'approprier afin de pouvoir le partager dans un monde qui en a vraiment besoin. En utilisant à la fois notre amour et notre pouvoir, nous faisons ce qui est vraiment important : nous développons une *unité de conscience,* une manière de voir qui nous met en communication avec la vie *dans son ensemble*. Nous devons synthétiser les meilleurs aspects de nos amoureux humain et spirituel et, de là, retourner dans notre vie quotidienne pour créer une réalité différente. Ce n'est pas le monde matériel en opposition au monde spirituel. La réponse n'est pas de dresser l'esprit contre le matériel. Ici encore, c'est une communication avec toute la vie. Nous avons tous en chacun de nous ce partenariat potentiel, et c'est là que réside l'espoir de la planète.

J'ai déjà entendu que seulement cinq pour cent de la population mondiale a besoin de cette unité de conscience pour changer la conscience du monde. Quand j'ai entendu ces chiffres pour la première fois, j'ai été très excitée. Super! Seulement cinq pour cent? Il y a de l'espoir. Mais je suis vite tombée dans le désespoir. Vous voulez dire que moins de cinq pour cent de la population est consciente? Qui, ou quoi, dirige notre planète? Un de mes étudiants a dit : «Si je suis généreux et que je suppose que cinq pour cent de mes collègues sont conscients, cela ne ferait que 1,7 personne consciente dans l'immeuble où je travaille. Pas étonnant que je me sente seul parfois.»

Ken Keyes Jr raconte l'histoire suivante dans son livre *The Hundredth Monkey*. Sur une île japonaise, des singes ont découvert les patates douces. Ils aimaient les patates douces mais pas le sable. Un jour, une femelle de dix-huit mois lava une patate et trouva qu'elle avait bien meilleur goût. Elle le montra à sa mère, puis elle et sa mère à leurs amis. Six ans après, quatre-vingt-dix-neuf singes lavaient leurs patates avant de les manger. Quand le centième singe fit de même, il y avait suffisamment de conscience pour que cela incite tous les singes de l'île à laver leurs patates. On découvrit par la suite que non seulement les singes de cette île lavaient leurs patates, mais les singes d'une autre île le faisaient également.

Le message de ce récit est clair : *la pensée consciente engendre la pensée consciente*. Nous ne savons pas vraiment comment ni pourquoi. Nous savons seulement que cela se produit. Imaginez une planète où quatre-vingt-quinze pour cent des gens vivraient d'une pensée consciente harmonieuse. Nous pourrions créer une planète d'une beauté et d'une richesse extraordinaires, et la préserver pour des générations. C'est aussi une perspective qui s'offre à nous.

L'amoureux spirituel dans le monde

Nous sommes tous appelés à la tâche. La personne spirituelle n'est pas là-bas ou quelque part là-haut — le mystique, le prêtre, le chaman, le sorcier. Les personnes spirituelles sont celles qui sont dépourvues d'égoïsme et motivées par la générosité, qui ont une connaissance directe de leur véritable nature et qui laissent une marque sur l'humanité. L'amour spirituel se trouve dans le millionnaire qui donne de l'argent pour mettre un terme à la faim dans le monde, et dans le ferrailleur qui récupère les cannettes pour les recycler. Cet amour est présent dans l'homme qui a peur de l'engagement, et dans la femme qui croit qu'elle n'a pas de pouvoir. L'amoureux spirituel est en chacun de nous si nous le voulons. Ce que nous savons, c'est que l'argent ne peut pas acheter l'amour spirituel, et que la pauvreté ne le garantit pas. Et les dépendances nous empêchent de le découvrir.

La personne qui vit une vie spirituelle était à l'origine dans les rangs des personnes ordinaires. Elle a synthétisé les meilleurs aspects de ce qui est humain et de ce qui est spirituel. Cette personne a un caractère distinct, une solidité appelée conformité — l'intérieur et l'extérieur sont assortis.

Un amoureux spirituel est :

- la femme qui recycle non pas pour un crédit d'impôt, mais parce qu'elle est consciente.

- l'homme qui mange moins de viande rouge non seulement pour faire baisser son taux de cholestérol, mais parce qu'il se préoccupe des forêts tropicales.

- la femme qui essaie de sauver la loutre alourdie par le pétrole, et qui pleure quand le mammifère meurt dans ses bras.

- le chasseur qui remercie et apprécie l'animal, le gibier qu'il cherche, et ne prend que ce dont il a besoin pour manger.

- la présentatrice de télévision qui applaudit tous les jours les services communautaires à son journal télévisé.

- le politicien qui parle des questions environnementales avec son âme, et qui ne se base pas sur les derniers sondages politiques ou la contribution du comité d'action politique.

- l'environnementaliste qui s'inquiète à cause de son amour et de son respect de la terre, et non pas à cause de son ressentiment de voir sa qualité de vie se détériorer.

- l'aventurier qui parcourt le monde pour découvrir les diverses humeurs de Dame Nature.

Parler des relations n'est qu'un début. Quand nous restons concentrés sur les relations, nous sommes comme une souris. Notre nez est si proche du sol que nous ne reconnaissons pas ce qu'il y a d'autre. Nous devons comprendre que nous sommes aussi l'aigle, l'ours, le hibou, le loup et les autres créatures de la nature. En sortant des problèmes relationnels et en nous appropriant notre amour et notre pouvoir, nous sommes comme l'aigle. En nous envolant très haut, nous avons une vision plus vaste. Pour les Amérindiens, l'aigle est le pouvoir du Grand Esprit en chacun de nous qui demande d'équilibrer la terre et l'esprit. La vision noble de l'aigle englobe la lumière et les ténèbres.

Une signification différente du terme «devoir»

Nous ne pouvons pas nous permettre de «dormir», de rester indifférents, inconscients. «Endormis», nous rationalisons, évitons, projetons, désespérons : «C'est trop grand pour moi; c'est trop effrayant pour même y penser.» «Qu'est-ce que je peux faire, tout seul, pour possiblement changer les choses?» «Quelqu'un d'autre trouvera une solution. Quelqu'un l'a toujours fait.» Si nous restons «endormis», la fin du monde, tel que nous le connaissons, pourrait ne pas être loin. Et nous risquons d'être pris par surprise.

Certaines personnes qui commencent à se remettre de la dépendance amoureuse ont de la difficulté à donner. Elles sont en colère quand on leur dit qu'elles participent au monde dans son ensemble. Elles perçoivent le message comme une obligation, comme un «devoir». Même s'il est vrai que nous devons prendre le temps de créer un Moi autonome qui peut dire non, nous devons dépasser ce stade pour voir d'un point de vue spirituel qu'il existe un sens différent à «devoir». Ce n'est pas une question de faire plaisir à quelqu'un ou d'être une «bonne» personne. Plus précisément, prendre soin des autres et du monde vient d'une profondeur spirituelle. Nous reconnaissons que nous devons accepter la responsabilité de ce qui se passe.

Il nous est possible d'évoluer dans le monde à mesure que nous constatons notre propre transformation. Cela se produit naturellement pour beaucoup de personnes. Après tout, le travail que nous faisons sur nous-mêmes touche toutes les personnes que nous rencontrons. C'est inévitable, car nous sommes en communication avec tout le reste, comme l'a découvert Cindy.

❖ L'HISTOIRE DE CINDY : *«J'étais prête à m'ouvrir au monde extérieur en agissant.»*

Au cours du processus qui consistait à regarder en moi, je me suis sentie agitée. J'ai bientôt découvert que ce malaise résultait d'une nouvelle vérité personnelle : j'étais prête à m'ouvrir au monde extérieur en agissant. Je me suis mise à observer les gens, et je fus attirée par les personnes qui se fixaient des buts, qui agissaient et qui changeaient, par les facteurs de changement qui avaient une qualité noétique [basée sur l'intellect]. Observer les autres a dissipé un mythe subtil qui m'habitait depuis toujours : les gens qui agissent ne peuvent pas être spirituels, et les gens spirituels ne peuvent pas agir. La formule magique avait disparu, et j'ai commencé à explorer des façons d'agir dans le monde.

La nature du changement dans le monde d'aujourd'hui

Le sociologue Pitirim Sorokin, avec une lucidité exceptionnelle, a décrit un accroissement et un déclin cycliques de trois phases de changement culturel : la *sensorielle,* l'*idéationnelle* et l'*idéaliste*[37]. La phase *sensorielle* considère le monde matériel comme la seule vérité. C'est un monde sans spiritualité, un monde dans lequel la matière passe avant l'esprit. La perception sensorielle y est la source de connaissance et de vérité.

La phase *idéationnelle* estime que la vérité se trouve au-delà du matériel, dans le domaine spirituel. La connaissance est acquise à travers l'expérience intérieure. Cette phase propose des standards surhumains et des valeurs éthiques absolues. Les repré-

---

37. La source d'information sur Pitirim Sorokin est Fritjof Capra, *The Turning Point,*, qui fait référence à *Social and Cultural Dynamics* de Sorokin, 4 volumes, New York, American Book Company, p. 1937-1941.

sentations judéo-chrétiennes de Dieu et certaines formes de religions orientales lui sont attribuables.

L'interaction entre ces phases donne cependant lieu à une autre phase, l'*idéaliste*. Cette troisième phase consiste en un mélange harmonieux des deux premières. La réalité est saisie à la fois à travers l'expérience humaine et l'expérience spirituelle. De telles cultures équilibrent l'esthétique et le technologique, le biologique et l'anthropologique, l'écologique et le géologique.

Notre culture s'est située largement dans la phase sensorielle. Nos dépendances, notre quête désespérée pour contrôler la douleur, la souffrance, la peur et les autres, notre recherche de réponses en dehors de nous, l'utilisation du pouvoir pour contrôler et dominer — tous sont des reflets de cette phase. Il est clair que les dépendances et les jeux de pouvoir ne fonctionnent pas. En effet, ceux et celles qui les ont confrontés ont découvert que la vie spirituelle est l'envers des dépendances et des jeux de pouvoir.

Un changement spectaculaire se produit. Il s'opère plus rapidement que n'importe quelle transformation de l'histoire de la civilisation. En bref, bien que notre côté masculin soit encore extrêmement présent, notre côté féminin se développe de plus en plus.

Vivre en harmonie avec le changement

Avec les technologies modernes — ordinateurs, télévisions, communications par satellite —, nous sommes constamment bombardés par de nouvelles connaissances, et ce, à un rythme incroyable. Le changement se produit plus vite que nous n'aurions jamais pu l'imaginer. Une partie du problème auquel nous faisons face est que nous résistons à l'inévitable : le changement. La vie est le changement, le changement est la vie. Le mouvement est naturel et spontané. La transformation culturelle se produit.

Et le changement est inconfortable. Dieu nous défend d'être inconfortables, et c'est pourquoi nous nous tournons vers nos vieilles habitudes, même quand elles sont destructrices. Nous voulons contrôler, nier, nous montrer plus malins ou, de façon simple, exercer des jeux de pouvoir sur la nature. Nous pouvons minimiser la souffrance que cela engendre en reconnaissant le chaos comme une partie nécessaire de l'évolution de tout dans la vie. Le printemps suit l'hiver, l'hiver suit l'automne et l'automne suit l'été. Nous avons beau essayer, nous ne pouvons pas arrêter ce phénomène.

Je ne cesse de m'étonner devant l'audace dont fait preuve l'humanité en s'imaginant qu'elle peut contrôler la vie avec son esprit. Plutôt que de lutter contre le changement qui nous est imposé, nous pouvons vivre en harmonie avec lui. Nous pouvons abandonner nos vieilles croyances sur la domination de «l'homme» sur la terre. Nous pouvons remercier ces aspects de la vie pour ce qu'ils nous ont apporté, et les considérer comme des professeurs qui nous montrent la voie vers la nouveauté.

Des transformations importantes se produisent partout sur la planète. C'est un moment de Yin, pendant lequel nous pouvons comprendre la véritable signification du principe féminin de la passivité, lequel nous demande de travailler en harmonie avec le changement et non contre lui. Pour les cultures *masculines* du Yang, actives et agressives, cela sera en effet un énorme défi! Y arriverons-nous? Mettrons-nous un terme à l'illusion de l'amour de bon voisinage pour réellement partager le pouvoir partout dans le monde? Plusieurs nations ont une illusion de pouvoir et de jeux d'ascension politique. Dans le triangle du drame, elles ont besoin d'autres nations pour sauver et persécuter.

Aucune des valeurs Yang recherchées dans les cultures n'est réellement mauvaise en soi. C'est en les isolant de leur antipode, le Yin, que nous avons échoué et continuerons d'échouer. Nos dirigeants doivent demander des conseils, non seulement aux hommes de science, mais aussi aux poètes, aux philosophes et aux maîtres spirituels. Nous avons besoin de ce qu'il y a de mieux dans la science et la technologie, dans le monde matériel pour protéger Dame Nature et tous ses habitants. Elle est notre moyen de subsistance. Nous pouvons utiliser une épée pour couper ce qui la blesse, et non pour la détruire.

Le moment est venu de nous identifier à l'organisme en entier et de reconnaître nos bêtises. Nous devons accepter à la fois que Dame Nature prenne soin de nous et qu'elle soit incontrôlable. Il est clair qu'en donnant trop d'importance à la science et à la pensée rationnelle, nous avons presque détruit notre planète. C'est antiécologique. Si nous voulons survivre, nous devons les associer à la sagesse intuitive acquise tout au long de l'histoire de l'humanité et, pour nous, plus spécifiquement dans nos cultures amérindiennes.

D'un point de vue matériel, il est temps de nous unir pour partager ce que nous savons. En partageant le pouvoir, nous serons tous gagnants. En exerçant des jeux de pouvoir, nous continuerons d'être perdants. À quoi ressemblerait le monde si nous répartissions équitablement la richesse de notre planète et si nous fonctionnions à partir de notre amoureux spirituel? Cela transformerait non seulement nos relations, mais aussi notre monde.

Le changement nous appelle à devenir conscients

Les principaux thèmes de la vie sont la rencontre avec la naissance et la mort. Cela peut être l'expérience de la mort d'une personne aimée, d'une relation, d'une carrière, d'un rôle, d'une dépendance, d'une phase de la vie. La mythologie ne cesse d'en parler. Comme nous l'avons appris, faire face à ces crises nous force à examiner comment nous pouvons vivre la vie plus pleinement.

Carlos Castaneda, auteur de *Journey to Ixtlan,* cita son guide spirituel, Don Juan : «Si votre mort vous fait signe ou si vous la frôlez, vous abandonnerez de nombreuses mesquineries. La mort est le seul sage conseiller que nous avons.» Quelle position prendriez-vous dans votre vie si vous saviez que vous alliez mourir demain?

Il est possible que, lorsque nous faisons face à une crise éco-logique ou à une guerre, nous utilisions la mort comme notre conseillère à l'échelle de la planète. Si tel est le cas, nous som-mes davantage disposés à aborder la vie dans une perspective beaucoup plus large. Si je semble pessimiste, tel n'est pas mon but. En réalité, j'ai de l'espoir. Je ne suis pas certaine si les chan-gements qui se produisent sont dus au fait que notre Moi appris a peur de la mort ou si c'est parce que nous sommes plus éveillés spirituellement. Est-ce un manque de réflexion ou est-ce l'esprit qui parle ? Probablement les deux.

Peut-être que l'appel de la mort fait partie à la fois de la transformation personnelle et de la transformation culturelle qui se produisent à l'échelle de la planète. Peut-être que les crises écologiques que nous vivons nous confrontent à notre arrogance. Les nations de l'Europe de l'Est ont appris que sans nourriture leurs peuples meurent. Elles ont donc commencé à transformer leur système économique afin de produire davantage de nourri-ture. De même, le seul moyen de résoudre la crise existentielle est de la transcender en nous appropriant les illusions qui en sont à l'origine, et en les considérant comme des leçons qui nous per-mettent de grandir. Cela exige que nous soyons conscients — entrer en contact avec notre amoureux spirituel, l'aigle en nous, et adopter une vision plus large de la vie.

Pourquoi la conscience est-elle la solution ?

La solution à notre crise écologique réside en une conscience plus grande — c'est-à-dire en notre capacité de voir le monde avec une pensée consciente harmonieuse. Jamais, dans l'histoire, il nous a été demandé de changer aussi rapidement. Le moment est venu de nous éveiller à cette conscience, de nous aimer suffi-samment pour revendiquer le pouvoir spirituel et personnel dont nous avons besoin pour créer notre propre signification. En pre-nant conscience de notre unité avec la vie dans son ensemble, nous pouvons commencer à aimer, guider et éduquer nos enfants avec conscience. Nous apprenons à partager le pouvoir avec notre partenaire, avec notre société, avec notre terre.

Le problème est que nous devons surmonter et transcender des années d'apprentissage acquis. Étant donné que les changements se produisent maintenant, nous avons la responsabilité d'agir *maintenant*. Même si nous ne pouvons pas nous libérer de tout ce qui nous bloque, nous pouvons, en nous éveillant, reconnaître notre Moi appris, nos erreurs et la part que nous avons jouée dans la mort de notre Moi, de nos relations et de la terre.

Conscients, vrais et éveillés, nous sommes libres de voir qui nous sommes, ce que nous faisons vraiment et pourquoi nous le faisons. Si nous n'aimons pas ce que nous découvrons, nous le changeons. Nous fonctionnons à partir d'un ensemble de valeurs que nous avons intégrées, de règles basées sur une vérité intrinsèque; nous ne sommes plus contrôlés par les règles établies pour les masses. Nous cessons de nous blesser, de blesser les autres et de blesser la terre, parce que c'est mal de blesser et c'est bien d'arrêter. Nous fonctionnons à partir du regret et du remords, et ne sommes plus contrôlés par la culpabilité et la honte. En nous exprimant à partir de notre amoureux spirituel, nous ne pouvons que participer à la création d'un monde meilleur.

La terre est vivante

«Le Président, à Washington, nous fait savoir qu'il souhaite acheter notre terre. Mais comment pouvez-vous acheter ou vendre le ciel? La terre? Cette idée nous semble étrange. Si la fraîcheur de l'air et le miroitement de l'eau ne nous appartiennent pas, comment pouvez-vous les acheter?

«Chaque parcelle de cette terre est sacrée pour mon peuple. Chaque aiguille de pin étincelante, chaque rivage sablonneux, chaque brume dans les sombres forêts, chaque pré, chaque bourdonnement d'insecte, tous sont sacrés et font partie de la mémoire et de l'expérience de mon peuple...

«Si nous vous vendons notre terre, vous devez vous rappeler qu'elle est sacrée.»

— Lettre du chef Seattle datée de 1852
en réponse à la demande du gouvernement
des États-Unis d'acheter sa terre

Gaia est le nom que les Grecs utilisaient pour la déesse de la terre. C'est aussi le nom que donne James Lovelock à son idée selon laquelle la terre est vivante, forme un tout vivant maintenu et réglementé de manière active[38].

Nous nous sommes détournés de cet ancien concept. Nous avons considéré la terre comme un rocher et l'avons séparée de la vie.

La théorie de *Gaia* souligne l'interrelation qui existe entre la terre et la vie; la planète Terre est vivante. Les rochers, l'air, les océans, la terre sur laquelle nous marchons — tous font autant partie de la vie que les créatures vivantes. Comme l'a écrit Lovelock : «La vie et son environnement sont si étroitement associés que l'évolution relève de *Gaia*, non pas des organismes ou de l'environnement pris séparément... En pensant à la terre comme quelque chose de vivant, nous avons l'impression, quand tout va bien, qu'elle est au bon endroit, comme si toute la planète participait à une cérémonie sacrée.»

Si nous nous plaçons dans la perspective de la théorie de *Gaia*, nous sommes obligés d'avoir une vision beaucoup plus vaste de la planète. Les personnes qui se préoccupent de l'environnement uniquement à cause de ses répercussions sur la vie de l'homme passent à côté de l'essentiel. C'est une approche mécanique destinée à satisfaire les besoins de ces personnes. Notre amoureux spirituel nous demande de respecter tout ce qui contri-

---

38. James Lovelock dans *The Ages of Gaia* considère la terre comme un système vivant cohérent, et remarque que les hommes sont à l'origine des agressions dont la terre est l'objet. Il insiste sur la géophysiologie en reliant la géologie à la physiologie. Les organismes et les rochers sont en relation.

bue à une plus grande harmonie de l'univers. Nous devons parler de la terre et en prendre soin par respect pour elle, et non pas pour qu'elle puisse mieux nous servir. Les rituels primitifs et les cérémonies amérindiennes reflétaient cette interrelation.

Une société qui vit en harmonie avec la terre

Nous avons à la fois le potentiel et la responsabilité de créer une civilisation qui englobe l'amour et le pouvoir, les principes féminin et masculin, les réalités intérieure et extérieure, les mondes spirituel et matériel. À quoi ressemblerait une société qui porterait les marques de la condition humaine naturelle?

Peut-être que les San, habitants du désert du Kalahari, en sont-ils le meilleur exemple. Il s'agit d'une société simple étudiée en profondeur par les anthropologues pendant plus de vingt-cinq ans et décrite par Melvin Konner dans son livre *The Tangled Wing*[39]. Cette étude saisit l'essence d'une vie qui anéantit les croyances sur la nature humaine.

Les San vivaient en harmonie organique avec le monde et entre eux. Leur connaissance de la vie des plantes et des animaux était stupéfiante. Bien que cette connaissance leur permettait de vivre, elle allait bien au-delà de ce qui est nécessaire pour survivre. Les femmes cueillaient les fruits, les noix et les légumes. Les trois quarts de la nourriture nécessaire à maintenir leur famille en vie provenaient de ces cueillettes. Les chasseurs san rapportaient la viande fraîche. Ils tuaient seulement ce dont ils avaient besoin, et le peuplement du gibier restait équilibré. Ils avaient un profond respect et une grande fascination pour les animaux. Le courage et la bravoure étaient répandus. Les femmes considéraient leur pre-

---

39. Le premier chapitre du livre de Melvin Konner, *The Tangled Wing*, poursuit les travaux de Lee et DeVore, Marshall, Howell et Shostak, et d'autres. Les anthropologues ont parfois critiqué une emphase excessive mise sur les Kung San. Ces derniers vivent actuellement une période de crise historique en Afrique du Sud et sont ainsi forcés de prendre des décisions qui pourraient changer leur mode de vie.

mière grossesse comme un événement transformateur, et créaient des rituels pour fêter l'événement avec les autres femmes.

L'harmonie organique vécue dans la nature s'étendait aussi aux relations humaines. Les San réglaient les conflits en se réunissant pour parler, parfois pendant des heures. La véritable signification de la rencontre marathon était dans le dialogue. Les personnes présentes commençaient à exprimer franchement leurs sentiments au crépuscule et, parfois, cela continuait toute la nuit. Les voix étaient fortes, néanmoins égales par tous. Aucune distinction économique et sociale n'était apparente. L'éthique du partage était si forte que l'avarice (l'égoïsme) était considérée comme le péché le plus grave. La violence était considérée comme un désordre mental. Toute la nourriture réunie était partagée équitablement. Le premier mot que beaucoup d'enfants apprenaient était «donner».

L'éthique du partage du pouvoir, l'interdépendance naturelle et l'harmonie organique étaient clairement exprimées dans le rituel de la danse et des transes, un drame passionné de guérison. Le mystère de la plénitude était considéré à la fois comme sacré et humain, et donnait aux guérisseurs l'énergie nécessaire pour confronter la mort elle-même. Pendant que le malade était allongé près du feu, les personnes qu'il aimait étaient près de lui. Les femmes formaient un cercle autour du feu et chantaient des chansons qui les réunissaient dans un autre niveau de conscience. Inspirés, les hommes dansaient en cercle. La vie et la mort dépendaient de cette mutualité.

L'expérience des San remet en question la vision que nous avons des groupes primitifs comme étant des groupes solitaires, pauvres, brutaux et ignorants. Loin d'être solitaires, ils nous donnent l'exemple d'un partenariat : un équilibre entre les énergies mâle et femelle. Loin d'être pauvres, c'est l'abondance. Loin d'être brutaux, leurs relations sont empreintes de respect mutuel, de générosité et d'amour. Loin d'être ignorants, les San sont civilisés et philosophes. Ils prennent soin des personnes âgées et ne les envoient pas dans un ghetto situé dans une tour ou dans un centre d'accueil. Elles sont entourées de leurs petits-enfants et d'adultes affectueux qui n'ont pas peur de leur témoigner du respect. Bien qu'imparfaite, la culture des San affirme ce dont nous sommes capables.

Répandre l'amour et le pouvoir dans le monde

Nous ne pouvons avoir un bel esprit et une belle âme que si nous avons un monde de beauté.

— PÈRE THOMAS BERRY

Nos trois amoureux réagissent différemment à la terre. L'amoureux dépendant utilise la terre pour sa propre satisfaction. Avec la cupidité et la biotechnologie, nous altérons la composition du monde pour qu'il nous serve. L'amoureux sain a une conscience écologique, il est préoccupé et devient souvent un activiste. L'amoureux spirituel va plus loin et voit le caractère sacré en chaque animal, en chaque arbre. Les oiseaux, le vent, les nuages — tous sont des voix destinées à nous éveiller aux mystères les plus profonds de la vie. La nature stimule notre sensibilité. La poésie, un état nouveau de conscience, respecte l'évolution de la terre.

Si les êtres humains devaient disparaître de la terre, la *Gaia,* la vie prise dans son ensemble, continuerait. Comment les êtres humains peuvent-ils penser que la terre est là pour être contrôlée ? Nous devons considérer l'espèce humaine et les autres espèces comme une communauté en totalité. Nous devons considérer l'habitat — tout l'habitat — comme sacré.

La morale a été préoccupée depuis trop longtemps par le suicide, l'homicide et le génocide. Elle a négligé le biocide et le géocide (les tueurs d'organismes et de la terre, respectivement). Nous ne parviendrons pas à une véritable morale tant que nous n'inclurons pas ces deux derniers éléments.

Il ne suffit pas de nous concentrer sur nous-mêmes, de prendre soin que de nous, d'avoir des relations plus saines pour nous. Ici, c'est notre *ego* qui parle. Nous devons établir une présence humaine dans le monde naturel qui considère la planète comme notre domicile physique, biologique, relationnel et spirituel. Il ne peut y avoir de personnes saines ou d'amour sain sur une planète malade.

Nous pouvons créer un monde qui fonctionne

Chaque seconde que nous vivons est un nouveau moment unique de l'univers, un moment qui n'a jamais existé auparavant et qui n'existera plus jamais. Et qu'enseignons-nous à nos enfants à l'école ? Nous leur enseignons que deux et deux font quatre, et que Paris est la capitale de la France. Quand allons-nous aussi leur enseigner ce qu'ils sont ? Nous devrions dire à chacun d'eux : Sais-tu ce que tu es ? Tu es une merveille. Tu es unique. Nulle part ailleurs dans le monde existe un autre enfant comme toi... Tu es capable de tout. Oui, tu es une merveille. Quand tu grandiras, pourras-tu alors faire du mal à un autre qui, comme toi, est une merveille ? Vous devez vous aimer les uns les autres. Vous devez travailler — nous devons tous travailler — pour que ce monde soit digne de ses enfants.

– PABLO CASALS
DE *JOYS AND SORROWS*

Même si nous pouvons apprendre de la culture san, nous ne pouvons pas retourner en arrière. Ce n'est pas en imitant les cueilleuses et les chasseurs que nous aurons la réponse. Nous ne pouvons plus être des nomades ni nous permettre de laisser tomber la technologie. Mais nous pouvons retourner à un mode de vie organique qui nous mènera à un monde plus sensé. Un monde sensé est un monde conscient. Il connaît la véritable signification de l'amour comme un don, et du pouvoir comme un partage. Il sait que vivre en paix est un phénomène naturel, et que la guerre n'est pas naturelle. C'est là que se rejoignent le calice et la lame, le lien du masculin et du féminin. L'harmonie est l'expérience.

Nous pouvons créer un monde viable. Notre biologie le sait, notre histoire le prouve. Notre psyché a le potentiel pour faire de même. Notre amoureux spirituel ne le remet pas en question. Nous pouvons vivre spirituellement à l'intérieur des contraintes de notre biologie. Nous le devons. Nos façons de nous adapter pour nous en sortir, survivre à notre chagrin, faire face à la mort, appartenir à un autre, deviennent des contraintes psychologiques. Cacher notre peine, masquer nos peurs, fuir le contact, retenir notre amour sont, sans aucun doute, aussi possibles dans notre constitution biologique que le sont aimer généreusement et partager notre pouvoir.

Nous avons appris que ce sont les influences de notre passé qui limitent notre potentiel humain et notre esprit. Nous pouvons dépasser ces limites apprises qui nous donnent une vision confuse de l'amour et du pouvoir, et découvrir à nouveau un Moi conscient et éclairé. En agissant de la sorte, les hommes et les femmes qui vivent en association pourront s'exprimer dans un monde plus vaste : des familles, des écoles, des gouvernements et des nations éclairés. Les interrelations remplaceront le rang social. La souplesse remplacera la rigidité. La technologie retrouvera sa place dans la créativité et l'artisanat — menuiserie, poterie, tissage. La gestion jouera des rôles qui soutiendront la vie, nous donnant la liberté de mettre à profit notre potentiel créateur. La production encouragera la participation des travailleurs.

À mesure que nous passerons de la domination au partenariat dans nos relations, et que nous équilibrerons les énergies masculine et féminine, les dangers d'une destruction nucléaire diminueront graduellement. Une utilisation consciente de nos ressources naturelles et un contrôle individuel de la population supprimeront la nécessité de la famine, de la guerre et de la maladie. Le partage du pouvoir aura des répercussions sur l'environnement en remplaçant la conquête de la nature par l'amour de la nature.

Une pensée axée sur l'abondance fera de la pauvreté et de la faim des souvenirs. Nous serons surpris si les nouvelles parlent de suicide, de vandalisme, de dépendance, d'abus d'enfant, d'homicide et de terrorisme. Les affaires nationales et internationales s'amélioreront. Certains des meilleurs aspects du communisme et du capitalisme s'allieront pour donner un nouveau sens à la démocratie. Des femmes et des hommes conscients dirigeront notre système économique. Nos livres de croissance personnelle nous guideront pour que nous vivions en harmonie avec la planète ; ils soutiendront notre croissance et nous donneront des façons de parvenir à un amour et à un partage du pouvoir plus sains.

Les hommes seront libres de s'approprier leur caractère féminin et n'auront plus peur de la castration. Ils seront libres d'aimer. Les femmes, ouvertes à leur caractère masculin et aimantes envers elles-mêmes, ne craindront plus l'abandon. L'amour sain sera la norme. Des parents conscients entretiendront un lien avec leurs enfants, leur enseigneront la confiance, la générosité et le partage du pouvoir. Une célébration de l'amour renouvelée comportera une expression plus saine du plaisir sexuel, de l'amitié. Toutes les relations basées sur l'affection et l'amour seront reconnues. La religion soutiendra notre évolution spirituelle. Le mythe parlera de nouveau directement à notre âme et continuera de nous aider à synthétiser nos énergies psychologique et spirituelle.

Nous retrouverons, plus que tout, une unité de conscience. Nous retrouverons le sacré, un rituel spirituel significatif qui nous dira ce que nous savons déjà : *Nous sommes tous un sous le soleil.*

ACTIVITÉS

1. Découvrir des rituels de guérison

Nos dépendances et notre préoccupation à nous satisfaire non seulement nous détruisent et détruisent nos relations, mais la terre elle-même a aussi été abusée, ignorée, minimisée, pour paraître sans importance aux yeux des gens. Nous avons besoin d'un rituel d'expiation afin de transformer notre remords d'avoir recouru à des pratiques qui ont fait du tort à la terre. Nous devons reconnaître notre part de responsabilité face au saccage écologique. Cependant, nous ne devons pas porter un jugement trop sévère ou devenir déprimés à cause de ce qui s'est passé. Plusieurs sont restés endormis et n'ont pas vu ce qui se passait, et notre fausse dépendance nous a fait croire que quelqu'un d'autre s'occuperait des dégâts que nous avons causés sur notre terre. Si vous ne savez pas ce que vous faites, vous êtes innocents. Si vous continuez, bien que vous le sachiez et que vous soyez éveillés, vous perdez alors votre innocence.

Célébrons la terre et rendons-lui honneur avec des rituels pour les moments sacrés — chaque lever de soleil, chaque coucher de soleil, chacun des solstices. La rédemption peut signifier une célébration, la découverte de la joie après avoir appris du chaos.

Les rituels sont une partie importante de notre processus de transformation. Ils nous parlent au niveau des émotions et de l'âme. Ils marquent symboliquement le mouvement d'une phase de la vie à une autre. Ils nous lient aux événements importants. Ils sont des témoins de notre croissance. Ils nous donnent des bases et nous guérissent.

Nos apprentissages négatifs ont fait de nous des utilisateurs et des preneurs de notre planète. Il est important que nous rendions ce que nous avons pris.

Votre travail est celui-ci : prenez une graine, une semence, une plante. Allez dans la nature. Laissez votre intuition trouver un endroit spécial. Creusez un trou dans la terre et versez-y toutes les pensées, toutes les actions et tous les sentiments négatifs qui vous ont empêché d'être un amoureux spirituel pour vous, pour les autres et pour la terre. Restez un certain temps. Pleurez ou hurlez si vous en avez besoin.

Ce rituel peut être un moyen extrêmement efficace de vous libérer de vos émotions, et peut faciliter la création d'un lien spirituel entre vous et la terre. Une fois que vous avez terminé, recouvrez le trou. Remerciez la terre pour tout ce qu'elle a fait. Passez-y quelque temps... Creusez un autre trou et plantez ce que vous avez apporté comme un symbole de vos attitudes transformées et des actions qui vous guideront. Affirmez-le.

Si vous pouvez facilement retourner à cet endroit, faites-le, nourrissez la plante. Regardez-la pousser. Qu'elle soit une métaphore de votre transformation personnelle. Vous trouverez ci-dessous une activité qui vous encourage à actualiser votre amoureux spirituel dans le monde.

2. Sauver la terre

Voici une liste de trente-cinq choses choisies au hasard que vous pouvez faire pour développer la conscience planétaire. Faites une croix devant celles *que vous avez l'habitude de faire*. Si vous trouvez que vous n'avez pas suffisamment de ces bonnes habitudes, commencez à en prendre de nouvelles dès aujourd'hui. Soyez un modèle de comportement. Peu importe si vous commencez à faire ce qui est bien de l'extérieur vers l'intérieur. Si vous recyclez parce que vous vous sentez obligé et non parce que vous le faites avec conscience, vous finirez par comprendre ! À mesure que vous développerez une habitude, celle-ci deviendra, à un certain moment, votre conscience.

   1. Achetez des produits recyclables, recyclez-les, et achetez des produits fabriqués à partir de matières recyclées. (À

chaque heure, aux États-Unis, nous utilisons 2,5 millions de bouteilles de plastique.)

2. Conduisez une voiture qui ne consomme pas trop d'essence et maintenez-la en très bon état. Faites régulièrement la rotation des pneus pour augmenter au maximum leur durée de vie, et veillez à ce que la pression d'air soit correcte pour réduire la consommation d'essence.

3. Utilisez le plus souvent possible les transports en commun ou le covoiturage.

4. Mangez surtout des légumes, des fruits et des graines pour protéger la chaîne alimentaire.

5. Faites sécher vos vêtements au soleil et au vent quand cela est possible.

6. Baissez le chauffage. Augmentez la température à laquelle votre climatiseur se met en marche. Ou n'utilisez pas de climatiseur.

7. Utilisez moins d'eau quand vous prenez une douche, lavez la vaisselle, vous rasez, vous brossez les dents. Lavez votre voiture à la main.

8. Économisez les piles. Recyclez-les quand c'est possible. Utilisez des piles rechargeables.

9. Devenez membre d'un organisme crédible pour la protection de l'environnement.

10. Aérez et utilisez les plantes pour rafraîchir l'air, surtout dans les bureaux hermétiques.

11. Utilisez des fertilisants organiques pour vos pelouses et votre jardin. Utilisez les insectes prédateurs pour contrôler les insectes, ou attirez les oiseaux pour faire le travail.

12. Plantez au moins un arbre par an et nourrissez-le, afin de vous assurer qu'il survive.

13. Écrivez aux entreprises, aux gens des médias et aux politiciens qui s'intéressent activement à l'environnement.

14. Demandez à votre épicier d'utiliser des sacs en papier pour les légumes et les fruits, *ou* apportez les vôtres.

15. Servez-vous du téléphone — magasinez d'abord par téléphone; cela vous permet d'économiser de l'essence et votre énergie!

16. Conservez le papier et utilisez des produits en papier plutôt que des produits en plastique.

17. Faites ce que vous pouvez pour *arrêter* les deux millions de tonnes de publicités envoyées par la poste chaque année.

18. Retournez aux recettes de votre grand-mère pour le nettoyage — vinaigre, bicarbonate de soude, ammoniaque, pierre ponce, amidon de maïs, savons biodégradables, Borax et papier journal.

19. Limitez votre consommation de plastique — vous pouvez utiliser des couches en tissu.

20. Écrivez à votre député pour lui faire part de vos inquiétudes.

21. Ne laissez jamais de détritus dans la nature! Dites aux gens que vous êtes choqué et inquiet quand vous les voyez abuser de l'environnement.

22. Préoccupez-vous de la contamination des eaux souterraines. Elles représentent la moitié de notre approvisionnement en eau.

23. Préservez et créez un refuge pour la faune, ou un sanctuaire pour les oiseaux dans votre propre jardin.

24. Chassez et cueillez seulement ce que vous allez manger.

25. Instaurez des routines pour apprécier la nature. Vous nourrirez et protégerez ce que vous savourez.

26. Pensez «petit est beau et abondant». Construisez des maisons et des entreprises plus petites et plus efficaces. Changez vos comportements selon lesquels plus grand et neuf est bien meilleur.

27. Lisez, lisez, lisez. Informez-vous sur ce qui arrive pour vous éduquer. Rappelez-vous que l'ignorance n'est pas la félicité. C'est de l'ignorance.

28. Apportez une tasse en céramique à votre travail au lieu d'utiliser et de jeter des tasses en styromousse.

29. Utilisez des serviettes en tissu à la place des serviettes en papier.

30. Apportez avec vous un sac à provisions extensible.

31. Pensez à long terme. Ce qui vous semble pratique peut aboutir à une impasse.

32. Apprenez à être un consommateur respectueux de l'environnement.

33. Offrez des cadeaux respectueux de l'environnement.

34. Faites ce qui est en votre pouvoir pour préserver les forêts de la planète.

35. Songez à la population mondiale et envisagez d'avoir moins d'enfants — ou de ne pas en avoir.

Épilogue

ೞ ೞ ೞ ೞ

La voix ne venait de nulle part, ou du moins telle était mon impression. J'étais dans une pièce et je parlais à mon partenaire et ami. On entendait le journal télévisé en bruit de fond. La voix, vaguement familière, me dit : *Brenda, il est temps que tu cesses de prétendre que ta vie est ordinaire!* Les mots me traversèrent comme une lame. Je venais de comprendre. Tout s'arrêta. J'étais ouverte.

Ce matin-là, j'avais été interviewée au téléphone. On m'avait présentée comme une auteure et une psychologue connue. J'ai ri intérieurement, et j'ai essayé de minimiser cette présentation de mon interviewer. On m'avait dit autrefois que reconnaître ouvertement mes talents était un péché d'orgueil.

La voix a continué et a dit : «On ne te demande pas d'en faire plus. Il n'y a pas de "tu dois". Mais assume la responsabilité de ce que tu fais et ne fais pas. Sache que tu peux faire encore plus. C'est ta peur qui t'arrête. Reconnais ta peur, puis décide d'agir ou de ne pas agir. Fais-le avec une absolue honnêteté!»

Le message était fort. Je ne pouvais pas arrêter de pleurer. Je rassurai mon partenaire et ami que ce qui se passait avec moi était au-delà de lui et, d'une certaine manière, au-delà de moi.

Il me fallut plusieurs semaines pour examiner pleinement et ressentir intensément chacune de mes peurs. En arrêtant de voir ma vie comme quelque chose d'ordinaire, en acceptant la responsabilité de mes talents et en suivant ma voie spirituelle, je savais que ce que je craignais pouvait probablement devenir réalité.

Une fois que j'eus reconnu entièrement toutes mes peurs, j'acceptai qui je suis et je consentis à entrer pleinement dans la phase suivante de ma vie.

Je suis dans cette phase. Ce que je craignais qui arrive est arrivé, pour la majeure partie. Il y a des moments où je me révolte, je doute et je veux abandonner. Il n'est pas possible de retourner en arrière. Bien que je ne sache pas avec certitude où mon cheminement va me conduire cette fois, je suis prête à faire confiance à la voix. En écoutant cette connaissance intérieure, je ne me déçois pas et je ne déçois pas mes relations.

Des choses remarquables me sont déjà arrivées alors que j'essayais de vivre ces paroles. Écrire ce livre en est une partie. Je n'ai fait que partager une petite partie des connaissances et théories qui me passionnent et m'encouragent dans mon propre processus de transformation. Ce que j'ai partagé vise davantage à stimuler votre soif qu'à l'étancher.

L'objectif est de nous aider à reconnaître les points suivants :

- *Nous sommes à la fois un et plusieurs.* Plusieurs amoureux, chacun avec sa propre manière d'expérimenter le monde, cohabitent en nous. Pour que nous puissions comprendre nos relations amoureuses, il est primordial que nous connaissions les trois Moi que nous faisons agir tour à tour : le Moi appris, le Moi autonome et le Moi spirituel.

- *Le **Moi appris** considère l'amour comme une marchandise.* Il estime que notre principale tâche consiste à vivre en nous laissant influencer par les personnes qui nous aiment ou dont nous désirons être aimés. Le Moi appris s'adapte pour se sentir en sécurité et vivre dans le prévisible, même quand il n'y a pas d'amour. Il joue avec le pouvoir — il se l'approprie ou au contraire s'en défait. Le contrôle et la domination sont évidents. Nous sommes soit dominants, soit dominés, rarement égaux. Cette manière de voir le monde devient la marque de l'*amoureux dépen-*

dant. Il insiste sur le fait d'*avoir* — prendre soin des autres à nos propres dépens émotifs, ou posséder la «bonne personne» comme dose émotionnelle pour éviter d'être malheureux. Parfois, par peur, l'amoureux dépendant reste en bordure de l'amour. Il a une vision erronée de la définition du masculin et du féminin.

Notre défi consiste à démasquer les règlements institués par le Moi appris, réalisant qu'ils reposaient sur des décisions que nous avons prises quand nous nous considérions en grande partie comme des enfants impuissants dans un monde de géants. Ce n'est qu'alors que nous pouvons voir comment ces décisions ont été à l'origine de sentiments de honte, de culpabilité et de colère qui ont handicapé nos relations dans le présent.

- *En ayant le courage de savoir, nous donnons naissance au* **Moi autonome.** Ici, nous sommes libres de revendiquer l'amour sans supprimer notre pouvoir personnel. Nos relations avec les autres sont basées sur l'égalité dans un monde où il y a suffisamment d'amour et de pouvoir pour tous. Nous pouvons répondre à nos besoins en développant une mère et un père intérieurs, ou en demandant directement ce dont nous avons besoin.

C'est la vision de l'*amoureux sain* qui sait que nous sommes en sécurité en pensant, ressentant et agissant de la manière que nous voulons, tout en tenant compte aussi des besoins des autres. L'amoureux sain sait qu'il est important pour l'homme et la femme de développer les meilleurs aspects de leurs qualités féminines et masculines afin de former des partenariats où l'amour et le pouvoir coexistent.

- *Quelque chose de plus est cependant possible pour nous, quelque chose qui dépasse l'amoureux autonome et l'amoureux sain.* Nous pouvons accéder à notre **Moi spirituel** qui connaît une signification plus profonde de l'amour et du pouvoir; un Moi qui peut transformer non seulement nos relations, mais aussi notre vie alors que nous accédons à la connaissance, en attendant d'être reconnus.

Le Moi spirituel croit en l'abondance et considère l'amour et le pouvoir comme notre vraie nature. La personnalité n'est qu'un outil pour exprimer notre nature spirituelle. En découvrant cette vérité, nous connaissons l'être miraculeux que nous sommes — *des amoureux spirituels.* En tant que tels, nous regardons notre histoire avec la vision de l'aigle et nous travaillons avec les lois fondamentales de la transformation. En acceptant sans retenue que le processus du changement est la seule constante dans les relations, nous transcendons nos problèmes, et n'imposons aucune condition aux personnes que nous aimons. Nous considérons les relations comme des événements sacrés, les personnes que nous aimons (et parfois que nous n'aimons pas) comme des professeurs, et chaque moment de notre vie comme quelque chose à savourer. Dans nos relations, nous marions enfin l'amour et le pouvoir. Notre amour est en expansion, et nous sentons des affinités avec tous les êtres vivants, y compris la terre. Nous ressentons une conscience harmonieuse qui embrasse toute la vie.

Il est si captivant de connaître vos possibilités. Je vous encourage à écouter l'amoureux spirituel dans votre corps et dans votre psyché, à affirmer avec passion son droit d'exister et à lui servir la nourriture de la connaissance, de l'expérience et de l'amour. En écoutant la voix qui parle en vous, vous saurez comment aider votre évolution et l'évolution de la planète, ainsi que les personnes qui vous y soutiendront.

Emparez-vous de votre pouvoir personnel. Parcourez la terre, sentez le sol. Écoutez les oiseaux, émerveillez-vous devant les plantes, respectez vos amis les bêtes. Entrez en contact avec tous les éléments de la terre, et avec la vie qu'ils nourrissent.

Alors que je réfléchis au message que j'ai reçu, je vois que le moment est venu de le transmettre aux autres. À vous tous, je dis : cessez de feindre que votre vie est ordinaire, car elle ne l'est pas ! On ne vous demande pas de faire plus que ce que vous faites déjà. Mais quoi que vous fassiez ou ne fassiez pas, assumez-en l'entière responsabilité. Examinez vos peurs. Si vous le pouvez, transcendez-les. Découvrez le mystère de votre complétude, l'amoureux spirituel en vous. Ensuite, décidez pour vous-même ce que vous ferez et ne ferez pas dans toutes vos relations amoureuses. Il y a un guerrier en vous, un héros et une héroïne capables d'allier l'amour et le pouvoir, et de les faire découvrir au monde. *Nous sommes tous des descendants de grands chasseurs et de grands cueilleurs.*

Tels des hologrammes, nous reflétons l'énergie. Et ce que nous reflétons rejaillit sur nous. Aimez-vous ce que vous voyez ? Dans la négative, faites quelque chose — maintenant.

Oui, vous méritez l'amour et le pouvoir. Plus important encore, vous êtes l'amour et le pouvoir. Cessez d'attendre. Découvrez-les, vivez-les et partagez-les maintenant. Nous en bénéficierons tous.

Paix, amour, courage.

Annexe

☙ ☙ ☙ ☙

Caractéristiques de l'amoureux dépendant

Les amoureux dépendants peuvent avoir plusieurs des caractéristiques ci-dessous.

- Ils se sentent détruits.
- Ils ont de la difficulté à définir les frontières de leur *ego*.
- Ils font souvent preuve de sadomasochisme.
- Ils ont peur de lâcher prise.
- Ils ont peur du risque, du changement et de l'inconnu.
- Ils ont une croissance individuelle très limitée.
- Ils ont de la difficulté à vivre une véritable intimité.
- Ils ont recours à des jeux psychologiques.
- Ils donnent pour recevoir quelque chose en retour.
- Ils essaient de changer l'autre.
- Ils ont besoin de l'autre pour se sentir complets.
- Ils cherchent des solutions en dehors du Moi.
- Ils exigent et attendent un amour inconditionnel.
- Ils refusent l'engagement ou en abusent.

- Ils recherchent chez les autres leur affirmation et leur valeur.

- Ils ont peur de l'abandon quand ils sont constamment séparés.

- Ils recréent des sentiments familiers et négatifs.

- Ils désirent le rapprochement tout en le craignant.

- Ils essaient de prendre soin des sentiments des autres.

- Ils exercent des jeux de pouvoir.

Caractéristiques de l'amoureux sain

Les individus vivant des relations saines possèdent les caractéristiques ci-dessous.

- Ils laissent la place à l'individualité.

- Ils ressentent l'unité avec leur partenaire et la séparation sans leur partenaire.

- Ils font ressortir les meilleures qualités d'un partenaire.

- Ils acceptent les ruptures.

- Ils sont ouverts au changement et à l'exploration.

- Ils encouragent leur partenaire à grandir.

- Ils connaissent une véritable intimité.

- Ils se sentent libres de demander honnêtement ce qu'ils veulent.

- Ils donnent et reçoivent de la même manière.

- Ils n'essaient pas de changer ou de contrôler l'autre.

- Ils encouragent leur propre autonomie et celle de leur partenaire.

- Ils acceptent leurs propres limites et celles de leur partenaire.

- Ils ne cherchent pas l'amour inconditionnel.
- Ils acceptent et respectent l'engagement.
- Ils ont une grande estime d'eux-mêmes.
- Ils ont confiance en la mémoire de l'être aimé. Ils aiment la solitude.
- Ils expriment leurs sentiments spontanément.
- Ils sont ouverts au rapprochement et ne craignent pas d'être vulnérables.
- Ils se soucient mais avec détachement.
- Ils affirment l'égalité et le pouvoir personnel, tant chez eux-mêmes que chez leur partenaire.

Caractéristiques des jeux de pouvoir

La transition entre l'omnipotence puérile de l'enfance et le partage du pouvoir semble être une chose avec laquelle nous nous débattons tous pendant notre enfance et notre adolescence, et même pendant notre vie adulte. La confusion quant à l'utilisation du pouvoir semble évidente dans les relations adultes difficiles et malsaines. Quels sont les jeux de pouvoir qui détruisent les relations amoureuses adultes?

- Donner des conseils, mais ne pas en accepter.
- Avoir de la difficulté à tendre vers l'autre, et à demander du soutien et de l'amour.
- Donner des ordres; exiger et attendre beaucoup des autres.
- Essayer de «rendre la monnaie de sa pièce», ou de diminuer l'estime de soi ou le pouvoir des autres.
- Porter des jugements; déprécier les autres pour nuire à leur succès; chercher des fautes; persécuter; punir.
- S'accrocher aux autres; ne pas donner ce qu'ils veulent ou ce dont ils ont besoin.

- Faire des promesses, puis ne pas les tenir; faire en sorte que les autres nous fassent confiance et trahir leur confiance.

- Étouffer et surprotéger l'autre.

- Traiter les autres avec condescendance, d'une manière qui place un partenaire comme étant supérieur et l'autre comme étant inférieur; recourir à l'intimidation.

- Prendre des décisions pour l'autre; rabaisser la capacité de l'autre de résoudre des problèmes.

- Placer l'autre dans des situations perdantes.

- Essayer de changer l'autre (et ne pas être prêt à se changer soi-même).

- Attaquer l'autre quand il ou elle est le plus vulnérable.

- Afficher une attitude antidépendante : «Je n'ai pas besoin de toi.»

- Recourir à des comportements tyranniques et corrompus; faire des menaces.

- Manifester de l'amertume, de la colère non contrôlée, ou garder de la rancune.

- Abuser les autres verbalement, physiquement ou émotivement.

- Être agressif, et définir cette agressivité comme une affirmation de soi.

- Avoir besoin de gagner ou d'avoir raison.

- Résister avec entêtement ou s'en tenir à sa vision.

- Avoir de la difficulté à admettre ses erreurs ou à dire : «Je suis désolé.»

- Répondre aux questions de manière indirecte ou évasive.

- Défendre quelque comportement sur cette liste.

Bibliographie

ଓଃ ଓ୨ ଞ୦ ଞ୦

A Course in Miracles : Manual for Teachers, Vol. 3. Tiburon, Calif. : Foundation for Inner Peace, 1975.

Adams, David. «Women Batterers, The Sins of Our Brothers.» *Sojourners* (mai 1982).

Andrews, Lewis M. *To Thine Own Self Be True.* New York : Doubleday, 1989. «Are You Addicted to Addiction?» *Utne Reader* (novembre/décembre 1988).

Assagioli, Robert. «Synthesis», vol. 1 et 2. Synthesis Press (1975 et 1978).

Bach, Richard. *Un pont sur l'infini : une histoire d'amour,* Paris, J'ai Lu, 1999.

Bass, Ellen et Laura Davis. *The Courage to Heal.* New York : Harper and Row, 1988.

Berne, Eric. *Transactional Analysis in Psychotherapy.* New York : Grove Press, 1961.

— — . *Que dites-vous après avoir dit bonjour?* Paris, Sand, 1999.

Bettelheim, Bruno. *The Uses of Enchantment : The Meaning and Importance of Fairy Tales.* New York : Knopf, 1976.

Bly, Robert. *The Pillow and the Key.* St. Paul : Alley Press, 1987.

— — . *Iron John.* Reading, Mass. : Addison-Wesley, 1990.

Briggs, John. An interview of David Bohm, «Quantum Leap.» *New Age Journal* (septembre/octobre 1989).

Bruchac, Joseph, et Michael Caduto. *Keepers of the Earth.* Golden, Colo. : Fulcrum, 1988.

Campbell, Joseph, et Bill Moyers. *Puissance du mythe.* Paris, J'ai Lu, 1997.

Capellanus, Andreas. *The Art of Courtly Love.* Frederick W. Locke, éd. New York : Ungar, 1957.

Capra, Fritjof. *The Turning Point.* New York : Bantam Books, 1983.

— — . *Uncommon Wisdom.* New York : Bantam Books, 1989.

Carlson, Richard et Benjamin Shield. *Healers on Healing*. Los Angeles : Tarcher, 1989.

Castaneda, Carlos. *Journey to Ixtlan*. New York : Simon and Schuster, 1972.

— —. *Tales of Power*. New York : Simon and Schuster, 1974.

Chesler, Phyllis et Emily Jane Goodman. *Women, Money, Power*. New York : Morrow, 1976.

Eagle, White. *The Living Word of St. John*. Marina Del Ray, Calif. : DeVorss, 1979.

Eisler, Riane. *Le Calice et l'épée*. Paris, Laffont, 1989.

Erskine, Richard G. et Marilyn J. Zalcman. «Rackets and Other Treatment Issues.» *Transactional Analysis Journal* 9 :1 (janvier 1979).

Fisher, Helen E. *The Sex Contract : The Evolution of Human Behavior*. New York : Quill, 1983.

Ford, Edward E. *Choosing to Love : A New Way to Respond*. Minneapolis : Winston Press, 1983.

Fox, Matthew. *La grâce originelle*. Paris, DDB, 1995.

— —. *The Coming of the Cosmic Christ*. San Francisco : Harper and Row, 1988.

French, Marilyn. *Beyond Power*. New York : Ballantine Books, 1986.

Freudenbergh, Herbert J. «Today's Troubled Men.» *Psychology Today* (décembre 1987).

Fromm, Erich. *L'art d'aimer*. Paris, DDB, 1995.

Gawain, Shakti, et Laurel King. *Vivez dans la lumière*. Paris, J'ai Lu, 1999.

Gibran, Khalil. *Le prophète*. Québec, Mortagne, 1993.

Giono, Jean. *L'homme qui plantait des arbres*. Paris, Gallimard, 1996.

Goulding, Mary McClure, et Robert L. Goulding. *Changing Lives Through Redecision Therapy*. New York : Brunner/Mazel, 1979.

Goulding, Robert, et Mary McClure Goulding. *The Power Is in the Patient*. San Francisco : TA Press, 1978.

Grof, Christina, et Stanislav Grof. *The Stormy Search for the Self*. Los Angeles : Tarcher, 1990.

Grof, Stanislav. East and West : *Ancient Wisdom and Modern Science*. Mill Valley, Calif. : Briggs, Robert, Associates, 1985.

— —. *The Adventure of Self Discovery*. Albany, N.Y. : State University of New York Press, 1987.

Groth, A. Nicholas. *Men Who Rape : The Psychology of the Offender*. New York : Plenum Press, 1979.

Hamer, Mike et Nathaniel Mead. An Interview of Thomas Berry, «Finding Heaven on Earth.» *New Age Journal* (avril 1990).

Hartshorne, Charles. *The Divine Relativity : A Social Conception of God.* New Haven : Yale University Press, 1948.

Herman, Judith. *Father-Daughter Incest.* Cambridge, Mass. : Harvard University Press, 1981.

House, James S., Karl R. Landis, et Debra Umberson. «Social Relationships and Health.» *Science* Vol. 241 (juillet 1988).

Johnson, Robert. HE : *Understanding Masculine Psychology.* New York : Harper and Row, 1986.

— —. *Inner Work.* San Francisco : Harper and Row, 1986.

— —. *SHE : Understanding Feminine Psychology.* New York : Harper and Row, 1986.

— —. *Ecstasy : Understanding the Psychology of Joy.* San Francisco : Harper and Row, 1989.

Jones, E. Stanley. *The Way to Power and Poise.* Nashville : Abingdon Press, 1949.

Kahler, Taibi. *Transactional Analysis Revisited.* Little Rock : Human Development Publications, 1978.

Kahler, avec Hedges Capers. «The Miniscript.» *Transactional Analysis Journal* 4 :1 (janvier 1974).

Karpman/ Stephen. «Fairy Tales and Script Drama Analysis.» TAB 7 :26 (avril 1968).

Keen, Sam. *Beginnings Without End.* San Francisco : Harper and Row, 1977.

Keyes, Ken, Jr. *A Conscious Person's Guide to Relationships.* Coos Bay, Ore. : Love Line Books, 1979.

— —. *The Hundreth Monkey.* Coos Bay, Ore. : Vision Books, 1982.

Klein, Carole. *Mother and Sons.* Boston : Houghton Mifflin, 1984.

Konner, Melvin. *The Tangled Wing.* New York : Harper and Row, 1983.

Kupfer, David, et Morris Haimowitz. «Therapeutic Interventions.» *Transactional Analysis Journal* 1 :1 (1971), 10-16.

Leclerc, Ivor. *Whitehead's Metaphysics.* Lanham, Md. : University Press of America, 1986.

Lerner, Gerda. *The Creation of Patriarchy.* New York : Oxford University Press, 1986.

Levin, Pamela. *Cycles of Power : A User's Guide to the Seven Seasons of Life.* Deerfield Beach, Fla. : Health Communications, 1988.

Lindbergh, Anne Morrow. *Gift from the Sea.* New York : Random House, 1955.

Lovelock, James. *The Ages of Gaia : A Biography of Our Living Earth.* New York : Norton, 1988.

Millman, Dan. *Way of the Peaceful Warrior*. Tiburon, Calif. : H. J. Kramer, 1984.

Mishlove, Jeffrey. «An Interview of Francis Vaughn.» *Noetic Sciences Review* No. 10 (printemps 1989).

Neumann, Erich. *The Great Mother*. Princeton, N.J. : Princeton University Press,1972.

Nordby, Vemon J., et Calvin S. Hall. *A Primer of Jungian Psychology*. New York : Mentor, 1973.

Ode, Kim. «Some Mothers May Not Give Dad a Chance.» *Minneapolis Star and Tribune* (10 janvier 1988).

Ouspensky, P. D. *In Search of the Miraculous*. New York : Harcourt, Brace, and World, 1949.

— —. *The Fourth Way*. New York : Vintage, 1957.

— —. *The Psychology of Man's Possible Evolution*. New York : Random House, 1973.

Palmer, Helen. *The Enneagram*. New York : Harper and Row, 1988.

Pearce, Joseph C. *The Bond of Power*. New York : Elseview-Dutton, 1981.

Pearson, Carol S. *The Hero Within*. San Francisco : Harper and Row, 1986.

Peck, M. Scott. *Le chemin le moins fréquenté*. Paris, Laffont, 1987.

Rich, Adrienne. *Of Woman Born*. New York : Norton, 1976.

Riso, Don Richard. *Personality Types*. Boston : Houghton Mifflin, 1987.

— —. *Understanding the Enneagram*. Boston : Houghton Mifflin, 1990.

Robertson, James. *The Sane Alternative : A Choice of Futures*. St. Paul : River Basin, 1978.

Schaef, Anne Wilson. *When Society Becomes an Addict*. San Francisco : Harper and Row, 1987.

Schaeffer, Brenda. *Corrective Parenting Chart,* 3e éd. Brenda Schaeffer : Minneapolis, 1981.

— —. *Is It Love or Is It Addiction?* Center City, Minn. : Hazelden Educational Materials, 1987.

Schiff, J. L., et al. *The Cathexis Reader*. New York : Harper and Row, 1975.

Shinn, Florence Scovel. *The Game of Life and How to Play It*. Marina Del Ray, Calif. : DeVorss, 1978.

Sinetar, Marsha. *Ordinary People as Monks and Mystics*. Mahwah, N. J. : Paulist Press, 1986.

Small, Jacquelyn. *Transformers — The Therapists of the Future*. Marina del Ray, Calif. : DeVorss, 1982.

Steiner, Claude M. *Scripts People Live*. New York : Grove, 1974.

Steinsaltz, Adin. *The Thirteen Petalled Rose*. New York : Basic Books, 1980.

Stoltz, Sandra Gordon. *The Food Fix.* Englewood Cliffs, N.J. : Prentice-Hall, 1983.

Suchocki, Marjorie Hewitt. *God-Christ-Church : A Practical Approach to Process Theology.* New York : Crossroad, 1982.

Tart, Charles T. *Transpersonal Psychologies.* New York : Harper and Row, 1975.

Teresa, Mère. *Words to Love By...* Notre Dame, Ind. : Ave Marie Press, 1983.

Trungpa, Chogyam. *Shambhala : The Sacred Path of the Warrior.* New York : Bantam Books, 1986.

Wallis, Claudia, «Back Off Buddy.» *Time* (12 octobre 1987).

Weed, Joseph J. *Wisdom of the Mystic Masters.* West Nyack, N.Y. : Parker, 1968.

Weiss, Laurie, et Jonathan Weiss. *Recovery from Co-Dependency.* Deerfield Beach, Fla. : Health Communications, 1989.

Wilber, Ken. *No Boundary : Eastern and Western Approaches to Personal Growth.* Boston : Shambhala, 1979.

— —. «Love Story.» *New Age Journal* (juillet/août 1989).

— —. éd. *The Holographic Paradigm and Other Paradoxes.* Boulder, Colo. : Shambhala, 1982.

Wilhelm, Richard. *The I Ching or Book of Changes.* Cary F. Baynes, trans. Princeton, N.J. : Princeton University Press, 1977.

Table des matières détaillée

ରେ ଓ ରେ ର